POURQUOI LA GR[illegible]

Jacqueline de Rom[illegible]
différents lycées, [illegible]
supérieure et à la S[illegible]
seur au Collège de [illegible] de
l'Académie des inscr[illegible] a été élue à
l'Académie française e[illegible] Romilly est décédée
en décembre 2010.

Paru au Livre de Poche :

CE QUE JE CROIS

DANS LE JARDIN DES MOTS

LES GRANDS SOPHISTES DANS L'ATHÈNES DE PÉRICLÈS

LAISSE FLOTTER LES RUBANS

LE TRÉSOR DES SAVOIRS OUBLIÉS

En collaboration avec Monique Trédé :

PETITES LEÇONS SUR LE GREC ANCIEN

JACQUELINE DE ROMILLY
de l'Académie française

Pourquoi la Grèce ?

LES BELLES LETTRES

ISBN : 978-2-253-13549-4 – 1re publication LGF

Préface

Il arrive que l'on perçoive seulement à l'extrême fin de sa vie ce que l'on a instinctivement cherché tout au long des années : c'est mon cas, et c'est le sens de ce livre.

J'ai choisi, étant étudiante, de travailler sur Thucydide. « Pourquoi ? » m'ont demandé plus tard les journalistes. Parce que le hasard m'avait fait lire, un été, quelques pages de cet historien du ve av. J.-C. et que j'avais trouvé cela beau. Voilà ce que j'ai dit et c'était la vérité. Mais pourquoi beau et en quoi ? Je ne le savais pas moi-même, alors. Je ne me rendais pas compte que j'étais éblouie et déroutée par le choc que me donnaient ces phrases, venues après vingt-cinq siècles me dire, avec un éclat de révélation, des choses de mon temps. En si peu de mots, en phrases denses, chargées de sens, hautaines, subtiles, Thucydide pensait pour moi, en avant de moi. C'était l'étonnement même que venait de formuler Albert Thibaudet en 1922, dans *La Campagne avec Thucydide,* reconnaissant dans cet auteur le sens de la guerre qu'il venait de vivre. Sans bien mesurer que telle était la source de l'attrait qu'il exerçait sur moi, je me suis mise à travailler sur son œuvre, pendant des années et des années. J'ai traduit, vérifié. J'ai réfléchi aussi. J'ai écrit un livre, puis un autre. J'ai essayé de dire comment Thucydide faisait pour que l'histoire devînt cette épure subtile d'arguments entrelacés, qui cherchait à épuiser tout l'aspect prévisible des faits [1]. Je multipliais alors les livres, les articles à ce sujet.

Mais Thucydide n'était pas isolé, suspendu hors du temps comme le seul témoin d'une civilisation perdue : il appartenait au contraire au siècle le plus dense et le mieux jalonné de l'histoire littéraire de l'humanité. L'Athènes du ve siècle, dans laquelle il vivait, était celle de la tragédie, comme celle de Socrate. Et voici que, portée par Thucydide, je me tournais vers ces autres œuvres. Là aussi, j'aurais pu dire simplement que c'était beau. Mais que demandais-je donc à ces textes ? Après coup, je le vois, je leur demandais, comme à Thucydide, le secret de ces notions, peu à peu fouillées et nuancées, le secret de l'évolution qui, en quelques décennies, renouvelait le genre, le secret, enfin, de cette richesse philosophique, défilant dans des images et des chants. Les livres alors s'appellent *La Crainte et l'angoisse dans le théâtre d'Eschyle*, *L'Évolution du pathétique d'Eschyle à Euripide*, *Le Temps dans la tragédie grecque* [2]...

Il y avait quelque chose de commun à Thucydide et à ces poètes, quelque chose de ferme et décanté, qui nous touchait encore. Cernant les idées, l'art, la pensée, je ne me rendais pas compte que, déjà, j'étais sur la piste de ce quelque chose d'unique.

Entre Hérodote et Thucydide, entre Eschyle et Euripide, je m'émerveillais bien de voir un surgissement extraordinaire. Je voyais que tout changeait, que la pensée s'aiguisait. J'appris bientôt à la voir s'aiguiser d'année en année. Car, pour le ve siècle avant J.-C., nous avons souvent des séries d'œuvres qui se suivent, à un an près, et pour lesquelles l'évolution de la guerre, comme pour Thucydide, éclaire, et parfois explique, chacune des nouveautés. Ce quelque chose qui changeait m'émerveilla, et, entrant bientôt au Collège de France, je résolus de me consacrer à cette formation des idées. Ce fut le titre de ma chaire ; ce fut l'esprit de mes recherches et de mes livres, pendant une quinzaine d'années : la loi, la démocratie, la douceur furent alors étudiées dans leur épanouissement au cours du temps, d'année en année, mais aussi d'auteur en auteur, parfois de siècle en siècle. Les travaux que je dirigeais allaient tous dans le même sens. Et je ne cessais, alors, d'admirer et d'étudier ce dynamisme qui semblait pousser tous les auteurs grecs sur la voie de découvertes faites en commun, dont nous étions les héritiers.

Pour cela, je remontais toujours à Homère, bien entendu. Et Homère — ah, certes, j'aurais pu dire aussi que « c'était beau ». Mais je m'aperçus vite, au cours de mes lectures et de mes séminaires, que ce n'était pas beau comme n'importe quelle épopée, plus ou moins archaïque et dépaysante. Non, c'était étrangement plein de réserve, étrangement dépouillé ; si l'on comparait avec d'autres versions, avec d'autres épopées, avec avant, avec après, toujours on demeurait saisi de découvrir Homère plus proche de nous et plus sobre.

Toutes proportions gardées, je retrouvais dans Homère cette densité intemporelle qui m'avait attirée, à l'origine, vers Thucydide. Les deux écrivains étaient aussi différents que possible. Un poète et un historien au savoir tendu, un monde tout entier concret et un style crépitant d'abstractions, un auteur chez qui tout rayonnait et un autre qui ne s'en laissait jamais conter : ils étaient, à bien des égards, antithétiques. Et pourtant des vérités intemporelles se dégageaient chez l'un comme chez l'autre ; et si l'un subsistait jusqu'à nos jours sous la forme de héros à jamais destinés à occuper les poètes, l'autre survivait sous la forme de pensées à jamais applicables dans la réflexion politique. Je ne formulais pas encore clairement l'étonnement que m'inspirait cette parenté. Mais les thèmes commençaient du moins à se dessiner, comme des lambeaux de phrases musicales esquissées, puis perdues.

Je cherchai d'abord à mieux comprendre la différence de registre ; et c'est là que je découvris le rôle de ces maîtres si étonnants que furent, pour l'Athènes du ve siècle, les sophistes[3]. Ils avaient enseigné l'art de raisonner, de discuter. Du coup, je revenais, encore une fois, à Thucydide, cherchant alors à serrer le texte de toutes mes forces, pour percer à jour le secret de cette valeur universelle que chacun sent dans son histoire ; et je la mis en relation avec le rôle des maximes générales[4]. Je pensais que cela avait été pour moi la question ultime, pressentie depuis mes débuts d'étudiante.

Et puis je m'aperçus que je n'avais pas moi-même pleinement compris le sens de cette quête ininterrompue. On ne prend jamais assez de recul...

Je le vois, à présent. Depuis le terme auquel je suis parvenue, je vois que, derrière toutes les études particulières, je cherchais la réponse à une grande question, toujours la même : d'où vient, d'où peut venir, comment peut-on expliquer que ces œuvres grecques d'il y a vingt ou trente siècles nous donnent, avec tant de force, ce sentiment d'être encore actuelles et d'être faites pour tous les temps ?

Ce que je cherchais était ce qu'il y avait en elles, qui pût expliquer ce sentiment : quelles aspirations, et aussi quels procédés. J'étais comme l'enfant qui devant son jouet demande « Comment ça marche ? »

*

Cette préoccupation explique d'ailleurs la voie que j'ai suivie, au sein de l'hellénisme. Il y a en effet plus d'une façon de l'aborder.

Dans le principe même, d'abord.

La Grèce nous a laissé la première vraie littérature du monde occidental. Ainsi offre-t-elle le choix entre deux attitudes. On peut — et c'est la voie que j'ai choisie — chercher en quoi et pourquoi il y a eu là un point de départ ; on suivra alors à travers les textes les traces d'une éclosion sans cesse continuée, qui ouvre la voie jusqu'à nous. Ou bien l'on peut, parce qu'elle est la plus ancienne, chercher dans cette littérature les strates d'un fond archaïque dont elle se dégageait tout juste ; on obéit là à un souci anthropologique, fondé sur la mythologie et le souvenir des vieux rites, qui plongent loin dans le passé. Ces deux orientations peuvent collaborer, mais elles sont divergentes. Lorsque J.-P. Vernant et moi-même, nous occupions au Collège de France des chaires jumelles, nous illustrions ainsi cette double possibilité.

On peut aussi, dans l'étude même des textes, mettre l'accent sur l'œuvre littéraire ou bien sur la civilisation dont celle-ci est le témoignage : ce que je viens d'exposer fera comprendre que seule la première attitude pouvait convenir à mon propos. Enfin, on peut, parmi les œuvres, se concentrer comme je l'ai fait, sur le ve siècle, ou bien s'agacer de ce privilège, et préférer à ces moments sans ombre les périodes de glissements, de transformations, ou de contaminations, ainsi que les contacts entre cultures, aux périphéries de l'hellénisme. La curiosité historique peut y gagner. Et ce projet correspond bien au goût moderne pour le passage du temps et pour l'idée d'égalité entre les cultures. L'autre implique la primauté du littéraire, et la hantise inlassable du dépassement.

Je suis une littéraire et mon problème aujourd'hui est un problème littéraire.

*

Il dépasse cependant le cadre de l'expérience individuelle qui fut la mienne. Et si j'ai mis longtemps à en percevoir le sens dans ma propre recherche, on aurait pu poser ce problème tout de suite de façon parfaitement simple et extérieure.

Car enfin deux circonstances sautent aux yeux des plus ignorants.

La première est l'influence incroyable qu'ont exercée, en presque tous les temps et en beaucoup de pays, les œuvres grecques, la pensée grecque, et jusqu'aux mots grecs. La Grèce n'a conquis aucun peuple. Elle n'a donné ses institutions à aucun. Elle n'a même pas su faire son unité. Elle a été vaincue par les Macédoniens, puis par les Romains. Elle avait créé des colonies sur tout le pourtour de la Méditerranée ; mais ces colonies n'étaient que des petits îlots de population grecque, très éloignés les uns des autres et ne cherchant point à annexer ou à régenter les pays d'alentour. La culture des Grecs n'avait *a priori* aucune chance de se répandre hors de Grèce — trop heureux si elle s'y maintenait.

Or on constate qu'à Rome, les gens cultivés parlaient grec, même entre eux. On constate que le théâtre romain fut souvent simple traduction des pièces grecques, parfois contaminées ou accommodées, mais tirées du grec. L'épopée romaine, avec Virgile, prend la suite de l'*Iliade* et en imite de grands passages. On retrouve dans Cicéron tantôt Platon et tantôt Isocrate. On retrouve dans Ovide des souvenirs des poètes alexandrins ; on en trouve plus encore chez Properce. Et l'on pourrait allonger la liste presque à l'infini. Si ces auteurs ont modifié les genres dont ils héritaient, s'ils ont coloré à leur façon la rhétorique ou la philosophie, s'ils ont eu de nouvelles valeurs et de nouveaux intérêts, c'est en partant de ces modèles grecs, en s'en nourrissant, en les reprenant — tout comme ils reprenaient les héros que la Grèce avait mis en honneur.

Par l'intermédiaire de Rome, nous en avons hérité aussi.

Du moins pourrait-on penser que c'est là une circonstance, peut-être due aux hasards de l'histoire. Mais le phénomène continue. Mis à part quelques siècles de la fin du Moyen Age, voici que tous les peuples occidentaux connaissent la même aventure. Non seulement on joue les tragédies grecques — et on les joue partout : en Allemagne et au Japon, en Suède et aux États-Unis ; Électre ou Médée sont blanches, ou noires, ou jaunes ; elles sont vêtues de toutes les manières ; mais ce sont elles. Et les mêmes personnages revivent aussi dans des œuvres modernes : Anouilh, Sartre, Giraudoux, mais aussi O'Neill ; et ils reviennent dans des films. A Paris, en tout cas, il n'est certainement pas un jour de l'année où l'on ne puisse voir une pièce grecque et pas une année où l'on ne découvre une nouvelle adaptation plus ou moins libre et plus ou moins heureuse. Un ouvrage récent de M. O. Taplin[5] offre ainsi des illustrations de théâtre, d'opéra, ou de cinéma, qui nous promènent à travers le monde. En même temps, dans des pays où l'on est en train d'abolir, ou d'essayer d'abolir, tout l'enseignement de la langue et de la littérature grecques, Hérodote, Thucydide, Platon, surgissent en livre de poche ou en collection bon marché, absolument chaque année. Et pourquoi, dans ces mêmes pays d'Occident (l'Occident englobant les États-Unis), recourt-on au grec pour nommer toutes les inventions et découvertes modernes — de l'euthanasie aux métabolismes — sans parler des fusées ou grands projets qui s'appellent Ariane ou Hermès ?... Nous respirons l'air de la Grèce, sans le savoir, à chaque instant.

Ce fait si remarquable n'est pas tout. Si l'on regarde en effet cette longue suite d'œuvres, et de chefs-d'œuvre, étalés sur une si longue durée, on doit bien constater qu'il est un siècle — à peine un siècle — qui tient à cet égard une place étonnamment privilégiée : si l'on met à part le premier de tous les auteurs (Homère), et l'un des derniers à avoir beaucoup compté (Plutarque), presque tous les autres appartiennent au ve siècle athénien.

Que s'est-il donc passé, là et alors ?

Le ve siècle athénien a inventé la démocratie et la

réflexion politique. Il a créé la tragédie et, en moins de cent ans, a vu se succéder les trois seuls auteurs qu'ait connus la postérité — Eschyle, Sophocle, Euripide. Il a donné forme à la comédie, avec Aristophane. Il a vu l'invention de l'histoire, avec Hérodote d'abord (qui n'était pas athénien mais vint longuement à Athènes), puis avec Thucydide. Il a vu les constructions de l'Acropole et les statues de Phidias. Il a été le siècle de Socrate. Socrate, dans les dernières années du siècle, s'entretenait avec le jeune Platon ou le jeune Xénophon, et avec les disciples de ces sophistes, qui venaient d'inventer la rhétorique. On apprenait alors les progrès d'une nouvelle médecine, scientifique et fondée sur l'observation — celle d'un certain Hippocrate...

Tous ces auteurs (sauf Hérodote et Hippocrate) étaient athéniens. Tous (sauf Eschyle et Sophocle qui étaient de peu antérieurs) sont nés dans des années voisines. Vers 480, Euripide ; vers 470, Socrate ; vers 460, Thucydide ; vers 445, Aristophane. Et les pièces de théâtre dont on évoquait à l'instant l'extraordinaire influence dans tout le monde occidental se sont jouées, d'année en année, dans une seule et même période. 442 : *Antigone ;* 438 : *Alceste ;* 431 : *Médée ;* 428 : *Hippolyte*... Même en ne retenant que les pièces conservées et les dates connues, le rythme est serré, presque crépitant ; et il fait surgir au passage les noms d'œuvres qui précisément ont été le plus longtemps et le plus largement diffusées dans le monde antique et dans le monde moderne.

Pourquoi ?

On comprendra bien que ce n'est pas seulement affaire de qualité. D'ailleurs, qui prétendrait que Pindare est un moindre poète ou que Théocrite n'est pas exquis ? qui prétendrait que les présocratiques n'étaient point des penseurs d'une profondeur inégalée ? Mais, sauf une exception de taille, tous ces autres auteurs n'ont plus guère été lus que par des érudits ou se sont un peu effacés devant ceux qui les avaient imités en latin[6]. Ils n'ont point eu cette action directe, et indéfiniment reprise, que l'on a dite. L'exception est Aristote, qui fut lu, étudié et commenté pendant tout le Moyen Age — à cause de la somme qu'il offrait, sous forme claire et savante. Encore cette influence était-elle, par nature, cantonnée aux clercs et aux professionnels du savoir.

Il s'est donc passé quelque chose, en ce ve siècle avant J.-C., qui allait au-devant de l'intelligence et de la sensibilité humaines, quelque chose qui prédisposait ces œuvres à jouer le rôle qu'elles ont joué dans l'histoire de notre culture.

Mais quoi ?

La réponse que nous cherchons doit, on le voit, être double. Il faut en effet se demander ce qu'il pouvait y avoir en Grèce, dès l'origine et jusqu'à la fin, qui mette ainsi à part la civilisation grecque et lui assure ce rayonnement sans pareil. Et il faut aussi se demander ce qui s'est passé à Athènes, au ve siècle avec J.-C., pour rendre compte du décalage et de la brusque intensification du phénomène.

L'interrogation posée par l'histoire de la culture en général rejoint donc exactement celle que, dès le départ, je sentais poindre en moi, lorsque, jeune étudiante, je lisais Thucydide et souhaitais l'étudier « parce que c'était beau ».

*

Ce problème n'était évidemment pas nouveau. Et des réponses partielles avaient été offertes, soit à propos d'une œuvre ou d'un mythe spécialement célèbres, soit en fonction de tel ou tel système philosophique. Mais il devait s'agir pour moi de chercher une réponse valable pour l'ensemble des œuvres et vérifiable dans leur texture même. D'autre part, on peut dire que, de façon très générale, certaines évidences étaient apparues à tous. Chacun sait ainsi que la Grèce et qu'Athènes ont été animées par un désir unique de comprendre l'homme. Chacun sait qu'elles ont voulu rendre compte de la vie humaine en termes de raison, et qu'elles ont instauré la civilisation du *logos*. Par là, il est clair qu'elles allaient au-devant des curiosités que nourriraient les hommes, en d'autres lieux et en d'autres temps.

Encore faut-il serrer les choses d'un peu plus près. En quoi l'épopée d'Homère, retentissante de cris et de coups, représente-t-elle une civilisation du *logos?* En quoi les mythes, avec leurs horreurs, expriment-ils, eux aussi, une telle civilisation ? Et surtout comment font tous ces auteurs, en prose ou bien en vers, pour arriver ainsi à ne retenir que l'aspect humain et assimilable pour tous ? C'est dans le détail que réside le secret. Et c'est dans la variété des solutions littéraires que réside la confirmation de ce projet unique qui met la Grèce à part.

Au reste n'en est-il pas toujours ainsi ? Le « pourquoi » ne se lit jamais avec évidence qu'à travers un « comment ».

Je n'ai pas écrit mon dernier livre sur Thucydide, et sur la « construction de la vérité » que nous offre son œuvre, avec l'intention de montrer que l'historien doit exercer des choix personnels : la moindre dissertation d'élève l'aurait dit. Je n'ai pas non plus voulu montrer que Thucydide tendait à donner à l'histoire une interprétation universelle : il l'avait indiqué lui-même de la façon la plus ferme et la plus précise. J'ai voulu tenter de voir, dans le détail, comment il procédait pour arriver à ce résultat. J'ai voulu voir une intention s'imposer avec assez de force pour mobiliser tous les moyens de réflexion et d'expression d'un auteur.

C'est là un simple exemple. Si j'y insiste, c'est parce qu'une telle curiosité, qui réclame de l'attention et restitue la création même des œuvres, n'est pas toujours comprise en une époque où l'on veut, très vite, des conclusions, où l'on pratique les résumés, et où, comme s'il s'agissait d'un vote, on pense qu'un philosophe, écrivant sur la loi, ne peut être que « pour » ou « contre »[7].

De même, écrire sur l'homme ou pour les hommes ne veut pas dire grand-chose si l'analyse des moyens ne rend pas compte de l'entreprise. Et plus la question soulevée est large, plus l'absence de détails, de preuves, l'absence de chair, si l'on peut dire, ne nous laisse que des truismes, ou des affirmations à l'emporte-pièce, contestables et peu convaincantes.

Mais comment faire ? Je ne pouvais pas tout dire, sur tous les auteurs. Je ne pouvais pas donner les preuves de ce qui, *a priori*, devait précisément se retrouver partout. Déjà tout ce que j'avais écrit jusqu'à présent n'était que suggestions éparses, relevant toujours de la question sans jamais en épuiser aucun des aspects. Il fallait à tout prix choisir, élaguer et, à contrecœur, ne retenir qu'un faisceau de suggestions, aussi éloquentes que possible.

Et ce n'était pas encore le plus grave. Car si l'ampleur du terrain couvert exigeait que l'on prît du recul, pour voir se dégager des perspectives d'ensemble, encore fallait-il que leur convergence ne fût pas faussée. Là était la vraie difficulté.

J'ai en effet voulu montrer que toutes les œuvres de la civilisation grecque dans l'Antiquité, et plus particulièrement celles d'Athènes, au ve siècle avant J.-C., se distinguaient par un effort exceptionnel vers l'humain et l'universel ; et j'ai voulu justifier le rayonnement sans pareil de l'hellénisme au-dehors par cette orientation si remarquable. Mais quel sens faut-il donner à ces mots ?

S'agissant d'œuvres littéraires qui appartiennent à des genres et à des siècles différents, ils prennent nécessairement quelque chose de flou et de changeant. Un énoncé abstrait peut aisément être tenu pour universel. Et l'on se rapprochera de ce sens quand on rencontrera, par exemple, la tendance chère aux Grecs, qui les pousse aux affirmations générales portant sur la vie, sur les hommes, sur « tous les hommes ». Cette tendance existe dans la poésie dite gnomique, mais se retrouve un peu partout en prose comme en vers. On se rapprochera aussi de ce sens lorsque l'on rencontrera le désir, déjà plus élaboré, de fonder des sciences relatives à l'homme ou à l'univers — physique ou médecine, rhétorique ou science de la politique. Mais, après tout, il ne s'agit là que d'un aspect de l'hellénisme, qui représente un cas limite. La littérature grecque n'est pas abstraite : elle est souvent la plus concrète qui soit. Même dans l'Athènes du ve siècle, l'histoire ou la tragédie traitent de personnages ou de héros présentés comme bien vivants ; et il n'est pas d'auteur plus concret qu'Homère ou Aristophane.

Dirons-nous alors que ces héros ou ces personnages sont humains ? Mais que veut dire cet autre mot ? Là aussi, les choses varient. Il peut vouloir dire qu'en les imaginant et en les présentant, l'auteur a adopté le point de vue le plus large possible et qu'il n'a pas voulu s'enfermer lui-même dans sa situation de Grec, d'Athénien, d'aristocrate. Cela est vrai par exemple quand Thucydide se refuse à employer une chronologie fondée sur les calendriers variables de chaque ville et qu'il date les événements par les saisons et les moissons. Cela est vrai encore quand il écarte tant qu'il peut les noms propres, les intrigues locales, les prétextes, ne retenant que les grands traits, intelligibles en tout temps. Mais on peut aussi dire, du point de vue du personnage lui-même, qu'il est humain et universel, lorsqu'il apparaît dépouillé, à son tour, de tout son poids de particularités sociales ou nationales, héréditaires et culturelles, pour n'apparaître que comme le type même de ce qu'implique son destin.

L'Andromaque de Giraudoux est subtile, personnelle, unique. L'Andromaque d'Euripide ne l'était pas encore ; elle était essentiellement la mère angoissée et la captive démunie : elle était plus proche d'un type humain tout simple. Et avant elle, l'Andromaque d'Homère n'était qu'une femme et une mère, comme toutes les femmes et toutes les mères. On ne savait rien de sa vie ni de ses goûts ; et elle n'avait rien subi que la crainte de voir son époux partir à la guerre — un sort terriblement commun dans tous les pays et dans tous les temps. Ce dépouillement même la rendait, quoique bien vivante et présente, plus universelle.

Mais c'est là encore trop simplifier ! Car l'Andromaque d'Homère vivait et parlait selon ce rôle dépouillé et tout humain ; elle n'émettait pas d'idées, elle ne dégageait pas de lois. Au contraire, la captive d'Euripide généralise, parle des femmes, de Troie, du mariage, de la cruauté des jeunes, de la vanité des chefs. Elle rappelle les divers maux de la défaite, tandis que les femmes du chœur rappellent les autres maux attachés à son sort : « Connais ta fortune ; réfléchis au malheur sans issue où te voici entrée... » L'Andromaque d'Homère est plus simplement humaine : celle d'Euripide prête à plus d'analyses de portée universelle.

Nous aurons ici à relever ces diverses formes, à cerner, dans un survol rapide, leurs parentés profondes et leurs différences, il faudra les classer et les organiser en un tout. Le phénomène que nous cherchons à saisir brille par mille traces diverses, là où toutes ces tendances convergent ; tous les détails nous mettent sur la voie ; mais il demeure toujours nécessaire de lever les yeux vers ce qu'ils désignent.

*

Cette quête implique que l'on serre une idée de près, et que par suite on ne fournisse à la question « Pourquoi la Grèce ? » qu'une réponse unique, susceptible de décevoir. Car l'on ne dira pas ici ce qui, dans la pratique, a pu, à toutes les époques, attirer les gens vers la culture de la Grèce antique.

Pour le plus grand nombre, cette séduction tient à l'art. Et comment demander « Pourquoi la Grèce ? » sans penser d'abord à l'art grec ? Lui aussi a été copié à la Renaissance comme il l'avait été à Rome. Lui aussi a, sans même que nous le sachions, laissé dans nos arts à tous ses traces indéniables. Et l'on ne saurait nier que l'envie de connaître la Grèce antique ne naisse bien souvent de l'émoi plus ou moins lucide que suscitent des ruines de marbre montant vers le ciel ou le corps d'un athlète vous accueillant, tout droit et fier, au seuil d'un musée.

Il n'en sera pourtant pas question ici. La Grèce n'est pas le seul peuple qui nous ait laissé ces traces d'un art prestigieux. Et il faudrait pouvoir serrer de près les raisons — qui ne sont pas toutes d'ordre historique — pour lesquelles cet art, si différent de beaucoup d'autres, nous semble, en fait, si proche. Ces raisons, il ne peut nous les dire : seule la littérature s'explique, analyse, et dégage elle-même ses fins. Or, ces raisons ont des chances d'être les mêmes dans les deux domaines. Ce que la littérature nous permettra de mieux cerner est le caractère propre d'une culture — caractère qui confère aux œuvres artistiques comme aux autres leur séduction particulière et leur diffusion exceptionnelle. L'art grec aussi est centré sur l'homme ; et la littérature en est la sœur jumelle.

De même, à l'intérieur de la littérature, les aspects qui émeuvent et qui touchent sont évidemment multiples. Il en est qui n'interviendront pas ici. Ils sont d'ordre affectif et religieux, et puisent à des racines profondes. La Grèce inaugure, on l'a déjà rappelé, une culture écrite. Mais cette culture conserve encore quelque chose des forces irrationnelles auxquelles elle s'arrache, et quelque chose aussi de l'intensité secrète des débuts. Elle laisse entrevoir mystères et sacrifices.

Elle demeure la patrie des cosmogonies et devient vite celle du tragique. Bien plus, elle tire une part de son attrait du rayonnement de ses dieux et de la présence du sacré, souvent inséparable de l'humain. Comment nier que ces ombres venues de loin, cette dimension supplémentaire et la charge d'émotion qui l'accompagne, jouent un rôle considérable et attirent les esprits, à telle ou telle époque, et peut-être toujours, vers la Grèce antique ?

Et de même, si l'on regarde vers l'autre extrême de cette culture, comment nier que le grec soit et, pour beaucoup, demeure essentiellement la langue de l'Évangile ?

De tous ces aspects-là, qui comptent tant dans la pratique, il ne sera question que de façon très indirecte. Car, ici encore, il s'agit de remonter au principe. Tous les peuples ont eu des mystères et des sacrifices, que nous connaissons mal et du dehors : ceux de la Grèce nous touchent, au contraire, parce qu'ils ont été amalgamés dans une culture littéraire et humanisée, qui en a conservé la trace, et qui, au passage, très vite, nous les a plus ou moins expliqués. On voit la littérature les évoquer, les transposer, et s'enrichir d'eux. De même les grands mythes sur l'univers et la vision tragique du monde n'ont été connus et n'ont pris leur valeur qu'unis à ce souci de l'homme qui, dès le début, caractérise l'esprit grec. Et les dieux grecs ne touchent tant que parce que les œuvres littéraires les évoquent avec éclat, les montrant toujours, précisément, inséparables de l'homme, liés à sa vie et définissant sa condition. Enfin, le grec n'a été la langue de l'Évangile que parce qu'il s'était répandu et ouvert au-dehors, qu'il était devenu langue de culture, propre à diffuser une doctrine et une espérance parmi des peuples divers.

Les dimensions les moins rationnelles de l'hellénisme ne s'expliquent donc que liées à cet esprit propre de la culture grecque, qui est ici l'objet de notre recherche.

*

Aussi bien n'était-il déjà pas aisé d'épuiser les données offertes par la littérature. C'était, en fait, impossible. Et il a fallu procéder à des choix, qui peuvent sembler arbitraires. Le plan du livre s'en ressent.

Pour bien faire, et pour serrer de plus près la question posée, il aurait dû ne porter que sur le ve siècle athénien. Mais, puisqu'il était admis par hypothèse que le caractère décrit était déjà propre à la culture grecque dès l'origine, j'ai cru pouvoir faire précéder l'étude du ve siècle athénien de remarques préliminaires sur Homère, et plus particulièrement sur l'*Iliade :* la tendance y est déjà nette, et même éclatante — même si elle ne se présente pas encore sous la même forme qu'au ve siècle.

Un tel choix supposait de sauter sans façons sur des auteurs d'une importance évidente : l'*Odyssée*, Hésiode, tous les lyriques, sans parler des présocratiques. Et tel était l'état premier du livre. Mais bien vite il a paru impossible de ne pas ajouter quelques mots sur Pindare et sur la littérature de l'époque archaïque : il y avait là une parenté si manifeste, et des moyens d'expression si différents, que l'omission devenait grave. De proche en proche, comme il aurait été tentant d'en ajouter encore ! Comme il aurait été tentant de parler de Ménandre et de Plutarque ! Et puis, au sein des chapitres existants, comme il aurait été tentant d'en dire plus ! Un volume n'aurait pas été de trop pour traiter de l'humanité d'Homère... J'ai passé ma vie à commenter les auteurs grecs : je ne pouvais pas tout redire en ce livre.

Et pourtant, il faut l'avouer, j'y redis déjà certaines choses. Et je ne m'en cache pas. Du fait que cette étude reprend, pour les faire converger en un tout, plusieurs de mes livres ou de mes articles, je n'ai pas cherché à éviter les reprises ou les renvois. J'ai utilisé des faits, des exemples qui m'avaient paru remarquables à l'époque et qui ne le sont pas moins pour s'insérer dorénavant dans un ensemble. Je ne désire pas cacher une continuité sur laquelle je me suis expliquée. Je crains, au reste, de devoir ajouter que ces répétitions éventuelles ne risquaient pas de frapper un très grand nombre de lecteurs — et pour cause !

Enfin, pour concilier les exigences du survol avec le souci de la valeur probante du détail, je n'ai pas craint de multiplier les citations. Ce sont mes preuves. De plus elles m'enchantent ; et le professeur que je suis ne se lasse jamais d'espérer qu'elles vont enchanter aussi ceux à qui je les ferai connaître. En un sens, ce livre est une visite guidée à travers les textes.

J'avais espéré tout d'abord concilier avec mon dessein présent le désir d'offrir une anthologie de textes grecs. Cela m'aurait permis des citations plus longues et le lecteur aurait eu ainsi le plaisir d'un contact véritable avec les textes. J'en ai gardé certaines, moins que je n'aurais voulu. Est-ce l'irrépressible besoin qu'éprouve toujours le professeur d'intervenir et de commenter ? Ou bien est-ce l'exigence de cerner une question élusive et par conséquent de ne point se permettre de détours inutiles ? Toujours est-il qu'au lieu de laisser voir un texte dans son entier, j'ai très souvent brisé et arrêté les citations, comme celui qui, commentant un tableau, ne cesse de renvoyer à d'autres, montrant ici une main semblable, là le même arbre, ou bien un clair-obscur du même genre : ainsi fait-on lorsque l'on cherche à comprendre ou à faire comprendre.

Je voudrais seulement qu'à chaque page, comme une fois le livre fermé, le lecteur ait envie de retrouver les textes et d'y aller puiser. Mon espoir est qu'alors il y trouvera peut-être — ô merveille ! — un plaisir plus lucide, et, partant, plus vif.

NOTES DE LA PRÉFACE

1. C'était, après la thèse de doctorat, parue en 1947, *Histoire et raison chez Thucydide*, paru aux éditions des Belles Lettres en 1967, mais aussi nombre d'articles, qui visaient tous des notions abstraites chez Thucydide, ou bien l'étonnant art de la prévision que pratiquent ses orateurs.

2. Ces livres ont paru en 1958, 1961, 1971. Et je suis restée fidèle à cette veine : voir *La Tragédie grecque*, parue aux PUF en 1970 ou *La Modernité d'Euripide*, en 1986.

3. Voir *Les Grands Sophistes dans l'Athènes de Périclès*, Éditions de Fallois, 1988.

4. Voir *La Construction de la vérité chez Thucydide*, Julliard, 1990. Cette étude venait après plusieurs années de séminaires qui portaient sur les réflexions générales au ve siècle et donnèrent lieu à plusieurs articles.

5. *Les Enfants d'Homère, L'Héritage grec et l'Occident*, R. Laffont, déc. 1990, 286 pages (paru en anglais en 1989 sous le titre *Greek Fire*). Le livre montre aussi la présence de tous les souvenirs grecs dans la vie quotidienne aux États-Unis. Dans ce pays où toutes les villes étaient neuves, on retrouve Troie, Ithaque, et bien d'autres.

6. Ceci ne s'applique pas, je le rappelle, aux deux exceptions du début et de la fin : Homère et Plutarque. La vogue de Pindare auprès des poètes de la Renaissance reste un fait isolé.

7. Cf. notre livre *Les Grands Sophistes dans l'Athènes de Périclès*, p. 175.

Note préliminaire

La Grèce a certainement fait de nombreux emprunts aux civilisations orientales avec lesquelles elle était en contact : il n'en sera pas question dans ce livre, qui tente de cerner l'élan spécifique qui fut le sien. Mais une ou deux remarques initiales s'imposent.

D'abord ces emprunts sont un premier signe d'ouverture. Les Grecs ont tenté de connaître les autres et de se faire connaître d'eux. Ils n'ont presque jamais pratiqué le secret. Ils ont été très tôt soucieux d'expérience et de comparaison. C'est bien pourquoi un homme comme Hérodote s'étonne de découvrir en Égypte un repli sur soi-même dont il n'a pas l'habitude. « Les Égyptiens, écrit-il, répugnent à adopter les usages des Grecs, et, pour tout dire d'un mot, ils ne veulent adopter ceux d'aucun autre peuple » (II, 91).

De plus, les civilisations orientales en général n'ont pas eu de littérature, ou très peu. Elles n'ont pas cherché à fixer leur savoir dans des écrits, à communiquer aux autres, de façon rationnelle, leurs traditions ni leurs découvertes. Il a fallu que certaines de ces traditions ou de ces découvertes fussent adoptées par les Grecs pour être connues. L'écriture retrouvée et employée à autre chose qu'à des comptes a été l'instrument de la culture grecque ; Homère et l'écriture sont contemporains. L'originalité de la Grèce se touche là du doigt ; et elle est d'importance.

Enfin, il demeure remarquable de voir les emprunts extérieurs peu à peu dominés par l'esprit grec. Très vite, les mythes et les monstres, d'abord assimilés et rationalisés (je pense au temps d'Hésiode), sont quasiment abandonnés, dans l'art et dans la littérature. Avec le progrès du goût grec et de la pensée grecque, même l'art grec des Cyclades évolue. On le regrette parfois, quand se perdent les exquises peintures d'oiseaux ou de poissons chères aux vases des îles : mais comment regretter cette preuve de plus de la montée incessante de l'homme ? Elle est, en Grèce, irrésistible.

Les civilisations du dehors seront donc ignorées ici, sans que pour autant leur antique éclat soit en rien méconnu : c'est déjà un trait propre à la culture de la Grèce qu'elle s'en soit parfois inspirée, et progressivement écartée.

I

L'*ILIADE*, UNE ÉPOPÉE DIFFÉRENTE DES AUTRES

Au seuil de la littérature grecque surgissent, avec les épopées d'Homère, des héros que nous connaissons tous, Achille, Andromaque, Hector, et le vieux Priam, et la belle Hélène, Ulysse et Pénélope... ; ils se dressent brillants, aisément reconnaissables, familiers et indestructibles. Pourquoi ?

A partir d'Homère, ils ont proliféré, sans cesse. Ils ont inspiré la tragédie grecque, puis Virgile et Sénèque, puis tous les auteurs de la culture occidentale, en France et en Allemagne, en Italie, en Angleterre, aux États-Unis... On a tiré de leur histoire des drames et des poèmes, des traités de morale et des opérettes — sans parler des opéras ou de la peinture, ou du cinéma. Pourquoi ?

De plus, quand on remonte de ces œuvres diverses vers le texte initial, et que l'on retrouve leurs images dans Homère, on demeure saisi : leur présence, soudain, est encore plus vive et plus proche. Par-delà les visages variés que chacun s'est plu à leur donner (et qui restent, en gros, fidèles au modèle, car l'être de ces personnages se ramène aux traits essentiels que leur a donnés Homère), on les redécouvre alors dans leur simplicité et leur grandeur premières. Pourquoi ?

C'est là la première question qui se pose : les héros venus de l'épopée grecque nous invitent à pénétrer dans le poème pour les y retrouver et tenter de comprendre leur étonnant destin. On s'aperçoit ainsi que l'art d'Homère s'est exercé de bien des façons, qui toutes ont contribué à leur assurer une valeur humaine sans égale [1].

I. *Les héros et nous*

L'art d'Homère s'est d'abord exercé dans un sens purement littéraire, par un choix constant des traits essentiels. En tout, il n'a retenu, dans l'image de ces héros, que l'aspect le plus humain ; et il les a ainsi armés pour leur voyage à travers les siècles.

Homère élague. Il simplifie. Il ne prête à ses personnages que les émotions ou les gestes les plus fondamentaux [2].

Les sentiments en jeu se ramènent à des formes pures et intenses : la colère et la pitié, l'honneur et la tendresse. Et Homère les laisse voir à travers des réactions vives et franches, qui ne sont en général accompagnées d'aucune analyse. Qui plus est, ces sentiments si profonds et si universels s'imposent d'autant plus que la discrétion d'Homère a écarté tous les détails qui viendraient leur donner une valeur plus particulière, ou plus étroitement liée à une situation individuelle.

Nous avons tenté de le montrer naguère à propos d'Ulysse [3] et nous avons alors, après divers critiques, rappelé qu'il en était déjà ainsi pour les descriptions physiques. Tandis que les *Mille et une Nuits,* ou le *Livre des Rois* pour la Perse, se plaisent aux descriptions de la taille fine, des boucles, des colliers, ou du teint des femmes, Homère dit seulement de Nausicaa que ses parents devaient être fiers d'elle, et qu'elle était « comme un jeune palmier » : toutes les jeunes filles de toutes les civilisations peuvent correspondre à cette description ; et notre imagination peut prêter à l'héroïne les traits que nous aimons. De même la belle Hélène est « Hélène aux bras blancs » et les vieillards troyens observent qu'elle « ressemble vraiment aux déesses immortelles » : notre idéal de la beauté peut, quel qu'il soit, s'accorder à cette description.

Or il en est de même dans le domaine des caractères. Les réactions des personnages ne s'accompagnent ni d'analyses, ni de jugements d'ordre moral. Et les voyant agir, on les reconnaît, mais sans que des détails, traduisant leurs dispositions, leur éducation, leurs opinions, viennent jamais interférer et les éloigner de nous.

Une des scènes les plus émouvantes de l'*Iliade* est l'adieu d'Hector et d'Andromaque, au chant VI. Je la choisis à dessein, parce qu'elle montre assez que la simplification des lignes n'empêche en rien le texte d'être concret, vivant et nuancé. C'est là, en effet, que l'on voit le petit enfant s'effrayer du casque à panache qui oscille sur la tête de son père ; et c'est là aussi qu'Andromaque, lorsqu'elle le reprend dans ses bras, attendrie et inquiète de l'avenir, le reçoit « avec un rire en pleurs » : peut-on imaginer notation plus délicate et plus imagée ?

Et pourtant, si l'on relit la scène, on s'aperçoit qu'elle exprime des sentiments humains essentiels entre tous, en les présentant sous une forme aussi dépouillée que possible. Que sait-on de l'amour d'Andromaque pour Hector ? On sait qu'il existe, de façon absolue, et qu'Hector est pour elle tout ensemble son père, sa mère, son frère, aujourd'hui morts. C'est tout. Et que sait-on de ses goûts ? Rien. Elle est la jeune épouse, la jeune mère qui craint pour son époux partant pour le combat. On a, en elle, la préfiguration de toutes les séparations analogues qui ont rempli et remplissent encore l'histoire des hommes, avec l'ombre du tragique pesant sur elles.

Quant à Hector, savons-nous plus ? Il est le jeune mari, le jeune père. Et, en quelques phrases, Homère lui fait exprimer ce qui constitue l'essentiel et le plus beau de ce rôle : un attachement mêlé du sens de sa responsabilité envers sa femme, une espérance très humaine à l'égard de son fils : celle que ce fils soit plus tard supérieur à ce que fut son père.

On peut relire le texte en entier : à travers les gestes concrets mentionnés à l'instant, tout y exprime des sentiments fondamentaux, ou, si l'on préfère, intemporels. Voici un extrait, qui commence au milieu des propos d'Hector, évoquant la chute possible de Troie, et expliquant, en termes simples, que cette pensée l'effraie, avant tout, pour Andromaque. Il l'imagine entraînée en esclavage, et ne peut supporter l'idée de ce risque :

« Et un jour on dira, en te voyant pleurer : " C'est la femme d'Hector, le premier au combat parmi les Troyens dompteurs de cavales, quand on se battait autour d'Ilion. " Voilà ce qu'on dira et, pour toi, ce sera une douleur nouvelle d'avoir perdu l'homme entre tous capable d'éloigner de toi le jour de l'esclavage. Ah ! Que je meure donc, que la terre sur moi répandue me recouvre tout entier, avant d'entendre tes cris, de te voir traînée en servage ! »

« Ainsi dit l'illustre Hector, et il tend les bras à son fils. Mais l'enfant se détourne et se rejette en criant sur le sein de sa nourrice à la belle ceinture : il s'épouvante à la vue de son père ; le bronze lui fait peur, et le panache aussi en crins de cheval, qu'il voit osciller au sommet du casque, effrayant. Son père éclate de rire, et sa digne mère. Aussitôt, de sa tête, l'illustre Hector ôte son casque : il le dépose, resplendissant, sur le sol. Après quoi, il prend son fils, et le baise, et le berce en ses bras, et dit, en priant Zeus et les autres dieux :

« Zeus ! et vous tous, dieux ! permettez que mon fils, comme moi, se distingue entre les Troyens, qu'il montre une force égale à la mienne et qu'il règne, souverain à Ilion ! Et qu'un jour on dise de lui : " Il est encore plus vaillant que son père ", quand il rentrera du combat ! Qu'il en rapporte les dépouilles sanglantes d'un ennemi tué, et que sa mère en ait le cœur en joie ! »

« Il dit et met son fils dans le bras de sa femme : et elle le reçoit sur son sein parfumé, avec un rire en pleurs » (VI, 459-484).

Un seul détail, peut-être, risque de provoquer au passage un léger grincement : nul ne souhaiterait en notre temps voir son fils s'illustrer par des massacres d'ennemis. Ce détail nous montre ce que pourrait, partout, être le récit, sans cet art d'Homère de ne retenir que le plus humain ; et il nous aide à comprendre l'ampleur du dépouillement qu'il pratique dans tout le reste.

Ce dépouillement a un premier effet, qui est de suggérer à chaque instant des profondeurs cachées sous tant de simplicité — selon l'idéal qui demande aux mots d'être comme l'iceberg qui laisse deviner un continent invisible. Il en a aussi un autre, qui est de rendre ces héros proches des lecteurs et de leur expérience, en tout temps et en tout lieu.

On pourrait penser qu'une telle analyse s'applique surtout dans le cas de l'exemple choisi, c'est-à-dire d'une scène d'intérieur, plus facile à transposer dans un monde qui n'est plus celui des héros. Mais prenons, à l'autre extrême, Achille : que constate-t-on ? Là aussi, les scènes sont vivantes et présentes. Si le héros est toujours « bouillant », il passe de la colère à l'attendrissement, de la rage meurtrière à la pitié, en autant de scènes colorées et d'attitudes éloquemment concrètes (l'élan réprimé juste à temps, le cri, la prostration à même le sol...). Mais le personnage garde son unité fondamentale : il ne ressemble jamais à Hector ou à Ulysse. D'autre part ses émotions correspondent aux grandes situations humaines : une atteinte à l'honneur, les demandes de l'affection, la perte de l'être au monde qui lui était le plus cher. Et, là encore, ces émotions sont présentées dans leur essence même, sans détails ni particularités. Que savons-nous des sentiments d'Achille et de Patrocle ? Ils existent. Ils sont forts. Mais que sont-ils ? On en discute encore, chacun y reconnaissant, selon le cas, ses habitudes ou son idéal. Homère nous montre la différence entre eux deux (douceur d'un côté, fougue de l'autre) ; et il décrit le désespoir d'Achille à la mort de Patrocle ; mais il lui fait dire seulement que Patrocle était « un autre lui-même ». La peine est si vive qu'il montre même Achille suppliant l'ombre de Patrocle et tendant les bras vers elle, en vain. Mais de leur façon de vivre, de ce qui pourrait nous choquer ou nous décevoir, pas un mot ! aucune amitié au monde ne saurait se refuser à l'identification avec ces deux amis.

Ses silences mêmes rapprochent de nous les héros d'Homère.

Quand on compare ces lignes sobres et ces esquisses comme transparentes avec la surcharge et les subtilités des adaptations modernes, la différence est éclatante. Elle l'est autant que celle qui oppose le fin calque des évocations homériques aux réalités plus ou moins exotiques et dépaysantes qu'en tirent la mise en scène ou les illustrations modernes. La silhouette, physique ou morale, des héros homériques se dessine dans l'épopée comme toute proche pour l'imagination des lecteurs : elle fuit au contraire vers un lointain passé dès que l'on veut préciser des contours que le poète avait si bien laissés dans leur flou intemporel.

On pourrait, en revanche, se demander si ces héros ne sont pas trop idéalisés et leurs mérites trop éclatants pour nous sembler véritablement proches. C'est là un risque que peuvent courir certaines épopées. Mais Homère ne le court pas.

Il est parfaitement vrai que ses héros sont supérieurs à la moyenne des êtres humains, et même à presque tous. Ils représentent la limite extrême de certains sentiments ou de certains mérites. Qui pourrait être plus héroïque qu'Achille, plus conscient de ses devoirs qu'Hector ? Quelle femme serait plus belle qu'Hélène, plus fidèle que Pénélope, plus tendre et fière que Nausicaa ? Jamais l'esprit grec n'a voulu peindre des hommes moyens ou des femmes de type courant ; ce seront toujours, avec lui, des images limites, offertes en modèles, bons ou mauvais.

Pourtant ces images limites restent toujours des images humaines ; et cela est plus vrai des héros d'Homère que de ceux d'aucun autre poète. Lorsque l'on regarde d'un peu plus près les œuvres, on mesure aussitôt une double originalité : celle de l'épopée grecque par rapport aux poèmes des autres cultures, et celle des récits de l'*Iliade* par rapport aux autres traditions grecques.

Le héros de l'épopée irlandaise Cu Chulaïn est là pour le prouver. Sa mère a été grosse trois ans et trois mois. Il a des cheveux de trois couleurs, sept pupilles dans chaque œil et sept doigts aux mains comme aux pieds. Il soulève trente guerriers à la fois ; il en tue cinquante, puis cent, puis deux cents, puis trois cents... il tient quatre épées dans chaque main, etc. En Arménie, de même, on trouve des héros dont la lèvre inférieure traîne jusque par terre, ou qui soulèvent d'un coup une poussière qui reste un jour et une nuit... En Perse enfin, les héros mangent chacun autant que cinq hommes. Il arrive que leurs têtes touchent les astres et que la terre ne puisse porter leur poids[4].

Les héros homériques, eux, sont sans doute beaux et vaillants, mais toujours à la mesure humaine, même quand ils sont fils d'un dieu et d'une mortelle (comme Sarpédon), ou d'une déesse et d'un mortel (comme Énée). Tous doivent souffrir et doivent mourir ; et les multiples interventions des divinités qui leur sont proches ne peuvent les soustraire à ce double destin.

Achille lui-même mourra ; l'*Iliade* ne va pas jusqu'à ce moment-là ; mais il est pourtant présent dans le poème, sous la forme de prédictions réitérées et de plus en plus précises, qui font comme une grande ombre pesant sur l'action. Et lorsque Patrocle est mort, Homère montre Achille étendu à terre dans son désespoir — semblable lui-même à un mort autour duquel les autres pleurent[5].

Thétis, une déesse, ne peut rien là contre. Et même Zeus est impuissant, quand il s'agit de son propre fils, Sarpédon, le prince lycien, allié des Troyens. Comme pour mieux faire sentir que même ce fils de Zeus est, lui aussi, mortel, Homère a introduit là une hésitation pathétique. Zeus voit son fils près de mourir et, anxieux, il se demande s'il ne pourrait pas, malgré tout, le sauver. Héra alors proteste : « Quoi ! un simple mortel, depuis longtemps voué à son destin, tu voudrais le soustraire à la mort cruelle ?... » (XVI, 441 et suiv.). Et Zeus cède. En signe de deuil, il répand sur le sol une averse de sang ; mais il laisse mourir son fils. Les héros sont donc mortels, même s'ils sont fils d'un dieu ou d'une déesse. Et pour eux c'est la fin[6]. Une petite remarque montre même à quel point Homère a tenu à cette idée. Le terme de « héros » désignait en grec des personnages qui, à leur mort, passaient à un statut sacré, et étaient alors comme des demi-dieux. Or Homère ne l'entend pas ainsi : ses « héros » sont simplement des personnages littéraires, aux vertus exemplaires mais humaines. C'est déjà le sens auquel se rattachent nos emplois modernes, quand nous parlons, aujourd'hui, de façon purement littéraire, des héros de roman ou des héros d'un auteur.

Qui plus est, chez Homère, ces héros ne souhaitent même pas l'immortalité — comme par exemple Gilgamesh, le héros de l'épopée babylonienne. On sait qu'au contraire, dans l'*Odyssée,* Ulysse la refuse, préférant le retour vers Ithaque à une union pour toujours avec Calypso. On ne peut imaginer d'univers plus délibérément centré sur l'homme.

Peut-être Homère a-t-il orienté son récit en ce sens, dans ce dernier exemple comme en bien d'autres. Car c'est un fait que révèle la comparaison : même au sein de la tradition grecque, il infléchit toujours tout dans le sens de l'humain.

L'Achille d'Homère n'est pas invulnérable ; et l'*Iliade* ne connaît pas la légende de son talon. Ses armes ne sont pas des armes magiques ni son armure impossible à transpercer : elle l'était sans doute dans les légendes primitives, puisqu'il faut, pour tuer Patrocle, commencer par lui arracher l'armure qu'Achille lui avait prêtée [7]. Achille, fils d'une déesse, n'a que des moyens d'ordre humain.

Même dans l'ordre moral, il n'est pas un surhomme, loin de là. Sa colère a été une faute grave, qui a coûté la vie à bien des hommes ; et c'est sur cette constatation que s'ouvre le poème. Achille est passionné, sans mesure, capable d'erreur.

L'héroïsme lui-même, au demeurant, prend chez Homère une dimension humaine, que l'on ne retrouve guère ni dans d'autres cultures ni en Grèce. Presque tous ses héros connaissent parfois le doute et l'hésitation : ces brefs moments mettent en relief leur héroïsme ; mais ils rendent aussi cet héroïsme plus proche de nous, et plus capable de toucher.

Avant d'accepter le combat final, Hector, par exemple, a été soumis aux supplications effrayées de son père et de sa mère. Lui-même, sans reculer, mesure le risque qu'il court : « Ah ! misère ! si je franchis les portes... » Il envisage même une ultime négociation : « Pourtant, si je déposais là mon bouclier bombé et mon casque puissant, si j'appuyais ma pique à la muraille et si j'allais droit à Achille sans reproche pour lui promettre que... » Il envisage les promesses, les garanties. Et puis il se reprend : « Mais qu'a besoin mon cœur de disputer ainsi ? » Et il conclut : « Mieux vaut vider notre querelle, en nous rencontrant au plus tôt. Sachons à qui des deux l'Olympien entend donner la gloire » (XXII, 99-130).

Dans notre monde où les mots d'honneur et de gloire ont été comme vidés de toute résonance et de tout rayonnement, ces déclarations finales risqueraient de sembler presque grandiloquentes : l'humanité que traduit l'hésitation première les rend à nouveau proches et aide à en mesurer le prix.

« Que faire ? » « Et si je renonçais ? » : beaucoup sont effleurés, un instant, par cette pensée. « Las ! Que vais-je devenir ? Le mal est grand, si, pris de peur, je fuis devant cette foule, mais il est plus grand encore si, restant seul, je suis tué... » dit Ulysse dans l'*Iliade* (XI, 404-412) ; mais il tranche comme Hector : « Mais qu'a besoin mon cœur de disputer ainsi ? Je sais que ce sont les lâches qui s'éloignent de la bataille... » De même Ménélas au chant XVII (91-108) : « Ah ! misère ! si je laisse ces belles armes. [...] Mais si je m'en vais, seul, combattre, pour l'honneur, Hector et les Troyens, je crains d'être entouré tout seul, par une foule... » Il céderait peut-être ; une attaque troyenne ne lui en laisse pas le temps.

On pourrait multiplier les exemples [8]. Ils concernent parfois des héros peu renommés pour leur vaillance. Mais il y a toujours un compagnon qui surgit alors pour stimuler ceux qui pourraient faiblir, avec des reproches cinglants (ainsi quand Sarpédon gourmande Hector : « Hector, où est-elle donc partie, la fougue qui fut la tienne ? » ou qu'Agamemnon morigène Ulysse, puis Diomède [9]). Les héros affrontent la mort, mais sans ignorer jamais le prix de la vie. Même Achille, le plus brave des Achéens, même Achille, le désespéré, l'orgueilleux, l'impatient, finit par se voir attribuer une parole à cet égard révélatrice. Il est vrai que c'est après sa mort, et que le passage n'appartient pas à l'*Iliade* mais à l'*Odyssée,* et même à une partie sans doute tardive de ce poème ; mais il y déclare : « Ah ! ne me farde pas la mort, mon noble Ulysse!... J'aimerais mieux, valet de bœufs, vivre en service chez un pauvre fermier, qui n'aurait pas grand-chère, que régner sur ces morts, sur tout ce peuple éteint[10] ! »

Il ne dirait jamais cela dans l'*Iliade*. Mais cette phrase extrême révèle assez bien ce que tout ce courage garde d'humain, de proche et, finalement, d'accessible pour les lecteurs.

Il n'y a donc pas seulement, dans l'*Iliade,* une simplification des caractères, qui élimine les nuances individuelles au profit des sentiments ou des réactions les plus essentielles à l'homme en général : il y a aussi un rappel constant de la condition qui leur est commune à tous : en dépit de leur grandeur, les héros restent constamment, selon la formule chère à Homère, des « mortels ».

Mais ce mot même suppose une vision de la vie humaine, qui peut d'autant plus nous toucher qu'elle correspond à un progrès de plus dans le sens de l'essentiel. Dans l'*Iliade,* en effet, la présence de la mort est constante. Elle renforce les craintes et les douleurs. Elle rehausse le prix de l'héroïsme. Elle inspire une pitié, qui est une des plus émouvantes beautés du poème.

On vient de voir que nul n'échappe jamais à la mort ; mais, de plus, dans ce poème de guerre, on y assiste à chaque instant. Et Homère rappelle sans cesse le sens de cette présence. Il peut aimer peindre la joie du coup réussi et du guerrier qui tue son ennemi ; mais il aime aussi, chaque fois qu'un homme tombe, évoquer tout ce qu'il perd, tout ce que perdent, aussi, ceux qui ne le reverront pas. De même que le récit s'interrompt, parfois, en pleine action, pour rappeler d'un mot ce qui se passait « autrefois, du temps de la paix », il brille soudain, au passage, du rappel des beautés de la vie, à l'heure même de la mort : ainsi du cadavre d'Hector, avec sa tête traînée dans la poussière — « cette tête jadis charmante » (XXII, 403). Ou encore c'est le contraste entre les passions du combat et l'immobilité insensible du mort. Par un trait bien caractéristique d'Homère, une des plus belles évocations d'un tel contraste intervient à propos d'un combattant qui n'est pas un des protagonistes, mais un frère bâtard d'Hector, qui lui sert pour une fois de cocher. Celui-ci, frappé au front, tombe du char. Hector et Patrocle se battent sauvagement autour de son corps. Et rien n'est épargné de ce qui peut suggérer cette violence — jusqu'au contraste final exclu. Le texte donne envie de dire au lecteur : écoute et vois ce qu'est la vie humaine, la vie et la mort.

> « Comme l'Euros et le Notos s'appliquent à l'envi, dans les gorges d'une montagne, à ébranler une épaisse forêt, chênes, frênes, cornouillers aux longs fûts, qui projettent alors leurs longs rameaux les uns contre les autres, dans un fracas prodigieux, où se distingue le bruit sec des branches brisées, ainsi Troyens et Achéens se ruent les uns contre les autres, cherchant à se déchirer, sans qu'aucun des deux partis songe à la hideuse déroute. Autour de Cébrion, par centaines, des piques aiguës viennent se planter au but, ainsi que des flèches ailées, jaillies de la corde d'un arc : de grosses pierres, par centaines, vont heurter les boucliers de tous les hommes qui luttent autour de lui — tandis que lui-même, dans un tournoiement de poussière, est là, son long corps allongé à terre, oublieux des chars à jamais ! » (XVI, 765-776).

Ce héros si grand qui gît à terre pourrait être Achille : le même vers est employé pour le désespoir d'Achille au chant XVIII de l'*Iliade*, et pour la mort d'Achille au chant XXIV de l'*Odyssée*[11]. A qui s'est-il appliqué en premier ? Nous ne le savons pas et les savants opposent leurs hypothèses. Mais l'important est le quasi-anonymat de l'emploi qui est en fait ici : il n'est pas nécessaire d'être un des grands héros pour avoir, chez Homère, ni l'honneur du tragique ni le droit à la pitié. L'un et l'autre valent pour tous indistinctement.

Aussi bien, cette pitié, les dieux eux-mêmes l'éprouvent ! Zeus plaint ainsi les chevaux immortels qu'Achille a reçus de son père Pélée et qui sont, par là même, mêlés aux souffrances du destin humain. Achille les prête à Patrocle ; et Patrocle est tué. Les chevaux alors pleurent des larmes brûlantes. Et Zeus s'émeut de leur douleur : « Pauvres bêtes ! pourquoi vous ai-je donc données à sire Pélée — un mortel ! —, vous que ne touche ni l'âge ni la mort ! Est-ce donc pour que vous ayez votre part de douleurs avec les malheureux humains ? Rien n'est plus misérable que l'homme entre tous les êtres qui respirent et qui marchent sur la terre... » (XVII, 443 et suiv.). Et à ces mots font écho ceux d'Apollon au chant XXI, lorsqu'il se refuse à combattre d'autres dieux pour une cause humaine : « Ébranleur du sol, tu me dirais que j'ai l'esprit atteint si je partais en guerre contre toi pour de pauvres humains, pareils à des feuilles, qui tantôt vivent pleins d'éclat, en mangeant le fruit de la terre et tantôt se consument et tombent au néant... » (462-466).

La sympathie des dieux, comme celle des lecteurs d'Homère, dépasse alors les individus pour se porter sur les hommes en tant que tels.

Mais, à l'instant où l'on prend conscience de ce fait, c'est à nouveau toute une nouvelle perspective qui s'ouvre. Car cette façon si générale et si haute de considérer les personnages du récit nous fait soudain mesurer un autre des silences les plus remarquables d'Homère : s'il ne marque pas les différences entre les individus, il ne les marque pas non plus entre les peuples. Du côté troyen comme du côté achéen, ce sont des « mortels » qui s'affrontent. Et l'on ne dira jamais assez ce qu'une telle attitude a de remarquable, et même d'unique.

Certes, l'on se bat, dans l'*Iliade;* mais l'auteur ne nous associe à aucun des deux camps. Il suffit d'évoquer les noms — Achille, Hector, Andromaque, Patrocle... De quel côté sont-ils, ces guerriers ou ces femmes, bouillants ou éplorés, voués toujours à une mort prochaine ? On l'oublie presque ; car, entre les deux, comme Zeus lui-même, Homère tient la balance égale. Cela est si évident qu'on ne le remarque même pas.

En fait, aucune partialité n'intervient. Même dans la description, aucune différence n'est faite entre les deux peuples qui s'affrontent. Ils sont évoqués comme identiques. Ils semblent parler la même langue. Ils ont les mêmes dieux et leur adressent les mêmes prières, le même culte. Ils montrent le même courage, respectent les mêmes règles ; leur organisation politique est, autant que l'on puisse voir, comparable.

On pourrait penser qu'il y a *a priori* une inégalité de présentation : d'un côté une armée de guerriers et de l'autre une ville assiégée, avec ses femmes inquiètes — Hécube ou Andromaque —, cela devrait faire une différence au départ. Mais non ! Homère a rétabli l'équilibre, en faisant intervenir une captive du côté achéen, en la personne de Briséis.

Entre les deux camps, il ne suggère jamais ni différence profonde ni hostilité fondamentale.

Plus tard seulement on verra la lutte entre les Grecs et les Asiatiques prendre le caractère d'une opposition de culture. Avec les guerres médiques se découvre l'idée que la Grèce représente le pays de la liberté contre l'absolutisme, de la responsabilité contre la soumission. Alors, en effet, Eschyle et bien d'autres évoqueront la prosternation des Asiatiques, et aussi leurs richesses et leurs lourdes robes et les manifestations voyantes de leurs émotions. Cette notion d'une véritable opposition de culture durera plus d'un siècle. Elle poussera même Isocrate à louer Hélène qui a fourni aux Grecs l'occasion de s'unir contre l'Asie. Mais Homère ignore cette opposition.

Ses héros l'ignorent aussi. Et l'on constate qu'entre les deux pays règne une courtoisie délicate. Sans doute voit-on, à la bataille, les guerriers s'insulter avec éclat ; mais c'est la bataille. En revanche, on ne s'étonnera jamais assez de la façon dont le vieux Priam traite cette Hélène que lui a ramenée Pâris, appelant à sa suite la guerre et la menace sur Troie : il la traite de façon exquise. Et l'on ne se lasse pas de relire leur rencontre au chant III : « Avance ici, ma fille, assieds-toi devant moi. Tu vas voir ton premier époux, tes alliés et tes amis. — Tu n'es, pour moi, cause de rien : les dieux seuls sont cause de tout... » (162-164). Quand on pense aux condamnations féroces d'Eschyle envers la « folle Hélène », cette femme « qui fut à plus d'un homme », de tels égards paraissent encore plus admirables. Mais, en retour, on constate une même grâce dans les relations entre la captive troyenne, Briséis, et ses maîtres achéens, Achille et Patrocle. Quand elle a été rendue à Achille par Agamemnon, elle pleure sur le corps de Patrocle, qu'elle avait laissé vivant et retrouve mort. Elle rappelle que même le jour où elle a perdu au combat son mari et ses trois frères, Patrocle « ne la laissait pas pleurer ». Il lui promettait qu'elle deviendrait un jour l'épouse légitime d'Achille : « Et c'est pourquoi, sur ton cadavre, je verse des larmes sans fin — toi qui toujours étais si doux ! » (XIX, 300-301).

Ce sont les mêmes égards qui se retrouvent dans ce trait si éminemment grec qu'est l'hospitalité. Elle a ses devoirs, de discrétion, de générosité, d'attention aux désirs de l'hôte. Elle constitue aussi un lien destiné à durer et à passer même aux enfants, unissant ainsi des hommes de pays divers. On constate dans l'*Iliade* que ces liens étaient assez forts pour empêcher deux hommes de se battre, alors même qu'ils se trouvaient face à face dans un combat : « Oui, oui, tu es pour moi un hôte héréditaire, et depuis longtemps (...) Évitons dès lors la javeline l'un de l'autre, même au milieu de la presse » (VI, 215 et suiv.).

De tous côtés surgit le respect de l'autre. Et l'on voit souvent, entre des personnages qui ne sont rien l'un à l'autre, apparaître un sentiment qui semble avoir été primordial pour Homère lui-même : c'est tout simplement la pitié pour les souffrances humaines.

Et comment, à cet égard, ne pas rester saisi devant la fin du poème ? L'épopée pourrait, assez logiquement, se terminer par la fin de la guerre de Troie : on en est loin ! Elle pourrait se terminer, comme une tragédie, par la mort d'Achille : on ne fait que la pressentir, comme une menace pour l'avenir. Elle pourrait se terminer, comme l'*Énéide* par exemple, par la mort d'un ennemi. En un sens, c'est presque cela, puisque le dernier événement marquant est la mort d'Hector. Pourtant, ce n'est pas la fin [12]. La fin est un double deuil — symétrique et parallèle : le chant XXIII est consacré au deuil grec pour la mort de Patrocle, le chant XXIV au deuil troyen pour la mort d'Hector : deux chants entiers, d'un style tout différent, mais dont le sens profond est le même.

Mieux encore, ce parallélisme dans la douleur est perçu par les personnages eux-mêmes. Avant que l'on pleure Hector à Troie, il faut que son corps soit rendu, qu'Achille renonce à sa vengeance, et qu'il prenne pitié de Priam. Les dieux s'en mêlent ; ils protègent le corps d'Hector contre les sévices que lui inflige Achille ; ils dictent à Priam l'idée d'aller trouver Achille, à Achille l'ordre de l'accueillir ; ils envoient au vieillard une aide divine. Cependant, au cours de la scène qui se déroule entre les deux hommes, c'est le sens de la solidarité humaine dans le deuil qui avant tout triomphe. Priam invoque la pitié d'Achille en lui disant de songer à son propre père. Et le retournement se fait — le retournement de la pitié humaine :

« Il dit et chez Achille il fait naître un désir de pleurer sur son père. Il prend la main du vieux et doucement l'écarte. Tous les deux se souviennent : l'un pleure longuement sur Hector meurtrier, tapi aux pieds d'Achille ; Achille cependant pleure sur son père, sur Patrocle aussi par moments, et leurs plaintes s'élèvent à travers la demeure. Mais le moment vient où le divin Achille a satisfait son besoin de sanglots ; le désir en quitte son cœur et ses membres à la fois. Brusquement, de son siège il se lève ; il prend la main du vieillard, il le met debout ; il s'apitoie sur ce front blanc, sur cette barbe blanche. Puis, prenant la parole, il dit ces mots ailés : " Malheureux ! que de peines auras-tu endurées en ton cœur... " » (XXIV, 507-518).

Aucune épopée ne s'achève sur cette pitié entre deux hommes appartenant aux deux camps adverses.

Sans aller jusqu'à ce sommet, aucune épopée n'est si peu « patriotique » ni si complètement « humaine ». Même l'*Énéide*, qui est très proche d'Homère et s'inspire ouvertement de l'*Iliade*, obéit, on le sait, à un souci de propagande dynastique. Et un beau contraste peut s'établir entre les deux descriptions de boucliers, qui se font pendant. Dans l'*Iliade*, le bouclier qu'Héphaïstos cisèle pour Achille représente le ciel et la mer, et deux cités humaines, l'une en paix, qui s'adonne à la joie et pratique la justice, l'autre en guerre, où l'on se bat et où l'on meurt. Il y ajoute le labourage, la moisson, la vendange, l'élevage, la danse enfin — bref un résumé de la vie et des activités humaines. Dans l'*Énéide*, le bouclier que Vulcain forge pour Énée représente des scènes de l'histoire de Rome, avec Auguste au centre et quantité d'épisodes à la gloire des Romains [13]. La comparaison fait ressortir dans toute sa force le caractère universel, et largement humain, d'Homère. Virgile s'émeut de l'histoire de Rome, Homère du sort des hommes.

L'humanité est donc partout, dans cette première épopée. Elle est la marque des héros, grâce à la façon dont Homère choisit ce qu'il veut taire ou bien montrer. Elle est dans son génie de tout ramener à l'humaine condition et dans son refus de toute limitation ethnique ou particulariste. A cet égard, l'*Iliade* inaugure en fait ce qui deviendra le désir d'universalité propre à notre culture, et l'ouverture aux autres que, contrairement à bien des civilisations, elle inscrit en tête de ses valeurs.

Cette insistance sur l'homme est donc confirmée de toutes parts, et ne peut être mise en doute. Un seul fait a pu empêcher de la reconnaître ou de l'apprécier pleinement, et une seule inquiétude a pu jouer : on risque en effet de surprendre en disant que l'*Iliade* est un poème centré sur l'homme en général, quand cette même *Iliade* offre le spectacle d'une humanité entièrement soumise à l'arbitraire des dieux.

A vrai dire, c'est là une objection assez peu fondée, mais qui réclame un moment d'examen : cet examen, au bout du compte, pourrait bien réserver des surprises et mener à des conclusions fort différentes de ce que l'on aurait cru.

II. *Les héros et les dieux*

La première impression est bien celle de la toute-puissance des dieux. Leur place, dans l'épopée, est considérable, déroutante, écrasante. Toujours ils sont là. Ils décident. Ils faussent perpétuellement les données de l'expérience et de l'action humaine. Tantôt ils prennent la forme d'un guerrier ou bien d'une femme appartenant au palais. Tantôt ils envoient un rêve. Ou ils détournent une flèche. Ou ils enveloppent un combattant d'une nuée impénétrable, et le transportent au loin. On n'est jamais tranquille. Et les choses sont pires encore dans l'*Odyssée* : avec Protée et les Sirènes, avec le Cyclope et la nymphe Calypso, le merveilleux semble tout envahir. Pour nos habitudes rationalistes, un tel monde paraît laisser bien peu de place à l'homme.

Mais c'est là juger trop vite, sans avoir bien regardé le texte et sans l'avoir assez comparé à d'autres. Car le merveilleux, chez Homère, a des limites caractéristiques.

Tout d'abord, il se limite pratiquement aux dieux eux-mêmes. Il suffit de penser à tous ces monstres, à toutes ces métamorphoses en bêtes ou en plantes, qui rempliront l'art archaïque et remplissent surtout celui de l'Orient : si l'on en trouve des reflets dans l'*Odyssée,* rien de tel ne se rencontre jamais dans l'*Iliade*.

L'*Iliade* évite même les métamorphoses les plus traditionnelles et les plus proches de son thème. Par exemple, nous savons par la tradition que Thétis, la déesse, avait voulu s'opposer à l'union qui devait faire d'elle la femme de Pélée, un mortel : elle s'était changée, pour l'éviter, en feu, en air, en vent, en arbre, en oiseau, en tigre, en lion, en seiche ! Ces séries de métamorphoses sont fréquentes, par exemple, dans l'épopée tibétaine. Mais que dit Homère ? Lorsqu'il fait allusion à ce mariage, dans l'*Iliade,* il dit simplement au chant XVIII (434) : « bien qu'elle y fût fortement opposée » ! Il pourrait s'agir de n'importe quelle femme, de n'importe quelle union...

Et le fait est que, dans l'*Iliade,* toutes les métamorphoses sont ainsi écartées. Homère parle de Niobé, sans préciser qu'elle fut changée en pierre. Mieux : il prête à Zeus une tirade d'un goût douteux sur la série des femmes qu'il a séduites ; mais il ne dit nullement qu'il avait pris pour l'une la forme d'un taureau, pour l'autre celle d'un cygne, etc. [14].

Dans l'*Iliade* il n'y a pas de métamorphoses des dieux ni en éléments ni en animaux ; il n'y a ni monstres ni êtres hybrides — comme l'art archaïque s'est plu à en peindre.

Mais, dira-t-on, et Circé ? et Protée ?

D'abord il ne s'agit plus là des dieux. Ensuite ce n'est plus l'*Iliade*, mais l'*Odyssée*. Et pourtant, même alors, et même dans l'*Odyssée*, on peut se plaire à trouver une amusante confirmation de cette tendance propre à Homère. Protée, en effet, était le type même de l'être à métamorphoses — au point que son nom est passé dans nos langues modernes pour désigner cette aptitude. Or Homère, cette fois, ne le cache pas ; mais le récit de ces merveilles occupe dans l'*Odyssée* très exactement trois vers (IV, 456-458) : une sèche énumération, glissée dans un récit autrement détaillé et concret. Homère n'a pas le goût qu'aura Ovide pour ces histoires de métamorphoses.

Est-ce à dire que les dieux ne puissent pas, eux, prendre des formes variées ? Assurément, ils le font ; ils le font même tout le temps. Mais ici surgit un nouveau trait de l'épopée, qui a quelque chose d'émouvant. Les dieux, chez Homère, ne se changent jamais que pour deux formes : l'une, très rare, est l'oiseau, qui évoque la rapidité d'une présence ou d'une fuite soudaines ; l'autre, très fréquente, presque constante, normale, est tout bonnement la forme humaine ! Les dieux prennent l'aspect d'un guerrier, d'un parent, d'une femme aux traits familiers ou bien d'un jeune pâtre : n'importe quoi, pourvu que leur forme s'insère sans heurt dans l'expérience humaine. Les dieux et les hommes sont tout proches.

Ils le sont à tel point qu'il est facile de s'y laisser tromper. On croit avoir affaire à un homme et l'on ne comprend qu'à l'instant où il disparaît que l'on avait devant soi un dieu. Du coup, l'on se méfie. Les gens s'interrogent : est-ce bien un homme ? Ou serait-ce un dieu ? Ils posent même la question ; car les contacts sont si fréquents que le doute est toujours possible[15]. « Pleins feux sur l'homme » : tel est toujours l'esprit du poème.

Ce n'est donc pas un monde où l'homme se sente

perdu au gré d'êtres mystérieux, qui font peur et déroutent l'esprit : c'est un monde si bien centré sur les hommes que les dieux eux-mêmes viennent s'y glisser, et qu'ils dissimulent leur toute-puissance sous les traits de quelqu'un d'entre les mortels.

De plus, quand ils interviennent, eux qui peuvent tout, ce n'est point pour faire s'effarer la raison humaine. Au contraire, on dirait qu'Homère offre toujours, dans l'*Iliade*, des miracles si adroits que chacun peut y reconnaître, en tous les temps, les souvenirs familiers des surprises imposées par la vie. Un dieu parle à un homme ; ce n'est pas une figure de style : il s'agit bien d'un dieu ; mais est-ce si différent de ce que nous appellerions une voix intérieure ? Il fait échouer le coup d'un guerrier : est-ce si différent de notre expérience de l'échec, et de notre façon d'incriminer alors notre malchance, ou bien nos moyens matériels ? Le joueur de tennis qui manque une balle ne regarde-t-il pas sa raquette avec stupeur, comme si elle lui avait joué un tour ? Un dieu rajeunit un homme : ne disons-nous pas que, soudain, nous nous sentons dix ans de moins ? Jamais les miracles homériques ne choquent brutalement les habitudes humaines. Et, s'il est vrai que le monde de l'épopée est plein de dieux et de manifestations surnaturelles, celles-ci s'inscrivent sans difficulté dans l'expérience quotidienne — comme si les dieux n'osaient pas en fausser ouvertement le cours. On est ainsi constamment à la limite entre le merveilleux et l'expérience — ce qui fait que l'on accepte le merveilleux comme proche et comme susceptible d'être, en tout temps, compris.

Qui plus est, quand de vrais miracles interviennent et se font remarquer, on peut constater que le poète s'en sert visiblement pour donner un relief accru au déroulement de l'aventure humaine. Encore une fois, l'art d'Homère s'en mêle. Et encore une fois c'est l'action des hommes qui s'en trouve rehaussée.

Ainsi l'on a déjà rencontré ici la pluie de sang qui salue la mort de Sarpédon. Contrairement à ce que l'on trouve à Rome, c'est à peu près la seule apparition d'un tel miracle dans Homère[16]. Et l'on comprend bien le sens de sa présence. C'est le moment où Zeus, le roi des dieux, doit accepter dans la douleur que meure son propre fils, Sarpédon : la pluie de sang marque le deuil de Zeus pour son enfant mortel. Elle marque aussi, dans la suite du récit, la dernière victoire de Patrocle : deux cents vers plus loin, il sera mort à son tour ; et sa mort entraînera le retour d'Achille au combat. Le miracle marque à la fois le deuil d'un dieu et une péripétie décisive dans l'action humaine qui prend ainsi plus de relief. Le miracle est comme l'orchestration éclatante d'un grand moment.

Il en va de même du petit miracle relatif aux chevaux d'Achille. Une fois — une seule fois — un de ces chevaux immortels se trouve, pour un instant, doué de la parole. Ce n'est point là une de ces « merveilles » comme les épopées des autres civilisations en ont ; et l'on est bien loin ici de l'épopée tibétaine où le cheval de Ghesar de Ling parle toutes les langues. Chez Homère, c'est Héra qui crée ce bref miracle, vite interrompu par les Érinyes[17] : au moment où Achille va retourner au combat, le cheval lui prédit sa mort. Thétis l'avait fait avant lui, en termes vagues, puis de plus en plus précis ; cette fois, tout y est : l'idée que le jour fatal est proche et qu'Achille sera dompté « par un dieu et par un homme[18] » (XIX, 408-417). Juste avant le départ d'Achille pour le combat, il y a donc là un autre signe saisissant de l'importance du moment. Avec une puissance venue d'ailleurs, l'avertissement prend tout son sens : le miracle est littéraire ; et il met en relief l'aventure humaine.

C'est bien ce que l'on constate encore dans la suite. Car il y a deux chants dans l'*Iliade* où le surnaturel intervient beaucoup plus qu'ailleurs, où les dieux se mêlent à chaque instant à l'action et où ils se battent même entre eux pour l'amour des hommes qui leur sont chers : ce sont les chants XX et XXI, qui correspondent précisément au retour d'Achille au combat, et qui précèdent le chant où il tue en effet Hector.

Cet emploi du merveilleux — qu'il vaudrait mieux ici appeler le sacré — fournit donc comme une dimension accrue au récit relatif aux hommes.

Au lieu qu'il offre une diversion et une échappatoire, le sacré vient donc donner comme un relief accru au récit relatif aux hommes. Il y ramène et le grandit. Un livre récent écrit joliment qu'alors, « pour la première fois, l'invisible acceptait de prendre figure en chaque endroit suivant les règles du visible, comme s'il éprouvait une très forte attraction pour ce mode précaire de l'être [19] ». Homère, en tout cas, ordonne ainsi les choses.

Après tout, une des originalités de l'*Iliade*, parmi toutes les épopées des divers pays, est le sujet qu'elle s'est fixé. L'*Iliade*, en effet, n'est ni une « guerre de Troie », ni une « geste d'Achille ». Le poème rapporte une série de faits qui s'enchaînent, et dont l'enchaînement repose tout entier sur l'évolution des sentiments qui se succèdent dans un cœur d'homme. La colère d'Achille, qui l'écarte du combat, entraîne la douleur d'Achille, qui l'y ramène ; ce retour provoque la mort d'Hector et le refus de lui accorder la sépulture — cette tension s'apaisant enfin pour laisser la place à un double deuil. Autrement dit, l'épopée est ici construite comme une tragédie ; et, si les dieux sont tout-puissants, c'est pourtant dans l'esprit des hommes que se joue le drame et que se nouent les enchaînements. Sur les milliers de vers que devaient débiter les aèdes, un choix a été fait ; il a retenu une colère, un deuil, une vengeance, un apaisement : non pas une suite de faits relatifs à un événement historique, mais une suite de sentiments qui pourraient se dérouler chez bien des hommes et en bien des temps.

Les interventions divines, dans l'*Iliade*, secondent et rehaussent cet enchaînement de passions humaines.

Cette subordination si étonnante est indéniable dans l'*Iliade* : elle est, de toute évidence, moins nette dans l'*Odyssée*. Pourtant, même là, le merveilleux sert parfois aussi à ponctuer les temps de l'action des hommes et à la mettre mieux en relief. Ainsi il arrive une fois seulement qu'une vive lumière se répande dans le palais d'Ithaque : elle salue le retour d'Ulysse[20]. Une fois aussi, la longueur relative du jour et de la nuit est modifiée : c'est après que Pénélope et Ulysse se sont retrouvés, et qu'ils ont tant à se raconter, et tant besoin, après ces récits, d'un peu de repos. Athéna le leur accorde en retenant un peu l'Aurore « au bord de l'Océan, près de son trône d'or[21] ».

Même si cette utilisation du sacré est moins nette que dans l'*Iliade*, du fait que la composition est aussi moins ferme, on reconnaît le même esprit, selon lequel les interventions divines sont comme l'orchestration de l'action humaine, et lui donnent de l'éclat plutôt que de lui ôter son sens.

Il faut en effet se souvenir qu'avec Homère, les dieux n'interviennent guère que pour ou contre un homme. Ils suivent avec passion le sort des mortels. Ils ont parmi les guerriers des fidèles qui leur sont chers, quand ce ne sont pas des fils. Ils peuvent entrer dans la mêlée pour les soutenir, et se battre pour eux. Il faut même qu'Apollon proteste, au chant XXI, disant que ce serait folie s'il partait en guerre contre Poséidon pour de pauvres mortels : normalement, les dieux vivent suspendus aux péripéties de l'action humaine.

Si cette action vise à soutenir un mortel, elle le met en valeur. Et l'association entre la divinité et l'homme se présente alors sous un jour rayonnant. Les deux cas les plus nets — et les plus inoubliables — sont, dans l'*Iliade*, l'aide d'Athéna pour Achille, et, dans l'*Odyssée*, le tendre dévouement d'Athéna pour Ulysse.

Pour Achille, il s'agit d'une intervention directe et personnelle, en un moment important.

Après la mort de Patrocle, quand il est sans armes et qu'Iris lui a enjoint d'aller jusqu'au fossé pour ranimer l'ardeur des Achéens, Athéna est là, à ses côtés. Elle lui place son égide sur les épaules, tout en faisant jaillir de son front et de tout son corps un éclat extraordinaire (204-206). Un miracle ? Il est connu dans l'épopée irlandaise : quand le héros entre en action, il est pourvu d'une « lune de héros, qui paraît à l'avant de sa tête et s'élève du sommet de son crâne[22] ». Le rapprochement est frappant ; mais il montre, d'un côté, une bizarrerie quasi magique et, de l'autre, une présence sacrée, dont on perçoit indirectement l'éclat, à travers une comparaison tout humaine — celle des feux des armées dans la nuit[23].

On dirait ici, derrière Achille, comme un double divin, qui vient accroître la force de l'homme, en se confondant presque avec lui. L'exemple mérite d'être cité, non seulement parce que le texte est beau, mais parce que le poète n'a négligé aucun moyen pour rendre le moment solennel, sans le rendre extravagant :

> « Achille cher à Zeus se lève donc. Sur ses fières épaules, Athéné vient jeter l'égide frangée ; puis la toute divine orne son front d'un nimbe d'or, tandis qu'elle fait jaillir de son corps une flamme resplendissante. On voit parfois une fumée s'élever d'une ville et monter jusqu'à l'éther, au loin, dans une île qu'assiège l'ennemi. Tout le jour, les gens, du haut de leur ville, ont pris pour arbitre le cruel Arès ; mais, sitôt le soleil couché, ils allument des signaux de feu, qui se succèdent, rapides, et dont la lueur jaillit assez haut pour être aperçue des peuples voisins : ceux-ci peuvent-ils venir sur des nefs les préserver d'un désastre ? C'est ainsi que, du front d'Achille, une clarté monte

> jusqu'à l'éther. Passant le mur, le héros s'arrête au fossé, sans se mêler aux Achéens : il a trop de respect pour le sage avis de sa mère. Il s'arrête donc, et, de là, pousse un cri — et Pallas Athéné fait, de son côté, entendre sa voix. Il suscite aussitôt dans les rangs des Troyens un tumulte indicible. On dirait qu'il s'agit de la voix éclatante que fait entendre la trompette, le jour où les ennemis, destructeurs de vies humaines, enveloppent une cité. Ainsi, éclatante, sonne la voix de l'Éacide » (XVIII, 204-221).

Dans un tel contexte, on comprend mieux le sens du double plan sur lequel se joue l'épopée, avec cette alternance de scènes chez les hommes et chez les dieux ; et l'on comprend aussi que l'homme puisse en être, non pas diminué, mais grandi. Le livre récent de R. Calasso, que l'on citait tout à l'heure, a voulu apparemment exprimer ce sentiment, puisqu'on y lit, à la page 348 : « Et le réel resplendit vraiment quand son épaisseur se redouble, quand au bras de chaque héros répond le bras du dieu qui l'accompagne, quand deux scènes, l'une visible et l'autre invisible parce qu'éblouissante, entrent parfaitement l'une dans l'autre et que chaque jointure devient double. »

Quant à l'aide d'Athéna pour Ulysse, dans l'*Odyssée*, elle est moins éclatante, mais plus familière : elle introduit, cette fois, de vrais rapports d'amitié entre l'homme et la déesse. Lors de la merveilleuse rencontre d'Ithaque, quand Athéna a pris les traits d'un jeune pâtre et qu'Ulysse ne la reconnaît pas, elle se moque gentiment de lui et de ses ruses, puis elle rappelle qu'elle aime en lui son intelligence ; pour cela, elle souhaite l'aider. Et, dès que Poséidon lui en laisse la possibilité, elle l'aide effectivement, avec un dévouement constant. Ses miracles sont tous au service d'un homme, qu'elle a librement choisi pour ce qu'il est.

Ce sont là des cas qu'il ne faut pas oublier — et que l'on ne peut pas oublier. Pourtant ils n'annulent en rien la cruauté des dieux, tout au contraire ; car ils en sont le pendant. Les dieux interviennent pour soutenir un homme en ruinant son adversaire, pour soutenir un camp, en brisant ses ennemis. Seul l'arbitrage de Zeus arrête parfois leur zèle et les méfaits que causent, ensemble, leur parti pris et leur toute-puissance.

Les exemples sont nombreux, des tours cruels qu'ils jouent alors pour en venir à leurs fins, stimulant les colères, détournant les traits, cachant soudain leurs protégés, ou poussant un guerrier au combat en usant d'une illusion.

Mais c'est là que le choix d'Homère est peut-être le plus étonnant. Car l'impression donnée n'est pas, n'est jamais, celle d'un écrasement. Les hommes d'Homère gardent, même lorsqu'ils cèdent devant la puissance d'un dieu, une fierté qui leur est propre.

Ses personnages reconnaissent, avec une ironie pleine de pudeur, le succès sans mérite de ceux qui les écrasent. Le mot « facile » est même employé à plusieurs reprises en tête de vers, avant une pause, pour caractériser cette action des dieux.

Un des cas les plus saisissants est celui de Patrocle. Apollon marche vers lui, et, de dos, le frappe de sa main ; sous le coup, son casque tombe, sa pique se brise, sa cuirasse se détache. Un vertige le prend et il s'arrête, saisi de stupeur (XVI, 793-806). Hector n'a dès lors pas de mal à le tuer ; et à triompher de lui. Mais Patrocle proteste : ce sont Zeus et Apollon qui l'ont vaincu — victoire facile : ils ont eux-mêmes détaché ses armes (846 [24])... De même Achille reprochera à Apollon de se jouer de lui — victoire facile, puisqu'il n'a rien à redouter en retour (XXII, 19 [25])...

Ce bref mot de commentaire est la seule protestation de ceux qui voient soudain le sort les condamner. Or il serait tentant de multiplier les cris de révolte, ou de désespoir, et de se dresser contre l'injustice des dieux.

La discrétion est la même lors de l'autre mort par

trahison divine, qui répond à celle de Patrocle : quand Hector va affronter Achille, Athéna prend l'aspect d'un des fils de Priam ; elle encourage Hector ; elle l'accompagne. Et puis, au dernier moment, elle s'éclipse ! Hector appelle en vain ; alors il comprend ; et c'est un autre texte que l'on citera ici dans les mots mêmes :

> « Hélas, dit-il, point de doute, les dieux m'appellent à la mort. Je croyais près de moi avoir le héros Déiphobe. Mais il est dans nos murs : Pallas Athéné m'a joué ! A cette heure, elle n'est plus loin, elle est là pour moi toute proche, la cruelle mort. Nul moyen de lui échapper. C'était donc là depuis longtemps le bon plaisir de Zeus, ainsi que de son fils, l'Archer, eux qui naguère me protégeaient si volontiers ! Et voici maintenant le Destin qui me tient... » (XXII, 297-303).

De l'amertume ? De la dignité aussi. Et plus encore. Car si Homère laisse bien voir l'inégalité des chances et la cruauté que montrent ici les dieux, toutes ces constatations n'entraînent pas plus de soumission fataliste de la part de nos héros qu'elles ne suscitent de révolte.

Ici interviennent en effet les deux derniers vers du texte cité, et le secret de l'homme homérique. Car Hector se redresse et déclare : « Eh bien ! non, je n'entends pas mourir sans lutte ni sans gloire, ni sans quelque haut fait dont le récit parvienne aux hommes à venir. »

Les dieux peuvent frapper, tromper, condamner : la part de l'héroïsme humain n'en est pas diminuée, mais rehaussée. L'homme garde sa fierté et son idéal. L'homme garde sa place.

Ce retournement héroïque prend ici un relief d'autant plus grand que le mauvais coup des dieux est plus cruel et la perte d'Hector plus certaine. Mais il n'est pas unique dans l'œuvre, loin de là. Le sens de l'honneur amène le même sursaut dans bien des cas.

Ainsi Ajax, au chant XVII, voit que les Achéens vont à un désastre. Il comprend, comme Hector, que les dieux sont contre lui. Et comme Hector, il passe outre, accepte, et tente d'agir pour le mieux : « Las ! un simple enfant cette fois le comprendrait : c'est Zeus Père en personne qui aide les Troyens. Tous voient leurs traits porter, que le tireur soit un lâche ou un brave : Zeus est toujours là pour les mettre au but. Pour nous tous, au contraire, ils tombent à terre, inefficaces et vains. Eh bien, soit ! voyons par nous-mêmes le meilleur parti à prendre... » (629-633). « Par nous-mêmes » *(autoi)* exprime la reprise en main de son destin par l'homme.

Au chant suivant, Achille décide de venger Patrocle en tuant Hector ; et sa mère l'avertit : aussitôt après Hector, il devra mourir à son tour ! Il y est prêt. Il voudrait même mourir tout de suite, dévoré qu'il est par le regret de n'avoir pas sauvé son ami (« que je meure donc tout de suite, puisque je vois qu'il était dit que je ne pourrais porter aide à mon ami devant la mort ! » (98 et suiv.) Et, se reprenant, il affirme, comme dans le texte cité plus haut, la fière acceptation du sort qui l'attend : « Aujourd'hui donc, j'irai, je rejoindrai celui qui a détruit la tête que j'aimais, Hector ; puis la mort, je la recevrai le jour où Zeus et les autres dieux immortels voudront bien me la donner. Le puissant Héraclès lui-même n'a pas échappé à la mort[26]... » Il y manque cette idée de gloire ? Qu'à cela ne tienne ! « Eh bien donc ! Si même destin m'est fixé, on me verra gisant sur le sol, à mon tour, quand la mort m'aura atteint. Mais aujourd'hui j'entends conquérir une noble gloire... » (121).

Au chant suivant, encore, on retrouve la même acceptation et le même redressement, lorsque le cheval Xanthos avertit Achille de sa mort prochaine : « Je le sais bien sans toi : mon sort est de périr ici, loin de mon père et de ma mère. Il n'importe : je ne cesserai pas, que je n'aie aux Troyens donné tout leur soûl de combat. » Et avec un de ces enchaînements immédiats, comme Homère les aime : « Il dit et, à la tête des siens, en criant, il pousse ses chevaux aux sabots massifs » (XIX, 420-425).

« Eh bien, non ! », « Mais allons ! », « Il n'importe », les mots changent[27], mais la force du retournement est identique. Pour des formes de l'honneur qui varient selon les cas, l'homme, même sûr de sa perte, retrouve en lui ce noyau de force infrangible, qui le rend soudain responsable et souverain dans l'instant même où il se voit condamné.

Et comment oublier Ulysse, lui aussi, se battant contre les pièges que suscite contre lui la colère de Poséidon ? Seul contre un dieu, seul contre les éléments, il lui arrive de défaillir, mais il tient bon. Il deviendra ainsi pour des siècles le symbole même de l'aventure humaine[28].

Tel est l'héroïsme. Par son existence même, il préserve, moralement, la dignité et l'autonomie de l'homme, jusque dans les moments où celui-ci succombe. Et l'on peut dire que, littérairement, ces mauvais coups des dieux font mieux encore ressortir la vraie grandeur de l'homme.

III. *Autour des héros*

Les héros nous ont fait monter bien haut : il ne faut pourtant pas oublier que, dans le monde homérique, ces grands moments ne sont, pour les héros, que des moments d'exception, et que l'épopée elle-même connaît de la vie d'autres aspects et d'autres beautés. Toute une humanité plus modeste surgit au détour du récit, toute une série de valeurs s'inscrit en marge de l'héroïsme, et les règles d'une société commune, éprise de discussion et de lucidité, ouvrent les portes de l'avenir.

Par humanité plus modeste, je n'entends pas seulement Thersite, le seul vilain de l'*Iliade*. Je n'entends pas non plus les captives ou les écuyers, ni même, dans l'*Odyssée*, des personnages comme Eumée ou la nourrice Euryclée. Pourtant il est caractéristique que l'épopée les ait accueillis. Mais plus étonnante encore est la façon dont l'art d'Homère a su introduire, doucement et comme subrepticement, la référence aux petites gens et au temps de paix dans un récit consacré aux héros et à la guerre.

Il l'a fait par les comparaisons.

Déjà dans l'ordre des sentiments — et cela rejoint l'analyse faite au début de ce chapitre — les comparaisons jouent un rôle : elles permettent de ne retenir de ces sentiments que l'aspect le plus largement humain. En passant d'un domaine à l'autre, d'un milieu à l'autre, d'un sexe à l'autre, les joies et les peines se trouvent ramenées à une sorte de noyau central, commun à tous.

La passion du combattant ou la crainte éprouvée par le plus faible se rapprochent des réactions premières du fauve ou du petit oiseau ; l'effort du guerrier rejoint celui de l'artisan, et l'émotion des retrouvailles rappelle soudain toutes les retrouvailles de la vie humaine.

A cet égard, il est une double comparaison, que W. B. Stanford a fort heureusement mise en lumière[29]. Elle évoque, à bien des chants de distance, la joie d'Ulysse à toucher terre, la joie de Pénélope à retrouver Ulysse. Pour le premier, pour le navigateur, sa joie est comparée aux plus précieuses des joies familiales : « Comme lorsque des enfants voient avec bonheur revivre leur père qui gisait malade, en proie à de grands maux depuis longtemps : un dieu cruel le tourmentait, mais des dieux l'ont heureusement tiré de son mal... » Inversement, pour Pénélope, sa joie d'épouse est comparée à celle du naufragé qui touche terre : « Elle est douce, la terre, aux vœux des naufragés dont Poséidon, en mer, sous l'assaut de la vague et du vent, a brisé le solide navire [...] bonheur ! ils prennent pied ! ils ont fui le désastre !... La vue de son époux lui semblait aussi douce ! »

Le principe même de la comparaison laisse là tout ce que le sentiment aurait de particulier et de directement lié à la situation. De plus, l'échange de deux domaines ramène à leur unité humaine les deux mondes apparemment si bien distincts de l'homme et de la femme, du voyageur et de la gardienne du foyer.

Une fois de plus, le monde homérique nous semble d'autant plus proche de nous qu'il nous apparaît décanté de tout ce qui l'eût fixé et limité.

Mais, en même temps, la comparaison renvoie à des catégories de personnes différentes. Elle permet d'étendre le monde de l'épopée au-delà de son cadre propre, et au-delà de la société privilégiée qui en est le centre.

Sans doute les héros de l'*Iliade* sont-ils tous des rois et des guerriers [30]. Mais les comparaisons ouvrent la porte aux autres. Et, à côté de cette humanité en guerre et héroïque, comme sur le bouclier, il a fait figurer, en pleine épopée, tout un monde de paysans et de travailleurs.

On le sait, ses comparaisons sont souvent familières : elles évoquent parfois, en contrepoint à la geste des héros, des images de tous les jours, dans un cadre plutôt humble : ainsi des enfants qui frappent sur un âne, ou jouent aux châteaux de sable, ou encore les mouches dans l'étable [31] — cela sans parler de la comparaison qui, lorsque Patrocle supplie Achille, le compare à « une petite fille qui court à côté de sa mère et lui demande de la prendre : elle se suspend à sa robe, elle l'empêche d'avancer, et ses yeux en larmes supplient qu'on la prenne [32] ».

Mais en même temps on voit entrer dans l'épopée toute une série de petites gens et de petits métiers. Voici, à propos du corps de Patrocle, autour duquel les deux camps se disputent, les corroyeurs : ils tirent sur le cuir d'un taureau, qui a été imprégné d'huile : « Ils le prennent et s'écartent, en faisant cercle pour le tendre. Aussitôt l'humidité sort ; l'huile pénètre d'autant mieux qu'il y a plus d'hommes à tirer, et le cuir se distend en tout sens » (XVII, 389-394). Ou bien voici le charpentier, en train d'abattre un chêne de sa cognée bien affûtée (XIII, 389-393 ; XVI, 482-486). On voit encore les vanneurs, les moissonneurs[33]. Parfois même, sans qu'il y ait de comparaison, une référence surgit — petite image brève qui évoque la vie quotidienne et, à côté des guerriers, fait penser aux autres. La rencontre d'un lavoir, au cours d'une poursuite dramatique, est l'occasion de rappeler les femmes allant jadis laver leur linge brillant. Une simple indication d'heure suffit de même à introduire le bûcheron : « Mais vient l'heure où le bûcheron songe à préparer son repas dans les gorges de la montagne. Ses bras en ont assez de couper les hauts fûts ; la lassitude entre en son cœur et le désir le prend, jusqu'au fond de lui-même, des douceurs du manger[34] ». Ou bien la seule mention de la nuit appelle celle du berger, seul sur la montagne, qui voit les cimes se découvrir et les étoiles paraître. Sans raison, Homère ajoute : « Et le berger se sent le cœur en joie. » Or ce berger surgit, en maint passage, de la même façon, aussi gratuitement, et avec le même effet d'élargissement — dans l'espace et dans la société des hommes[35].

Homère insiste sur le caractère humain des héros : il fait plus, dans la mesure où, autour d'eux, il réserve place à tous — un peu comme le bouclier d'Achille, par l'effet de l'art, présente toute la vie humaine sur sa simple surface.

Dans ce monde de la paix règnent des vertus et des valeurs tout autres que l'héroïsme. Il n'en sera pas question ici : on a déjà évoqué, à propos de l'absence d'ethnocentrisme, le rôle de ces valeurs « douces », qu'un regard trop rapide dénie souvent à l'*Iliade*, et qui lui donnent pourtant un tel prix[36]. L'hospitalité, la courtoisie, l'indulgence ne jouent pas seulement à l'égard des étrangers : elles commandent les rapports entre personnes d'une même famille, comme entre le roi et ceux sur qui il règne[37]. Elles font partie de cette « humanité » d'Homère, qui prend tant de sens divers, et dont toutes les formes se retrouvent dans son œuvre — depuis le refus de tout particularisme jusqu'à une véritable ouverture morale, en passant par le sens des limites de l'homme et de sa grandeur. Les égards entre les personnes, si évidents dans le texte d'Homère, jouent dans les relations avec tous et restent un modèle de civilisation.

Mais, si l'on se contente ici de rappeler brièvement ces idées, il vaut la peine d'insister sur un autre trait, par lequel rois et bergers se rejoignent pour participer à un monde singulièrement proche du nôtre. C'est qu'au milieu de ces aventures, de ces batailles, de ces menaces et de ces deuils, émerge déjà chez Homère un trait que l'on ne retrouve dans aucune autre épopée et qui ouvre directement sur les tendances qui seront étudiées ici : déjà chez Homère, les hommes tendent, de toutes leurs forces, à atteindre des solutions sages par le débat en commun et par l'examen à plusieurs.

Même dans l'armée des guerriers achéens, Agamemnon ne décide rien sans consulter les autres chefs et sans convoquer une assemblée. C'est dans une telle assemblée qu'Agamemnon et Achille se querellent au chant I : les héros se lèvent, se rasseyent, donnent leur avis. Au chant II, de même, Agamemnon a eu un songe : à peine éveillé, il donne l'ordre aux hérauts de convoquer l'Assemblée. Qui plus est, il réunit d'abord un Conseil des sages. On dirait des institutions élaborées. L'assemblée, interrompue par une sorte de panique, ne tarde pas à reprendre. On entend Ulysse et Nestor, en d'assez longs discours (près de deux cents vers à eux deux), et

Agamemnon se laisse convaincre : « Une fois de plus, vieillard, tu l'emportes à l'Assemblée sur tous les fils des Achéens. Ah ! Zeus Père ! Athéna ! Apollon ! Si j'avais seulement dix conseillers pareils parmi les Achéens !... » (II, 370-372).

L'idée de cette recherche en commun du meilleur parti est si importante dans le monde homérique qu'on la retrouve partout. On la rencontre à Ithaque, même en l'absence du roi. On la rencontre jusque chez les dieux. C'est ainsi que le chant I de l'*Odyssée* s'ouvre par une « Assemblée des dieux » ; Poséidon n'y est pas, mais tous les autres y sont et Zeus vient de prendre la parole : dans cette première assemblée, Athéna seule intervient et, après plusieurs plaidoyers, obtient gain de cause. Quant au chant II, il porte pour titre ancien « l'Assemblée d'Ithaque[38] ». Cette assemblée est convoquée par les hérauts. Il est précisé que c'est la première depuis le départ d'Ulysse[39]. Y interviennent successivement le vieil Égyptios, puis Télémaque, Antinoos, encore Télémaque, Halithersès, Eurymaque, Télémaque encore, Mentor, et enfin Léocrite, qui « lève la séance » : le récit aura occupé quelque deux cent cinquante vers.

Ce n'est point ici le lieu d'étudier dans le détail le fonctionnement de ces assemblées, ni de chercher à préciser leur importance dans l'histoire politique ; mais il est clair que cette habitude nous découvre un fait éminemment grec qui est — déjà alors — le goût et l'habitude du débat. L'absolutisme n'est pas grec. L'idée que la vérité est objet de révélation, détenue par certains, secrète, n'est pas non plus grecque. La vérité se cherche en commun. Cela veut dire que — déjà alors — chacun doit s'exercer à trouver des arguments auxquels les autres seront sensibles, à les ordonner, à les rendre convaincants. Cela veut donc dire que — déjà alors — existe un certain besoin de présenter les choses sous une forme qui soit assez générale et cohérente pour devenir accessible à tous les auditeurs et valable pour le plus grand nombre.

Télémaque plaide ainsi dans l'Assemblée d'Ithaque en montrant ses souffrances de façon simple, dépouillée, touchante pour des gens simples : « Pris de pitié le peuple entier restait muet. » Les prétendants ressentent cette éloquence et traitent Télémaque de parleur d'agora ! Ailleurs il peut y avoir plusieurs avis allant dans le même sens : ils sont alors répartis entre les orateurs : au chant II de l'*Iliade*, Ulysse soutient qu'il faut continuer la lutte à cause du présage reçu, et Nestor soutient la même thèse au nom du respect des engagements ; on songe à repartir, s'étonne-t-il : « Et que vont devenir, dites-moi, et les traités et les serments ? Au feu alors tous les desseins, tous les projets des hommes, et le vin pur des libations, et les mains qui se sont serrées, tout ce en quoi nous avions foi ! » (II, 339-341). Parce qu'ils discutent en cherchant des arguments, les orateurs découvrent des idées générales, valables en tous les temps. On aurait, aujourd'hui encore, bien des occasions de citer ces vers de Nestor, à propos du présent.

D'autres discours poussent plus loin l'analyse, décrivent des situations générales, évoquent une expérience commune. Le plus développé est sans doute le discours de Phénix, lors de l'ambassade auprès d'Achille : il compte 171 vers ! Au début vient le rappel, très personnel, de ce que Phénix a fait jadis pour Achille enfant. Rappel personnel : mais en fait c'est la description, dépouillée et tout humaine, des soins donnés à un enfant : « Il fallait alors que je te prisse sur mes genoux, pour te couper ta viande, t'en gaver, t'approcher le vin des lèvres. Et que de fois tu as trempé le devant de ma tunique, en le recrachant, ce vin. Les enfants donnent bien du mal[40]... » Puis vient une exhortation, qui implique une certaine vision du monde ; et c'est là que se situe un texte fameux et émouvant sur le rôle des Prières et sur l'Erreur. Il est introduit par quelques vers qui, eux aussi, pourraient être appliqués en bien des temps et bien des lieux : « Non, ce n'est pas à toi d'avoir une âme impitoyable, alors que les dieux eux-mêmes se laissent toucher[41]... » Et Phénix insiste sur les satisfactions offertes à Achille. Puis il recourt à un récit, relatif à Méléagre, qui sut, après bien des résistances, renoncer à sa colère et sauver les siens : l'exemple est singulièrement bien adapté au cas d'Achille et ce n'est peut-être pas un hasard[42]. Là aussi, il fait appel à une expérience commune et humaine, celle de la guerre. La femme de Méléagre lui rappela « les douleurs qui sont le lot des mortels dont la ville est prise : les hommes qu'on tue, la cité que le feu dévore, les enfants et les femmes aux ceintures profondes qu'emmène l'étranger » : par là elle émut Méléagre et le décida. Mais comment ne pas reconnaître aussi, dans ces quelques mots sur lesquels tout se joue, l'expérience humaine la plus nue et la plus cruelle — une expérience que nous nous trouvons vivre encore une fois à l'heure où j'écris.

Or le discours de Phénix demeure un cas limite dans l'*Iliade*. Mais la tendance qu'il illustre s'y retrouve partout.

Il n'est pas besoin ni d'assemblées ni de longs plaidoyers pour qu'apparaissent ces deux traits éminemment grecs que sont le goût du débat et le sens de l'humain.

Le grand discours, dans une assemblée ou une ambassade, est rare ; mais chaque fois qu'un héros hésite, cherche la meilleure solution, ou bien en stimule un autre, ou encore lui demande ou lui refuse sa pitié, on se trouve en face du même procédé : toujours, les héros d'Homère cherchent à comprendre ou à se faire comprendre. Entre le « Faut-il attaquer ? » et le « Dois-je attaquer ? », la différence est minime. Dans le bref exposé de l'hésitation d'Hector, au chant XXII, on rencontre ainsi le remords de n'avoir pas écouté de sages conseils, le sentiment de la honte qu'il essuierait en se dérobant, l'espoir de survivre, l'obligation d'agir : une suite de sentiments qui s'affrontent, clairement, et qu'il s'efforce de tirer au clair.

Et l'on a, ici encore, une suite de sentiments essentiels, ramenés à une forme si simple et si forte que n'importe qui peut y reconnaître, à n'importe quel moment de l'histoire, sa propre hésitation à l'instant d'affronter un très grand danger.

Voilà sans doute pourquoi les héros d'Homère sont devenus des compagnons de toujours, d'abord en Grèce, puis à Rome, puis dans tous les pays européens. Ils sont, à tous les égards, humains ; et ils inaugurent, dès le VIIIe siècle avant J.-C., le désir de toucher les hommes en cherchant à les comprendre et à se faire comprendre d'eux. Par ce trait, l'*Iliade* porte déjà en elle toute l'essence du « miracle grec ».

*

Cependant, on voit aussi le chemin qui restait à couvrir. Malgré l'existence de discours, ici ou là, dans le poème, la connaissance de l'homme y est sentie, montrée, supposée : elle n'y est pas pensée en termes d'analyse lucide.

Hector hésite, voit ce qu'il risque de part et d'autre, mais s'interrompt et passe à l'action. Trop heureux encore quand ce n'est pas un dieu ou une déesse qui tranche : Achille, au chant I, tire déjà son épée contre Agamemnon, quand Athéna surgit et lui met la main sur la tête ; elle l'arrête ; et il obéit. De même, quand Ulysse voudrait tuer les servantes infidèles, au chant XX de l'*Odyssée,* il s'encourage lui-même à la patience (« Patience, mon cœur » !) ; mais Athéna surgit et... lui conseille de dormir. La poésie d'Homère prépare les analyses du Ve siècle athénien ; mais elle reste encore au ras du concret, mêlée à l'action, rapide et vivante : elle montre des hommes ; elle montre l'homme ; mais elle n'en offre jamais un portrait raisonné, et moins encore une science.

Pour arriver à ce résultat, il fallait attendre de voir l'esprit grec, si puissamment présent en ces débuts de la littérature grecque, se rencontrer avec l'essor intellectuel d'Athènes au ve siècle.

Alors surgit le vrai miracle, celui non pas d'Athéna, mais des Athéniens.

NOTES DU CHAPITRE I

1. On retrouvera ici des idées que j'ai exprimées ailleurs, en particulier dans les études suivantes : *Perspectives actuelles sur l'épopée homérique*, Paris, P.U.F., Essais et conférences du Collège de France, 1983, 41 p. ; « L'humanité d'Homère et les humanités », *Bull. Ass. G. Budé*, 1987, p. 150-164 ; et « Pourquoi Ulysse ? », conférence inaugurale donnée au 8ᵉ Congrès de la Fédération internationale des associations d'études classiques (Dublin, août 1984) et publiée dans le programme du congrès puis en édition hors commerce chez Julliard, 1984 (voir aussi *Nouvel Art du français*, août 1991, p. 12-14 : extrait).

2. Voir notre livre intitulé *Patience, mon cœur*, Paris, Les Belles Lettres, 1984, rééd. 1991.

3. Voir « Pourquoi Ulysse ? », mentionné ci-dessus, note 1.

4. Le *Livre des Rois*, extraits, par G. Lazard, p. 108, où la description, très peu grecque, précise : « Ses bras et ses cuisses sont comme les cuisses d'un dromadaire et plus forts encore. »

5. Cette scène ressemble fort à une scène de déploration funèbre et a pu être empruntée à une « mort d'Achille » : cf. J. Kakridis, *Homeric Researches*, III, 1949.

6. Homère ne connaît guère les héros transportés chez les dieux pour y vivre à jamais heureux. Au seul Ménélas, la prophétie de Protée annonce qu'il sera transporté dans les Champs Élysées où la vie est douce (*Odyssée*, IV, 558-569). Ces légendes d'immortalité devaient exister de longue date ; mais Homère ne s'y est pas attaché. Quant au sort de Pélée, il n'est pas enviable (XXIV, 534-542).

7. C'est ce qu'a bien montré un article de M. Phanis Kakridis, paru dans la revue *Hermes* en 1961.

8. Voir notre livre *Patience, mon cœur*, p. 33-34.

9. Voir V, 471 ; IV, 338-348 et 370-401.

10. XI, 478 et suiv.

11. *Iliade*, XVIII, 26 et *Odyssée*, XXIV, 40.

12. Le dernier vers de l'*Énéide* est la mort de Turnus.

13. La même transposition apparaît dans la descente d'Énée aux Enfers au livre VI (avec son fameux « *Tu Marcellus eris* », du vers 88, entre autres !).

14. Pour Niobé : *Iliade*, VI, 302 et suiv. ; pour Zeus, *Iliade*, XIV, 317-327, passage qui pourrait avoir été ajouté, mais donne le ton cependant.

15. Ce doute est repris dans une scène de l'*Électre* de Giraudoux, à l'acte I (« Jamais on n'a vu de mendiant si parfait comme mendiant. Aussi le bruit court que ce doit être un dieu ») : voir notre exposé publié au Val d'Aoste en 1992 : « A propos du merveilleux chez Homère » (*Attualitá dell' Antico*, III, p. 279-292).

16. Il y en a une autre à XI, 53-54, parmi les nombreux signes de la grande bataille qui s'apprête : Zeus alors fait pleuvoir « une rosée sanglante, tant il compte bientôt jeter de têtes fières en pâture à Hadès » : avant la mort des guerriers comme après la mort de son fils.

17. Certains ont cru voir toute une tradition mythologique dans ce rôle des Érinyes, rapproché des Harpyes : voir B. C. Dietrich, « Xanthus' Prediction » in *Acta Classica* (Cape Town), VI, 1963, p. 9-24. Mais cette recherche est fondée sur une méconnaissance complète du caractère exceptionnel de ce miracle et de sa portée littéraire.

18. Il s'agit, on le sait, d'Apollon et Pâris.

19. Roberto Calasso, *Les Noces de Cadmos et Harmonie*, p. 344-345.

20. *Odyssée*, XIX, 36-40.

21. *Odyssée*, XXIII, 244. A vrai dire, un même miracle intervient dans l'*Iliade* ; mais où ? lorsque Patrocle vient d'être tué et qu'il faut ménager le temps avant qu'Achille puisse le venger : XVII, 240. On peut rapprocher l'arrêt du soleil et de la lune demandé par Josué (*Josué*, 10 : 13). On peut aussi rappeler la longue nuit de Zeus avec Alcmène : la différence d'esprit et de registre avec Homère en dit long sur l'humanité d'Homère.

22. Ce sont les « signes du guerrier » dont l'exemple est Cu Chulain : voir le rapprochement fait par Mme F. Bader dans « Rhapsodies homériques et irlandaises », dans *Recherches sur les religions de l'Antiquité classique* (École des Hautes Études), 1980, p. 62-74.

23. Et Homère ne dit rien sur l'égide : il écarte les objets magiques comme les métamorphoses. Par exemple, il ne parle nulle part du Palladion qui protégeait Troie. Voir notre étude sur les objets magiques dans l'*Iliade* et l'*Odyssée*, pour les rencontres d'Ithaque (publiée en grec dans *Philologos* 36 [1984], p. 74-91).

24. Certains ont écarté ce vers, sans raison valable.

25. Cf., avec le même regret emphatique, la « victoire que donne une déesse est facile » (IV, 390 ; V, 808). Le même mot sert pour la victoire du sanglier sur les chiens et du milan sur la palombe timide (XVII, 293 ; XXII, 140).

26. Achille rappelle que pourtant Héraclès était fils de Zeus et cher à son père : c'est le cas de Sarpédon : ci-dessus p. 32. On relèvera qu'Héraclès ne semble pas, ici, avoir acquis l'immortalité ; il l'a dans un passage sans doute tardif de l'*Odyssée* (XI, 602-604) : encore un cas où la comparaison met en relief l'insistance de l'*Iliade* sur la condition humaine et son universalité.

27 « Il n'importe » est d'ailleurs une traduction libre. Le mot à mot dit : « Eh bien malgré tout. »

28. Sur la survie d'Ulysse, voir W. B. Stanford, *The Ulysses Theme*, Oxford, 1908, et les remarques faites au chapitre suivant, ci-dessous p. 85.

29. W. B. Stanford, *Homer's Odyssey*, p. 29-30, repris dans notre « Pourquoi Ulysse ? », p. 24-25. Il s'agit de l'*Odyssée*, V, 397 et suiv., et XXIII, 234-240.

30. Thersite est laid, bancroche et boiteux ; il n'a pas de patronyme ; il attaque les rois : il est le contre-héros ; mais c'est là un cas unique, et très brièvement évoqué.

31. Voir XI, 558 et suiv. ; XV, 362 et suiv. ; 469 et suiv.

32. XVI, 7-10.

33 IV, 504 et suiv. ; XI, 67 et suiv.

34 Pour ces deux derniers exemples, voir XXII, 154-156 ; XI, 86-89.

35. VIII, 558-559 ; XIII, 493 ; III, 11 ; IV, 455 ; il est chevrier à 275-280. Sur ces divers exemples voir déjà les pages 157-159 de l'article du *Bulletin Budé* cité plus haut.

36. Avoir ignoré cet aspect est l'erreur commise par A. W. H. Adkins, *Merit and Responsibility, A Study in Greek Values*, Oxford, 1960. Sur ces valeurs on se reportera à notre livre sur *La Douceur dans la pensée grecque*, Paris, 1979 et aussi, pour la douceur des rois, à l'exposé publié dans la collection du Centre d'études homériques d'Ithaque (publ. 1992).

37. On devrait insister, aussi, sur la droiture. Car, dans l'*Iliade*, contrairement à ce que l'on rencontre dans les épopées de l'Inde ou de la Perse, voire dans des épopées plus proches (comme la *Chanson de Roland*, avec Ganelon), l'action n'est pas conduite par des traîtres ou des femmes perfides, nouant de sombres intrigues. L'*Iliade* ne comporte qu'un vilain (Thersite) et un espion (Dolon, qui sera tué au chant X). Homère d'ailleurs montre ici encore sa réserve par rapport même aux traditions grecques : il ignore le sacrifice d'Iphigénie et l'*Odyssée* glisse avec un art consommé sur la part de Clytemnestre dans le meurtre d'Agamemnon (III, 309-310).

38. Le mot employé dans le titre est *agora* ou, plus tard, *ekklèsia*, un mot qui n'existait pas encore, mais dont l'emploi est révélateur.

39. Il n'y a eu, dit le premier orateur, ni assemblée ni conseil ; et il s'étonne : « Nous voici convoqués : par qui ?... en quelle urgence ?... »

40. IX, 488-491. Le tour général de ce dernier membre de phrase est une traduction libre : Homère dit ensemble le général et le particulier.

41. 496-498.

42. L'on a proposé pour une des sources d'inspiration d'Homère une *Méléagride*. Homère aurait suivi le même canevas ; mais Achille ne sera pas fléchi par des supplications : il le sera par la douleur, mêlée de remords, que lui inspire la mort de son ami ; là encore, des expériences humaines essentielles.

II

A PROPOS DE TROIS VERS DE PINDARE

Entre l'*Iliade* et le ve siècle athénien, on passe sans s'arrêter sur beaucoup d'auteurs. Mais des éclats lumineux, ici ou là, retiennent le regard. Et l'on est alors pris de remords. Car voici que tel texte ou bien tel autre suggère une autre forme de décantation, de simplification et de passage à l'essentiel, qui vient avant même l'expression des idées ou des sentiments. On peut en choisir un, parmi beaucoup, et lui demander son secret. Ce sera un passage de Pindare — non pas un passage où s'inscrivent soit les mystères de la religion soit la tension des combats, mais un passage d'apparence modeste, qui se ramène à un simple geste. Il s'agit de la fin de la *Néméenne* X.

Pindare raconte le mythe de Castor et Pollux. Ces deux frères jumeaux, nés de deux pères différents, dont l'un était Zeus lui-même et l'autre un simple mortel, passaient pour vivre en alternance un jour parmi les bienheureux et un autre chez les mortels. En principe, selon Pindare, Castor fut tué au combat, et Pollux était immortel ; mais le désespoir de Pollux toucha Zeus qui lui offrit, s'il préférait, de partager le sort de Castor et de l'associer au sien — chacun d'eux passant la moitié du temps sous la terre et la moitié au ciel. Aussitôt, Pindare enchaîne et c'est la fin de l'ode :

« A ces mots, pas un doute au cœur de Pollux : il ranima les yeux, et ensuite la voix, de son frère cuirassé de bronze, Castor. »

On peut s'arrêter d'abord au mythe lui-même, tel que le présente Pindare. Il part d'une douleur humaine et fraternelle, quand Pollux clame, avec des pleurs :

« Ô fils de Cronos, ô père, quel remède peut-il y avoir à ma souffrance ? Pour moi aussi, ordonne la mort, avec lui, ô Souverain. Il n'y a plus de gloire pour un homme privé de ceux qui lui sont chers [1]. »

Pour des héros de Pindare, aux yeux de qui la gloire est tout, cette déclaration finale est saisissante. Elle met en relief la force du lien entre les deux frères.

Mais il est plus remarquable encore de voir que, devant cette tendresse et cette peine, Zeus cède. Il est fléchi. Il renonce à ses décisions premières — ce qui fait penser à la pitié de Zeus dans l'*Iliade*.

Mieux : tout le mythe est une illustration de ce lien étroit entre le monde des dieux et celui des hommes : deux jumeaux, dont l'un est fils d'un dieu et l'autre d'un homme — deux frères qui vivent un jour chez les dieux, un jour chez les hommes — et, pour finir, un dieu qui se laisse guider par un homme...

Mieux encore : ce dieu lui laisse ouvertement le choix.

Car on pourrait attendre que Zeus, ayant cédé, réponde : « Il en est ainsi décidé. » Au lieu de cela il répond : « Eh bien ! je te donne, absolument, le choix que voici *(hairesin)* : si tu veux, toi [...], c'est là ton partage. Mais si tu défends ton frère, et si tu veux qu'il ait part égale à toi en toute chose... » Zeus remet à Pollux sa liberté. Il fait plus que céder : il traite avec lui, sans le forcer en rien. L'homme est ici plus important encore que chez Homère. Tout comme Pollux partage avec Castor, les dieux, cette fois, partagent avec les hommes.

Et ce n'est pas tout : on pourrait attendre que Pollux fasse son choix et que Zeus agisse en conséquence ; mais non ! Dans le raccourci extraordinaire des derniers vers, que l'on a retenus et cités, il n'y a pas de réponse : il n'y a qu'un geste — un geste de Pollux ! C'est lui, et non pas Zeus, qui, sans un mot, ressuscite Castor, grâce au pouvoir dont Zeus, par son offre, l'a revêtu. Non seulement l'homme a choisi, mais c'est à lui que revient le geste qui confère l'immortalité à celui qu'il aime.

On avait, pour l'*Iliade,* parlé de « Pleins feux sur l'homme » : on voit que le même trait se retrouve, de façon assez remarquable, dans le mythe que Pindare s'est plu à évoquer, et dans le geste qui le conclut.

Cependant la force du raccourci par lequel tout aboutit à ce geste de Pollux lui-même ne se limite pas au choix du protagoniste : on le retrouve, pour le détail, dans la prégnante simplicité des mots.

Peut-être une traduction n'en rend-elle pas bien compte : celle qui se trouve citée ici est la nôtre — cela parce que les vraies explications de textes sont toujours le constat de l'intraduisible et que, s'il faut exercer des critiques, mieux vaut les formuler contre soi-même.

Il y a d'abord la rapidité. Zeus a parlé et Pollux répond par un geste. Pollux ? Oui, mais dans le grec il n'est même pas nommé... Pour aller plus vite, et parce que l'on ne pense qu'à lui, son nom n'est pas répété, comme il l'est dans notre traduction ; c'est « il », ou plutôt ce n'est rien, puisque le grec n'exprime pas tous ces pronoms, souvent évidents, qu'exige le français. D'autre part, avant même ce « il » ou cette absence de « il », tout au début, on voit ici, contrairement à l'ordre normal de la phrase grecque, la négation : elle surgit en tête, pour écarter la possibilité d'un doute de la part de Pollux et laisser aussitôt la place au geste.

Ce serait déjà là un beau mouvement et une belle

densité. Mais, au moment de passer au geste, comment ne pas remarquer un autre raccourci, plus important encore : il n'y a pas un mot d'explication psychologique, ni un mot pour décrire les sentiments de Pollux. Le poète ne dit pas, comme le dirait un auteur moderne : « Pollux, n'écoutant que son amour pour son frère, impatient, plein de reconnaissance pour Zeus, faisant joyeusement l'abandon de son immortalité », ou autres formules de même genre.

Ce silence rappelle Homère, la brièveté de ses explications, parfois leur omission. Quand, au chant I de l'*Iliade*, Thétis entend Achille qui l'implore, le texte enchaîne : « Elle l'entend, du fond des abîmes marins, où elle reste assise près de son vieux père : vite, de la blanche mer, elle émerge, telle une vapeur... » (359-360) ; on reconnaît la même hâte, peinte en un mouvement, sans explication ni commentaire. Et, dans les deux cas, l'amour qui inspire le geste en ressort avec plus de force.

Peut-être est-ce en partie pour cela que ces gestes des premiers poètes paraissent chargés d'une intensité si exemplaire : nus, ils revêtent une sorte d'évidence et de nécessité ; ils deviennent en quelque sorte des exemples limites.

Et quel est donc le geste de Pollux dans Pindare ? Il est presque abstrait, lui aussi ; Pollux ne touche pas, comme un guérisseur, le front ou les paupières de son frère : on ne voit que le résultat, qui est de le ranimer, ou plus exactement de le « libérer » (le verbe est *analuô* qui veut dire « délier », « détacher »). Castor ouvre les yeux, puis retrouve la voix, dans cet ordre, comme un homme qui se réveillerait d'un simple sommeil.

Enfin, alors que Pollux n'était pas nommé, dans la hâte de sa décision, les derniers mots de l'ode sont pour nommer ce jeune ressuscité, qui semble prendre existence sous nos yeux. Un adjectif rappelle le bronze, qui est important dans toute l'ode[2], et le rappelle avec un mot rare, non attesté ailleurs. Puis le nom éclate, paré d'une nouvelle vie, sonore, presque immortel désormais — c'est : « Castor ».

J'ai préféré dans la traduction introduire une légère inexactitude en ajoutant le mot « son frère », pour laisser ce « Castor » à la dernière place où il sonne comme un accord majeur. Peut-être est-il bon de justifier une telle liberté. Elle se fonde sur le fait que, presque toujours, des mots qui concluent une strophe en tirent une valeur supplémentaire. Au vers 80 des *Perses* d'Eschyle, l'antistrophe s'achève ainsi sur la gloire de Persée « le fils de la pluie d'or, mortel égal aux dieux » ; et je me rappelle le chagrin que j'ai ressenti à voir cet éclat final, ruiné dans la traduction de Leconte de Lisle : « tel qu'un dieu et issu de la pluie d'or ». De ce chagrin ancien est né le désir de faire sonner à la fin de l'ode le nom de celui qui renaît, à savoir Castor.

Ce peut être d'autant plus important ici qu'une telle fin est rare : il est tout à fait inhabituel pour Pindare de clore une ode sur le mythe. Habituellement, le mythe est au centre. Ici, tout s'arrête sur ce geste. Comme l'écrit Jacqueline Duchemin : « Le poète nous laisse sur cette lumineuse impression : il n'a plus rien à ajouter[3]. »

Enfin, il se trouve que le choix de Pollux, qui achève somptueusement la strophe et l'ode, avait été annoncé au seuil même du mythe (57 et suiv.) : on réunit donc, d'un côté, la densité d'une brièveté extrême, de l'autre l'insistance que confère à cette évocation une composition subtile.

Ce ne sont que trois vers, tout simples ; mais voilà que, pour ces diverses raisons, ils nous laissent sur une image qui est saisissante, comme le serait un vrai miracle.

Cette économie de moyens est caractéristique de Pindare. Mais elle offre le modèle parfait d'un art qui, en fait, est grec, et qui existe de façon continue dans toute la grande poésie classique. Chez Homère, l'image du jeune mort qui, dans la mêlée, gît « son long corps allongé à terre, oublieux des chars à jamais » a été citée au chapitre précédent[4] : elle doit en partie sa force au raccourci qui oppose le gisant, non seulement au bruit environnant, mais au souvenir des activités de la vie. Là aussi, la puissance d'évocation est liée à la simplification des lignes.

De plus, cette simplification des lignes dégage, chez Pindare et chez Homère, l'essentiel : non pas des sentiments rares ou subtils, mais des expériences fondamentales, comme l'affection entre deux êtres, la vie et la mort. Cela était vrai pour Achille, pleurant Patrocle et prêt à donner sa vie pour le venger : cela l'est aussi pour le Pollux de Pindare, pleurant Castor et renonçant pour lui à une immortalité qu'il ne partagerait pas.

Ce sont là des émotions qui peuvent nous toucher tous. Aussi chacun peut-il se reconnaître, non pas certes dans la résurrection de Castor, mais dans la douleur de Pollux, et dans son désir d'obtenir, à n'importe quel prix, cette résurrection : le sentiment est profondément humain. Il est, comme chez Homère, prêté à un héros un peu supérieur à l'homme : Pollux obtient ici ce que des hommes n'obtiendraient pas ; de même, son sentiment est si intense qu'il offre comme un modèle de l'amour fraternel ; mais, en soi, ce sentiment nous est connu et proche, à tous. En un geste, en quelques mots, ce héros qui n'existe que pour ce geste unique incarne ainsi à jamais une aspiration essentielle.

La tendance est donc bien la même que chez Homère. On en découvre seulement ici une autre forme d'expression. Car il n'y a dans ces quelques vers aucune analyse, aucun désir de dégager une idée : il y a un exemple concret si fortement dessiné qu'il devient comme porteur d'abstrait.

Trouvera-t-on que ce trait est trop bien dissimulé et que l'on ne voit pas, dans l'expression, de preuve tangible de l'élargissement que nous essayons ici de décrire ? Dans ce cas, l'on peut se reporter à tel autre exemple, plus explicite, où s'amorce l'expression de l'abstrait, à propos d'une image toute concrète. J'appellerai donc, comme on cite des témoins en justice, à côté de Castor se réveillant de la mort, l'image d'un autre héros pindarique, qui surgit, elle aussi, à la fin d'une ode. Il s'agit de l'*Olympique* X, et, là aussi, des tout derniers vers. Pindare ne fait pas autre chose qu'y évoquer la beauté du jeune vainqueur à qui est destinée cette ode. Et il se trouve que la très brève description du jeune homme laisse percevoir de façon nette comment le concret devient porteur d'abstrait :

> « J'ai loué le fils aimable d'Archestrate que j'ai vu, de ses bras vigoureux, vaincre près de l'autel d'Olympie, ce jour-là, dans l'éclat de cette beauté, dans la fleur de cette jeunesse, qui, contre la mort inexorable, avec la faveur de Cypris, ont protégé Ganymède. »

Jusqu'aux mots « la fleur de cette jeunesse », rien ne surprend le lecteur moderne. Il trouve une image rayonnante, évoquée avec des mots simples, et à laquelle l'autel d'Olympie prête une majesté déjà un peu intemporelle. On pense un peu à toutes les statues d'athlètes, de *kouroi*, que l'on voit dans les musées, attestant de façon quasi impersonnelle la beauté du corps humain anoblie par les compétitions sacrées.

D'ailleurs, on le remarquera, pas un mot ne cherche à rendre plus précise et individuelle cette silhouette que pourtant Pindare déclare avoir vue. Le héros n'est ni petit ni grand, ni blond ni brun, ni fier ni modeste. Il est seulement beau et jeune[5].

Et puis, pour les derniers mots, pour le dernier vers, voici — et c'est la surprise — que surgit une présence mythologique : le poète compare le jeune athlète à

Ganymède. Ganymède, on le sait, était un jeune homme originaire de Troie et extrêmement beau : Zeus l'enleva et en fit, sur l'Olympe, son échanson, le rendant donc immortel. Ainsi Pindare peut-il dire qu' « avec la faveur de Cypris » — c'est-à-dire de la déesse de l'amour, puisque l'amour est ici la cause — la beauté du jeune homme repoussa la mort brutale[6].

Cette allusion à Ganymède est dans une certaine mesure une comparaison : le jeune vainqueur jouit de cette beauté adolescente qui était celle de Ganymède. Déjà sous cette forme, il se fait donc un élargissement : on passe du cas concret au type, de l'homme à la forme stylisée du mythe.

Mais, par là même, on franchit le seuil, car Ganymède n'est pas seulement un autre adolescent que l'on rapprocherait du premier : il est le type même de la beauté, celui dont Homère dit qu'il est « le plus beau des hommes mortels ». Et il échappe au temps, car il jouit non seulement de l'immortalité de l'Olympe, mais de celle qui appartient au mythe et au prototype. Avec lui, c'est l'idée même de la beauté adolescente qui entre en scène, et tous les beaux adolescents. Le mythe par lui-même a valeur de référence universelle.

Enfin l'on peut relever que, dans la présentation, il ne s'agit pas d'une comparaison au sens normal du terme. Pindare ne dit pas : « Il était beau comme Ganymède, qui... » ; il dit : « Je l'ai vu participant de la beauté qui... » Par là, le passage à l'abstrait devient plus sensible encore ; et l'identification est aussi plus complète. Le cas est le même pour le jeune vainqueur et le héros mythique. Et tout se passe comme si l'adolescent humain s'effaçait pour laisser voir son double parfait et impérissable.

Encore une fois, il n'y a pas un mot qui dise la généralité. Mais la généralisation est cependant non seulement évidente, mais éclatante.

L'on comprend du même coup que toutes ces évocations mythiques dont se parent les odes correspondent toujours plus ou moins à ce même mouvement d'élargissement, qui fait passer des hommes aux héros et des réussites des jeux annuels aux modèles premiers de leur gloire — englobant par là, à l'avance, l'universel.

Mais ici une autre sorte de doute peut surgir. Ces deux exemples se font écho l'un à l'autre, en ce que tous les deux se trouvent évoquer, en fin d'ode, un passage à l'immortalité. Ce fut le cas de Castor et celui de Ganymède. Et ce rapprochement pourrait faire penser que, si Pindare tend, comme Homère, vers l'universel, il ne partage pas avec lui ce sens aigu de la condition humaine, marquée justement par la mort, et cette notion d'un contraste radical opposant sur ce point les dieux et les hommes.

Rien ne serait plus faux.

Exactement comme Homère, Pindare a eu une conscience très vive du fossé qui, normalement, sépare les dieux des hommes. Il a même insisté, comme Hérodote devait le faire peu après, sur les fluctuations de la vie humaine. Et il a exprimé ce sentiment en des vers de portée très générale, dont la puissance d'évocation leur vaut d'être encore aujourd'hui constamment cités. On en offrira ici deux exemples, très célèbres. Leur juxtaposition même montre assez l'importance du thème, et ses variations possibles[7].

« Dieu seul achève toute chose selon son attente[8] ; Dieu, qui atteint l'aigle dans son vol, devance le dauphin sur la mer, courbe les mortels orgueilleux, et fait passer à d'autres la gloire impérissable » (*Pyth.*, II, 50-53).

« La fortune des mortels grandit en un instant ; un instant suffit pour qu'elle tombe à terre, renversée par le destin inflexible. Êtres éphémères[9] ! Qu'est chacun de nous ? Que n'est-il pas ? L'homme est le rêve d'une ombre. Mais quand les dieux dirigent sur lui un rayon, un éclat brillant l'environne et son existence est douce » (*Pyth.*, VIII, 92-100).

Le premier de ces deux textes ne retient que la faiblesse des hommes ; le second part de cette faiblesse et la souligne davantage encore, pour la compenser par des moments de lumière. Et cette dernière vision est bien caractéristique de Pindare, qui sait exalter la gloire, la poésie et la beauté, et qui, du reste, consacre ses odes à de tels moments, puisqu'il s'agit toujours de la gloire attachée à une victoire humaine.

Mais tout ce qui transgresse les limites humaines et entend défier les dieux est puni et sévèrement blâmé : c'est à une telle infraction que se rattache le premier des deux textes, qui, juste avant le passage cité, rapporte le mythe d'Ixion. Ixion était un criminel, que Zeus avait accepté de purifier et qui, malgré cela, tenta de violer Héra : il tourne depuis lors sur une roue enflammée lancée à travers les airs. Les dieux offensés peuvent punir les mortels de façon mémorable.

Le rappel de ces textes donne un éclat de plus aux visions d'immortalité rencontrées d'abord. Il montre que de tels bonheurs sont des exceptions, dues à une rare bienveillance des dieux. Il leur confère ainsi comme une aura sacrée. Et il les situe dans le cadre très général, qui ne cesse de hanter la pensée des poètes grecs, et qui oppose sans cesse, de façon latente, les pôles opposés de la condition humaine.

Ce sentiment si fort de la condition humaine est, en fait, présent dans l'œuvre et donne leur prix aux deux exemples lumineux qui ont été cités. Dans le mythe même de Castor et Pollux, Pindare a rappelé, peu avant le passage cité, et à propos d'un ennemi des deux jeunes : « Il est périlleux pour les mortels d'entrer en conflit avec de plus puissants qu'eux » (72). Puis on a vu Castor mourant, et Pollux pleurant : tout cela est vaguement présent à l'esprit du lecteur et donne au geste final la dimension d'un don exceptionnel, fait par un dieu tout-puissant. Quant à l'éloge du jeune vainqueur, comparé à Ganymède, il suit des vers sur « le trait de feu lancé par la main retentissante de Zeus, la foudre ardente où toute puissance est enclose » (80-84). Toutes ces images de victoire et d'immortalisation se situent dans un cadre d'adoration tremblante.

Quant à la tendance abstraite que prend volontiers, ailleurs, la poésie pindarique, on aura remarqué que, dans les formules citées ici comme témoins, notre poète parle comme Homère des « mortels » et de « l'homme »[10]. Et il est de fait que, cette fois, il a même été jusqu'à dégager ouvertement l'idée, en une formulation abstraite, concernant la vie humaine en général. Après la description concrète d'un geste, revêtant une valeur symbolique, puis la comparaison élargissant soudain l'évocation concrète, on rencontre alors la formulation générale : elle n'est plus latente mais triomphalement proclamée.

Ces deux derniers passages, offerts pour prouver que Pindare connaissait bien les limites humaines, se trouvent donc confirmer, accessoirement, la portée générale que tend à prendre sa poésie. Ils nous ramènent ainsi à ce qui était l'objet même de cet examen.

Celui-ci visait à montrer, à partir de deux exemples, une première façon de tendre au général, intervenant avant même les idées formulées dans les œuvres, et à découvrir par là un autre moyen d'aller à l'abstrait, en le faisant sortir directement du concret.

Si cette manière de procéder est vraiment caractéristique de l'art grec d'alors, elle doit se retrouver ailleurs. Et, en effet, autour de ces deux exemples, voici que surgissent bien des parallèles.

Et d'abord — l'exemple même de Pindare nous y invite — on peut penser à l'art grec contemporain de ses poésies.

Ce n'est point ici le lieu d'étudier l'art grec ; et je laisserai aux spécialistes la responsabilité d'en parler. Mais, malgré tout, les images qui ont été évoquées ici — Castor et Pollux, un jeune athlète vainqueur, et Ganymède — nous ont offert au cours de ces pages comme un surgissement de figures viriles, à la fois concrètes et symboliques, qui ne peuvent pas ne pas faire penser aux innombrables statues de jeunes gens achevés, de *kouroi* et de héros que l'art grec nous a laissées en si grand nombre. On les a mentionnées à propos du jeune vainqueur de l'*Olympique* X ; on pourrait penser à elles à propos de bien des textes de Pindare : elles leur font écho, irrésistiblement.

Et l'on retrouve en elles les divers traits qui ont été ici mis en lumière à propos d'Homère, puis de Pindare.

Une des formules employées était « pleins feux sur l'homme ». Or, très vite, la sculpture grecque s'est détournée des monstres et concentrée sur l'homme. *Kouros* ou *korè*, le sujet représenté est le plus souvent humain. Et surtout les divinités elles-mêmes sont semblables aux hommes : sur la plupart des compositions, seule une légère différence de taille les distingue[11].

En revanche, on a rappelé, pour la poésie, le sentiment constant de la supériorité divine. Or, dans la sculpture, les dieux restent malgré tout un peu plus grands ; et surtout les images humaines sont toujours présentées dans un contexte sacré. Les hommes font des offrandes à Apollon, les jeunes filles à Athéna. Les images gardent une sorte de recueillement plein de dignité, qui s'accorde à ce rôle, et qui fait percevoir, inconsciemment, une dimension sacrée.

Enfin l'on a relevé dans l'art littéraire la simplicité des lignes. Or les statues de l'époque archaïque sont en général debout, immobiles ; leurs vêtements tombent en plis ordonnés ; leurs boucles sont régulières. Et leurs visages sereins semblent ne rien regarder. La ressemblance, la psychologie, l'aspect anecdotique sont le plus souvent absents.

Sans doute était-ce plus facile ainsi ; et les manuels d'histoire de l'art ne cessent de s'émerveiller du « progrès » que fait l'art, en montrant de plus en plus le mouvement, la vie, et des expressions diverses sur les visages. L'évolution, en effet, est indéniable. Mais on peut dire également qu'Homère ne possédait pas encore la technique de l'analyse psychologique : cela est vrai aussi ; a-t-on pour autant l'impression qu'il est gêné, qu'il essaie et ne réussit pas ? En fait, dans les deux domaines, les moyens manquent parce qu'ils n'ont pas été cherchés, parce que le souci et l'intérêt allaient ailleurs. Et le résultat est que l'on se trouve devant un art différent, comportant quelque chose de plus immédiat et de plus absolu que celui des époques suivantes. Les deux cas sont parallèles.

On peut du reste, puisqu'un des deux exemples de Pindare cités ici était celui de Ganymède, rappeler un célèbre groupe de terre cuite du début du ve siècle qui représente Zeus enlevant Ganymède. Le dieu a le bras passé autour de la taille de Ganymède. Ganymède est plus petit, ce qui est à tous égards normal. Mais dans ce groupe, qui suggère la puissance des dieux, et leur intérêt pour les hommes, on ne voit trace d'aucune lutte, ni, inversement, d'aucune tendresse ; les deux personnages regardent chacun d'un côté différent, ils n'ont pas d'expression. Et il se dégage de cette absence de caractères anecdotiques une sorte de gravité, comme si l'on ne voyait plus que l'idée même de ce jeune homme un jour choisi par le dieu.

Déjà — ces mots mêmes le suggèrent — on reconnaît là cette tendance à l'universel que l'on a perçue chez Pindare au sein même de la pure représentation concrète.

On peut trouver la formule étrange dans le cas de Zeus enlevant Ganymède ; car l'aventure même reste exceptionnelle. Mais qu'importe ? La résurrection de Castor ne l'était pas moins. Et, dans Homère, ni le désespoir d'Achille ni sa fougue destructrice n'étaient des cas courants. Il faut le répéter : ni les héros ni l'action ne sont par eux-mêmes universels : tout tient à la façon dont le poète a fait d'eux les symboles de situations ou de sentiments essentiels à l'homme. Un symbole dit l'humain en plus grand, en plus rare, en plus beau : il n'est en rien une moyenne ou un portrait-robot ; il traduit l'idée. C'est bien pourquoi l'artiste a écarté (ou ignoré) tout ce qui relevait de l'anecdote ou de la psychologie. Et c'est pour mieux dire l'idée qu'il a écarté (ou ignoré) les différences individuelles.

Certes, Achille et Ulysse ne se ressemblent pas ; ils seront donc chacun le symbole d'autres situations humaines ou d'autres sentiments humains. Mais ces situations et ces sentiments ressortiront toujours dans leur forme essentielle, modèle de tous les cas analogues.

De même, la sculpture grecque de l'époque archaïque nous offre toute une série de jeunes gens ou de jeunes filles qui semblent être chaque fois « le jeune homme », « la jeune fille ». Et là aussi les historiens de l'art s'émerveillent de voir comme l'artiste a su marquer les différences ; par exemple, devant le demi-cercle des *korai* du Musée de l'Acropole, ils admirent : celle-ci est une paysanne, celle-là une aristocrate ; celle-ci a une robe toute simple, celle-là est grande et fière... Ils ont raison, bien entendu. Il n'empêche que pour nous, assis devant ce demi-cercle de jeunes femmes, au même sourire déroutant, l'impression est celle d'une sorte d'anonymat. Leur fameux sourire, que l'on peut dire conventionnel, et que l'on peut attribuer à une sorte d'incapacité à préciser les expressions, revêt, par cette imprécision même, comme par la similitude qui rapproche chacun d'eux de tous les autres, une portée accrue. On a le sentiment d'un secret précieux, que ces jeunes femmes garderaient pour elles, d'un mystère qu'elles ne voudraient pas révéler, et qu'elles seraient fières de cacher, comme les longs plis des robes cachent leurs corps. Et elles sont là, avec le même geste, ou presque, toutes simples, toutes droites. Elles ont dépouillé les petitesses individuelles ; les statues ne sont point des portraits ; en dépit des diversités, elles sont l'offrande parfaite de la beauté humaine à une déesse.

Ce sourire archaïque disparaît bientôt ; mais dans les œuvres déjà plus classiques, on retrouve toujours la même tendance. On a vu tout à l'heure l'éloge de Pindare pour un jeune vainqueur olympique. A peu près l'année où l'adolescent triomphait à Olympie pour le pugilat, un autre vainqueur triomphait à Delphes dans la course de chars ; et nous avons conservé la statue de celui qui conduisait l'attelage ; elle est fort célèbre ; on l'appelle l'*Aurige*.

L'*Aurige* est une statue de bronze. L'homme se tient tout droit, portant une longue tunique aux plis réguliers. L'avant-bras s'avance, à la perpendiculaire, pour tenir les rênes. La coiffure est impeccable, le cou rigide ; et les yeux, dont tout le monde admire le regard intense dû aux pierres de couleur, regardent en fait droit devant eux, dans le vide. Eux aussi, même s'ils sont intenses, sont sans expression. Est-ce tel aurige particulier ? est-ce un aurige ? Ou bien « l'Aurige » ? C'est plutôt un homme qui a su remplir sa fonction et qui le sait, comme il sait ce qu'il doit aux dieux. Il est le cocher victorieux comme le jeune athlète loué par Pindare était le bel adolescent. La pureté des lignes restitue à l'image de bronze la portée de l'universel.

Serait-ce là le propre d'une période et une forme d'art bien localisée dans le temps ? A voir les textes littéraires, on constate que non : il s'agit seulement d'une période où elle est plus visible qu'ailleurs.

En fait, dès que l'on a pris conscience de son existence, on s'aperçoit que ce trait commence déjà avec Homère.

Il existait chez lui, avant tous les caractères propres relevés au chapitre précédent ; il marquait déjà, dans le principe même, sa forme de poésie.

Quelques rapprochements avec Pindare, offerts au hasard des rencontres, l'ont déjà suggéré. Ils nous rappellent qu'avant les orientations majeures, avant les sentiments et les idées, vient le choix même de l'évocation poétique. Avant les évocations d'Achille ou de Patrocle, avant le deuil de Priam ou d'Andromaque viennent le choix de ces personnages et la manière de les caractériser.

On a déjà dit ici [12] qu'Homère écartait tous les détails qui donneraient à ces héros ou à ces sentiments une valeur moins symbolique et plus particulière. On a alors parlé d'esquisses transparentes : à la lumière des trois vers de Pindare dont on est parti ici, il apparaît que cette simplification des lignes était bien évidemment essentielle. Et l'on s'aperçoit que peut-être le choix des personnages ne l'était pas moins.

Comme Castor et Pollux, comme Ganymède, comme Ixion, ces personnages avaient un lointain passé ; ils étaient connus ; ils s'identifiaient à l'avance avec un acte, un destin, un caractère. Et Homère n'a pas seulement gardé ces traits typiques : il n'a gardé qu'eux.

Le fait est d'autant plus remarquable qu'il s'agissait en principe de personnages historiques. Mais où finit le mythe, et où commence l'histoire ? Ces héros fils de dieux, qui se battent parmi les dieux, qui entendent Apollon, voient Athéna, fuient devant Poséidon, sont-ils moins mythiques que Castor et Pollux ? La belle Hélène, après tout, était leur sœur ! Et sont-ils moins mythiques que Ganymède, qui est un parent du père de Priam ? Ces mondes se pénètrent, sans qu'aucune rupture intervienne ; et l'art d'Homère traite ces héros comme toute la poésie grecque traitera ceux du mythe. Peut-être, à la limite, en restera-t-il quelque chose jusque dans la façon dont, plus tard, les prosateurs traiteront les personnages de l'histoire[13].

De là vient cette tendance à garder d'un caractère ou d'une action ses contours clairs et simplifiés. Le bouillant Achille — courageux, vif en amitié, prompt à la colère — est en tout le bouillant Achille. Hécube est une mère de grands fils — inquiète puis désespérée ; Andromaque une épouse et la mère d'un très jeune enfant ; tous ses espoirs, toutes ses craintes se ramènent à cette conditon. Et Ulysse est toujours avisé et rusé, parfois même sans raison. De là à incarner chacun le caractère bouillant, la condition de mère, ou bien l'intelligence, il n'y a qu'un pas. Et ce pas, nous le franchissons inconsciemment à chaque instant. Qui plus est, ces héros deviennent souvent plus ou moins l'image de la condition humaine. Plutôt que de tenter de le suggérer par des commentaires plus ou moins convaincants, on peut le prouver par un exemple qui est, il est vrai, privilégié. C'est celui d'Ulysse.

Dès l'Antiquité, on a vu dans Ulysse une certaine image de l'humanité ; les sophistes, les cyniques, les stoïciens, ont commenté ses vertus. Plus tard, au début de notre ère, l'interprétation allégorique s'en mêlant, les errances d'Ulysse sont devenues le symbole des tribulations de l'âme exilée dans la matière ; ainsi pour Numenius et Porphyre : *L'Antre des Nymphes* en est un témoignage. Calypso devient l'image du corps retenant l'âme, etc.[14]. Mais il ne s'agit pas là d'un phénomène unique ; et l'on peut suivre dans le livre de W. B. Stanford les prises de position, interprétations, réappréciations qui ont continué d'interpréter la figure d'Ulysse, depuis Virgile jusqu'à notre temps[15]. Les plus caractéristiques des témoignages modernes sont deux œuvres consacrées entièrement à Ulysse et traitant en réalité de la condition de l'homme : ce sont l'*Ulysse* de Joyce, en

1922, et l'*Odyssée* de Kazantzakis, en 1938. Sans doute Ulysse se prêtait-il à cette perpétuelle fonction de symbole de l'humanité par le fait qu'étant seul héros contre les éléments et les monstres, il peinait par lui-même pour assurer son salut, et qu'en outre il était l'exilé, chassé de lieu en lieu ; mais on peut aussi penser qu'il le devait à cette simplicité de lignes, et que celle-ci, dans Homère, donnait à sa présence concrète cette fameuse portée abstraite, dont les trois vers de Pindare nous ont révélé l'existence [16].

Et ce n'est pas vrai seulement des personnages. Une fois le principe devenu clair, on s'aperçoit que tous les récits de l'*Iliade* tendent à faire apparaître, comme on l'a vu pour Pindare, un sens très largement humain à travers une image concrète et particulière.

D'Achille, par exemple, le lecteur d'Homère garde à l'esprit diverses images, d'une intensité rare. L'une est d'abord Achille désespéré par la mort de son ami, couché sur le sol, comme s'il était lui-même mort ; et le vers qui le décrit est celui-là même qui sert ailleurs pour un mort, puisqu'il gît « son long corps allongé dans la poussière [17] ». Il s'est couvert de cendre. Autour de lui, les captives poussent des cris et se frappent la poitrine. Bientôt Thétis et toutes les Néréides accourent et entourent Achille qui « lourdement sanglote ». Ce n'est point là une scène qui paraît discrète, ni rapide. Mais ce qui est discret et rapide est qu'Achille, si obstiné, jusqu'ici, à refuser le combat, est, sans qu'Homère nous le dise, devenu un autre homme. Dès qu'il parle à sa mère, il est résolu à retourner au combat, et rien ne le retiendra plus. Autrement dit, par une simple vision concrète, sans commentaires ni explications, Homère a montré ce que peut la douleur, avec le double sentiment qui l'accompagne et qui fait que l'on ne veut plus vivre mais qu'on aspire à venger un mort. Et ici, il faut bien dire « on » et « un mort » ; car toutes les analyses et tous les commentaires seraient, de toute nécessité, particuliers et plus ou moins complexes : le geste du deuil est simplement humain ; il devient symbole de toutes les douleurs humaines.

Puis Achille, en effet, retourne au combat ; et c'est là que, juste au dernier moment, son cheval lui annonce sa mort imminente ; c'est là qu'il répond que peu importe ; et c'est là que le chant s'achève par ce seul vers, d'une brièveté digne de Pindare : « Il dit et, à la tête des siens, en criant, il pousse ses chevaux aux sabots massifs » (XIX, 424). A quoi serviraient des mots ? Après l'image de la prostration vient celle du guerrier qui s'élance vers la bataille, vers la vengeance, et vers sa propre mort — sans hésitation, et sans commentaire du poète.

Cette portée abstraite du geste symbolique est partout dans Homère : n'est-elle pas dans la description de Nausicaa accueillant Ulysse naufragé, ou bien de Pénélope tissant sa toile dans une attente obstinée ?

Nous avons, au chapitre précédent, commencé par analyser, dans Homère, les idées et les sentiments, en cherchant à relever ce qui en fait l'originalité, et qui est caractéristique de la Grèce. Mais par-delà ces idées et ces sentiments, dans le principe même de cet art, la même tendance existait déjà. Elle consiste à simplifier les lignes dans une description concrète et à lui donner, par cette simplification même, un sens plus riche et, de façon latente, plus universel.

Les vers de Pindare étaient si brefs et si forts que cette tendance ne pouvait plus nous échapper ailleurs.

On la retrouve au reste de façon presque constante dans toutes les œuvres qui séparent Homère de Pindare.

Il y a cependant une différence. Chez Homère, la portée universelle de l'œuvre apparaissait dans un mélange étroit et constant des deux formes d'universalité — celle qui s'exprime dans des idées ou des sentiments tendant à l'universel, et celle qui s'exprime dans le choix d'hommes et d'actions suggérant l'universel par le biais du concret. Or toute la poésie qui suit, jusqu'au ve siècle, est beaucoup plus abstraite dans son ton. Elle aime les maximes générales ; elle affirme des principes ; elle fait la morale. Mais il est manifeste aussi que par moments, dans cette trame gnomique, surgissent ces images concrètes, à valeur symbolique, qui revêtent soudain une présence vivante, mais qui disent l'abstrait de manière indirecte.

Juste après Homère, on rencontre Hésiode. Un de ses poèmes est consacré aux mythes divins, l'autre est une série de conseils, à la fois moraux et pratiques, qu'Hésiode adresse à son frère. Or les images du mythe surgissent au milieu de ces conseils à chaque instant : ils expliquent et ils symbolisent. Le mythe de Pandore, le mythe des races, sont ainsi des avertissements donnés en image. Pour simplifier, on peut en citer un plus modeste, dans lequel il s'agit de la justice, et qui prend l'allure d'une fable — concrète et terrible.

> « Maintenant aux rois, tout sages qu'ils sont, je conterai une histoire. Voici ce que l'épervier dit au rossignol au col tacheté, tandis qu'il l'emportait là-haut, au milieu des nues, dans ses serres ravissantes. Lui, pitoyablement, gémissait, transpercé par les serres crochues ; et l'épervier, brutalement, lui dit : “ Misérable, pourquoi cries-tu ? Tu appartiens à bien plus fort que toi. Tu iras où je te mènerai, pour beau chanteur que tu sois, et de toi, à mon gré, je ferai mon repas ou te rendrai la liberté. Bien fou qui résiste à plus fort que soi : il n'obtient pas la victoire, et à la honte ajoute la souffrance. ” Ainsi dit l'épervier aux ailes éployées. Mais toi, Persès, écoute la justice, ne laisse pas en toi grandir la démesure. La démesure est chose mauvaise pour les pauvres gens… » (*Travaux*, 202-214).

Le premier vers et les derniers de la citation font partie d'une analyse morale, très générale, et d'un avertissement valable pour tous. Mais le corps de la citation est un apologue, qui illustre le mal contre lequel s'oriente toute l'analyse. Il en donne une image limite, et fait tenir à l'épervier, en plein ciel, des propos plus cruels et plus réalistes que n'en tiendront jamais les défenseurs du droit du plus fort, dont le plus hardi reste le Calliclès de Platon — une autre figure vivante, imaginée pour incarner un extrême. Qui plus est, l'apologue d'Hésiode n'est pas un exemple moral : l'épervier ne se heurte pas à plus fort que lui. Il est seulement une image concrète, extrême, inoubliable, qui vient étayer la prédication d'un contre-exemple, et lui donne sa force.

On a donc bien là un récit concret à portée abstraite, un cas imaginaire, à signification universelle. Le mariage d'un tel exemple avec des réflexions générales est caractéristique de la poésie archaïque.

On le retrouve lorsque, descendant de presque un siècle, on rencontre les premiers poètes lyriques.

L'art de Sapho est, *a priori,* un des plus personnels et des plus directs qui soient. Elle parle d'elle-même. Elle dit « je ». Elle décrit sans fard ce qu'elle éprouve. Or on peut relever dans son œuvre le même jeu entre les deux formes d'universalité.

C'est le cas, par exemple, dans le fragment 27 Reinach. Elle part là d'une idée très générale, et présentée sous forme abstraite : les goûts varient, dit-elle ; mais pour elle rien ne vaut l'objet aimé [18]. Puis elle passe de là à l'évocation mythique, en parlant d'Hélène, pour revenir du mythe à son propre cas, par un biais un peu différent (car la logique des démonstrations est encore peu sûre [19]). L'alternance donne ceci :

> « Rien de plus aisé que de rendre claire à tous cette vérité. Voyez celle qui avait pu comparer la beauté de tant d'hommes, Hélène. Qui choisit-elle comme le plus excellent de tous ? Celui qui devait anéantir toute la splendeur de Troie. Sans plus se soucier ni de son enfant ni de ses parents chéris, elle se laissa, pour aller aimer au loin,

entraîner par Kypris. Ah ! combien versatile est l'âme de la femme quand, dans sa légèreté, elle ne pense qu'au présent ! Ainsi, à cette heure, nul n'évoque le souvenir d'Anactoria parce qu'elle est absente — Anactoria dont la démarche gracieuse, l'éclat rayonnant du visage me feraient plus de plaisir à voir que tous les chariots des Lydiens et leurs guerriers, chargeant à pied dans leur armure » (5-20).

Ici, le mythe est encore une fois pris entre deux vers de forme générale. Mais il n'est plus l'image rayonnante qui éclaire le tout : l'exemple personnel est plus vivant et plus direct que l'évocation, toute morale, d'Hélène. On n'en voit que mieux le rôle quasiment abstrait de ce recours au mythe, référence allusive à une histoire connue, dont la valeur universelle est ouvertement admise : « Ah ! combien versatile est l'âme de la femme ! » Cette valeur universelle est peut-être plus sensible encore dans le texte grec : ce texte est ici lacunaire et incertain, mais comporte en tout cas un neutre, pour désigner, globalement, tout ce qui est féminin. En tout cas, indépendamment des nuances d'expression, il est clair que le recours au mythe sert à exprimer une idée : il fournit une référence et une preuve, tenue pour typique.

Si, dans cet exemple de Sapho, l'évocation directe du sentiment prend un très grand relief, on peut, en revanche, placer en parallèle le cas d'un autre poète lyrique, chez qui la prédication abstraite, au contraire, remplit tout. Ce poète est Solon. Souvent, dans ses vers, il défend son idéal politique. Du peu que l'on a conservé de lui, on ne voit ressortir ni grandes images concrètes, ni références au mythe. Mais justement il est frappant de constater que sa pensée tout abstraite tend à présenter les concepts un peu comme des entités mythiques. Si l'on se rappelle que beaucoup de divinités grecques étaient des mots abstraits et des notions divinisées[20], on ne sera pas surpris de cette habitude qui fait vivre des vertus ou des vices, au point que l'on ne sait plus s'il faut, en français, leur mettre ou non des majuscules.

On le voit dans l'éloge qu'il fait du « bon ordre » au sein de la cité *(Eunomiè)* et d'abord dans sa façon d'évoquer à ce propos les désordres sociaux :

> « Ainsi le mal public entre dans la maison de chacun : la porte de la cour se refuse à l'arrêter ; il a vite fait de sauter par-dessus la clôture élevée ; de toute façon, il retrouve même qui s'est réfugié au fond de la chambre. Voilà ce que mon cœur m'ordonne d'enseigner aux Athéniens : les mauvaises lois *(dusnomiè)* apportent à la cité bien des maux ; les bonnes lois *(eunomiè)* font voir en tout l'ordre et la discipline ; elles mettent souvent des entraves à l'injustice, aplanissent les sentiers abrupts, font cesser la convoitise et disparaître la démesure, dessèchent en leur croissance les fleurs de l'égarement, redressent les arrêts tortueux, adoucissent les actes de l'orgueil, etc.[21]. »

Ni *dusnomiè* ni *eunomiè* n'étaient personnifiées ailleurs. Mais ici l'une saute les clôtures, et l'autre aplanit les sentiers abrupts : ne sont-elles pas vivantes ? En outre, que penser de cette litanie finale, qui rappelle si manifestement les éloges cultuels ? Les deux notions sont devenues des entités. Or elles correspondent à la pensée la plus abstraite, et à une pure analyse de philosophie politique. L'habitude des représentations mythiques et des symboles concrets fait soudain image dans le poème de Solon : nul moderne n'aurait loué les bonnes lois ni sur ce ton, ni avec ces images. Et l'on a là un exemple inverse de la tendance qui nous occupe : ailleurs elle consistait à pourvoir d'une portée abstraite une image déterminée ; ici, elle consiste à pourvoir d'une présence concrète une idée déterminée. La différence correspond à une différence de ton et d'intention entre les auteurs. Mais l'interpénétration des deux domaines est la même dans les deux cas. Et Solon n'aurait pu ainsi donner une forme plus ou moins mythique à sa doctrine si l'habitude n'avait pas été de percevoir les personnages et les images du mythe comme de formes concrètes et symboliques de la pensée.

Aussi bien le dernier exemple que nous citerons ici est-il celui d'un philosophe — un philosophe qui s'exprime par le moyen de la poésie[22] — ce qui est déjà en soi caractéristique. Ce philosophe est Parménide.

Il a développé, vers la fin du VIe siècle et le début du Ve siècle, une philosophie de l'être. Son exposé prend des allures de révélation. Mais sa pensée, qui est terriblement abstraite, et constitue une véritable ontologie, s'ouvre sur une vision majestueuse, qui, elle, est concrète et imagée : comme chez Solon, mais de façon bien plus développée et éclatante, il offre là une personnification vivante et proche du mythe.

Le texte est bien trop ample, justement, et bien trop riche de détails, pour être cité dans son ensemble. Il s'ouvre par l'évocation du char et des cavales qui emportent le sage ; cette course le mène devant les portes qui donnent sur les chemins du Jour et de la Nuit. Et ces portes de la révélation sont de véritables portes :

> « Une poutre transversale les domine, le seuil en bas est de pierre ; haut dressées dans l'éther, elles se ferment par des battants puissants et Dikè, au châtiment terrible, en garde les mobiles verrous. Les Vierges allèrent la prier d'une voix caressante, adroites à obtenir qu'elle fît promptement glisser le verrou et son pêne. [...] Et la Déesse m'accueillit bienveillante et me prit la main droite. Elle dit alors s'adressant à moi : " Adolescent, ô toi qu'accompagnent les immortels auriges, je te salue [...]. Il faut donc que tu connaisses toutes choses... " » (fragment I, vers 13-17 et 22-26).

Comment s'étonner de cette force symbolique qui inscrit la pensée dans un cadre mythique ? Chez le même philosophe, l'analyse philosophique elle-même s'exprime en termes de ce genre. Et la pensée la plus abstraite qui soit, à savoir la définition de l'être, devient comme une vision vivante et animée, aux accents de cosmogonie :

> « Il demeure sans changer en son être, en lui-même et par lui-même identique, l'immuable. Car la puissante Nécessité le garde, et l'entrave dans ses chaînes, l'entoure de son étreinte[23]... »

La plus rigoureuse des philosophies s'exprime sur le ton du mythe, parce que le mythe, dans ses images fortes, ses raccourcis, et ses personnages, qui ici sont des entités, a pour fonction commune de symboliser les idées.

*

Ces exemples divers peuvent aisément dérouter, car — il faut le reconnaître — il s'agit dans chaque cas de dosages et d'orientations assez dissemblables. Il est donc temps de les ramener à leur unité et de faire le point.

Ensemble, ces exemples, groupés autour de quelques vers de Pindare, nous révèlent un fait : à côté de la tendance à voir l'homme sous ses traits essentiels, à dégager des idées et à les analyser, la tendance à l'universel se traduisait aussi autrement — par le goût manifeste de la poésie grecque, qui la poussait à fixer des images concrètes, très dépouillées, et susceptibles de prendre, par ce dépouillement même, une portée et une signification plus larges.

On découvre là, en fait, un trait propre à la culture grecque : il consiste à associer une forme concrète et une signification abstraite, en les faisant le plus possible coïncider. Cette combinaison existe dans le mythe en tant que tel : on retrouvera cette idée à propos de la tragédie. Elle existe jusque dans la langue, avec ses semi-personnifications, qui donnent à une divinité valeur de symbole et à une idée l'allure d'un être vivant. Marguerite Yourcenar a senti cette adéquation et l'a fort bien exprimée, quand elle a écrit (dans les *Essais et Mémoires,* p. 1484 de la Pléiade) : « La Victoire, jeune femme ailée, est autre chose que l'idée de vaincre. Elles se confondent pourtant. Les écrivains lyriques, pensant par images, tantôt matérialisent l'idée, tantôt spiritualisent la nature. »

Par là, les images fulgurantes de Pindare révèlent, sous une autre forme, le même besoin d'universalité que les récits d'Homère.

Certes, ce n'est pas la même chose, ni le même art. Alors que l'*Iliade* avait humanisé et normalisé les données du mythe, les poètes suivants, dès l'*Odyssée,* puis avec Hésiode, ont fait du mythe leur substance même ; ils ont aimé les monstres et les métamorphoses qui devaient enchanter plus tard leurs successeurs tardifs, en attendant Ovide[24]. Là où l'*Iliade* faisait vivre, discuter, mourir, des héros très humains, les poètes suivants ont procédé par révélations brusques, images contrastées et affirmations péremptoires : ils ont ainsi séparé ce qu'il avait si bien uni. Et là où l'*Iliade* avait offert une ouverture tolérante aux autres hommes, les poètes suivants ont plus volontiers suivi leurs passions. Néanmoins on voit se dégager de la succession des textes tout un éventail de tendances qui relèvent d'un même principe et sont reliées en un tout.

Tous ces textes, d'Homère à Pindare, tendent à une certaine généralité et vont le plus possible à l'essentiel. Ils s'attachent aux traits les plus révélateurs de la condition humaine. C'est à quoi correspond l'absence d'analyse psychologique, la simplification des traits et, dans l'expression des idées, l'habitude de parler des hommes, de « l'homme ». Ce trait se retrouve partout, même s'il prend chez chacun des formes diverses.

Cette tendance peut entraîner des conséquences dans la pensée et les sentiments.

Elle pousse en effet à penser l'homme dans son rapport avec les dieux ou avec la mort, avec la souffrance ou la justice. Homère en donne l'exemple presque constant ; mais on reconnaît le reflet du même esprit chez des poètes comme Hésiode ou comme Pindare.

Enfin, en pensant l'homme de cette façon si large et si ouverte, on peut en venir, dans les sentiments, à une tolérance et à une pitié qui l'emportent sur tout. On en a rencontré la preuve constante et toujours émouvante dans l'*Iliade,* et un reflet beaucoup plus pâle dans certaines réflexions de Pindare sur l'homme.

Le chapitre qui s'achève ici n'aura apporté à notre enquête qu'une nouvelle façon de suggérer l'universel ; mais cette façon et ce tour d'esprit sont, ici encore, éminemment caractéristiques de la Grèce.

De fait, ce tour d'esprit ne devait jamais se perdre entièrement. Et ces exemples disparates peuvent aider à mieux apprécier ce qui manquait encore et ce qui soudain, dans le ve siècle athénien, allait s'épanouir en des naissances nouvelles.

L'examen d'Homère avait déjà révélé qu'il manquait l'art d'exposer des idées en termes d'analyse lucide. Le seuil du ve siècle athénien allait changer les choses.

Mais l'art de l'évocation concrète à portée abstraite et le rôle du mythe ne devaient pas pour autant disparaître. Il allait au contraire s'opérer une sorte de fusion entre l'analyse lucide et le support de ces symboles : la raison et le mythe allaient s'unir dans la tragédie.

C'est pourquoi, en cet épanouissement subit de la littérature athénienne, on rencontrera successivement deux aspects : d'abord la naissance de cette pensée soudain armée pour sa tâche, et créant, du coup, l'éloquence, l'histoire, la philosophie politique ; ensuite la fusion de l'analyse et du mythe dans le théâtre tragique.

Les jalons sont posés : la parole est maintenant à Athènes.

NOTES DU CHAPITRE II

1. Il ajoute : « Il y a peu de compagnons fidèles, parmi les mortels, dans l'épreuve » ; et cette notion de fidélité est ici importante : la fidélité est prêtée aux dieux » (54 : « Oui, les dieux sont des amis fidèles ») ; et le choix même fait par Pollux est une illustration de ce lien.

2. Le personnage en l'honneur de qui est écrite l'ode avait vaincu aux fêtes d'Héra, à Argos, où le prix était un bouclier de bronze : voir le vers 22. Le bronze est mentionné dans toutes les tirades de l'ode.

3. *Pindare poète et prophète,* p. 181.

4. Cf. p. 36.

5. Il est même très jeune, puisque (nous le savons par le titre même de l'ode) il avait été vainqueur au pugilat des enfants — et que le premier mot du texte cité est en grec *paida,* le fils, mais aussi l'enfant.

6. Homère, toujours réservé, semble ignorer le rôle de l'amour dans l'enlèvement de Ganymède, lorsqu'il écrit au chant XX (234 sqq.) : « Ganymède pareil aux dieux, le plus beau des hommes mortels, que, justement pour sa beauté, les dieux enlevèrent à la terre, afin qu'il servît d'échanson à Zeus et qu'il vécût avec les Immortels. »

7. Un troisième, plus complexe, pourrait être ajouté. Avec moins d'éclat, il énonce la même pensée ; il s'agit du début de la VIe *Néméenne :* « Il y a la race des hommes, il y a la race des Dieux. A la même mère nous devons de respirer, les uns comme les autres ; mais nous sommes séparés par toute la distance du pouvoir qui nous est attribué. L'humanité n'est que néant, et le ciel d'airain, résidence des Dieux, demeure immuable. Cependant nous avons quelque rapport avec les Immortels par la sublimité de l'esprit et aussi par notre être physique, quoique nous ignorions quelle voie le destin a tracée pour notre course, jour et nuit. »

8. Traduction légèrement modifiée.

9. Le sens est surtout « dont la vie change au jour le jour » : cf. H. Frankel, « Man's ephemeros Nature according to Pindar and others »,

Trans. of the American Philol. Association, 77 (1946), 131-145 (le point a été discuté).

10. Voir *brotôn* dans *Pyth.* II, 51 et *Pyth.* VIII, 92 ; *anthrôpos* dans *Pyth.* VII, 96.

11. Voir sur ce point notre Conclusion, p. 293.

12. Cf. ci-dessus, p. 26-30.

13. Les personnages d'Hérodote, en particulier dans les premiers livres, se confondent, comme ceux du mythe, avec un destin symbolique — ainsi Crésus, Cyrus, Polycrate. Voir d'ailleurs ci-dessous, p. 275-276.

14. Voir F. Buffière, *Les Mythes d'Homère et la pensée grecque*, Paris, Les Belles Lettres, 1956 (une étude de 677 pages).

15. *The Ulysses Theme*, Oxford, 1968.

16. C'est l'idée que nous avons exposée au congrès de la FIEC à Dublin : voir ci-dessus, chapitre I, note 1.

17. Voir ci-dessus, p. 36.

18. Ce n'est pas tout à fait un retour à l'individuel : il s'agit d'une *opinion* individuelle. Pourtant cette opinion est aussi un sentiment qu'elle avoue. Il y a plusieurs degrés dans le particulier comme dans le général !

19. L'histoire d'Hélène est introduite pour montrer l'aveuglement des goûts. Mais on revient au cas de Sapho et d'Anactoria, par des vers incertains utilisant le fait qu'Hélène a « oublié » les siens, parce qu'ils étaient absents. Ceci explique le malaise des non-spécialistes ; ainsi B. Ledwige, remplaçant, dans sa traduction, ces deux vers par « Cela me rappelle... » !

20. Comme Atè ou Apatè, mais aussi tous ces enfants de la Nuit qu'évoque Hésiode, parmi lesquels on relève Sarcasme et Détresse la douloureuse, et plus tard : Oubli, Faim, Douleurs larmoyantes — Mêlées, Combats, Meurtres, Tueries — Querelles, Mots menteurs, Despotes — Anarchie et Désastre.

21. Vers 26-37, dans la traduction établie par G. Mathieu pour le *Discours sur l'Ambassade* de Démosthène, qui cite ces vers.

22. De même que Xénophane ou Empédocle. La prose venait tout juste d'apparaître chez les philosophes ioniens, à tendance scientifique.

23. Fragment B 8, 29-31, cité, comme le précédent, dans la traduction, d'ailleurs assez libre, de Y. Battistini (Gallimard, 1955).

24. Le ve siècle, pourtant, s'en détourne ; ce goût ne reparaît qu'à l'époque hellénistique.

III

LE Vᵉ SIÈCLE ET LA DÉMOCRATIE

Le goût des idées et du débat apparaissait dès l'*Iliade* dans le domaine de la politique. Pourtant on était alors à une époque de petits monarques, sans lois ni consultation organisée, sans référence, sans institutions : on peut aisément comprendre ce que la découverte de la démocratie allait entraîner comme progrès en ce sens, et quel essor elle allait donner aux débats politiques. C'est sans doute par là que tout commence : la réflexion grecque se fait lucide et consciente lorsque la politique le réclame.

Mais la démocratie athénienne ne fait à cet égard que parachever une tendance depuis toujours inhérente à la civilisation grecque.

La liberté grecque

Les Grecs eux-mêmes semblent avoir mesuré cette originalité et en avoir pris conscience au début du vᵉ siècle, dans le choc qui les opposa aux envahisseurs perses. Et le premier fait qui les frappa alors fut qu'il existait entre eux et leurs adversaires une différence politique, qui commandait tout le reste. Les Perses obéissaient à un souverain absolu, qui était leur maître, qu'ils craignaient, et devant lequel ils se prosternaient : ces usages n'avaient pas cours en Grèce. L'on connaît l'étonnant dialogue qui, dans Hérodote, oppose Xerxès à un ancien roi de Sparte. Ce roi annonce à Xerxès que les Grecs ne lui céderont pas car la Grèce lutte toujours contre l'asservissement à un maître. Elle se battra, quel que soit le nombre de ses adversaires. Car, si les Grecs sont libres, « ils ne sont pas libres en tout : ils ont un maître, la loi, qu'ils redoutent encore bien plus que tes sujets ne te craignent [1]... »

Le voilà bien, posé en pleine lumière au seuil de notre ve siècle athénien, le principe de l'obéissance consentie à une règle, ce qui suppose la revendication d'une responsabilité ! Et voilà, du même coup, des hommes maîtres d'un choix, qui ne leur est imposé par personne.

Eschyle déclare avec la même fierté, dans *Les Perses*, que les Athéniens ne sont « esclaves ni sujets de personne » (242). Dès lors surgissent, avec ce contraste majeur, toutes les autres différences : la simplicité en regard du luxe, l'effort en regard de la mollesse, la réserve en regard des émotions extériorisées.

Mais il importe de bien voir que, dans le texte d'Hérodote, ce n'est pas un Athénien qui parle. Et il ne parle pas de démocratie.

Il s'agit, dans ce texte, de beaucoup plus : il s'agit de tout un principe de vie, qui définit, en somme, l'originalité fondamentale de la civilisation grecque.

Avec son polythéisme, la Grèce ne pouvait pas trembler devant la volonté divine : cette volonté était partagée, équilibrée, contrariée. N'ayant pas de prêtres (sauf pour quelques cultes déterminés), elle ne pouvait pas non plus trembler devant eux. Cela aussi excluait le secret. Et il y a comme un changement d'atmosphère radical quand on passe de la Grèce aux autres civilisations, même les plus raffinées. Rien d'équivalent, en Grèce, à ces représentations égyptiennes qui montrent Pharaon, l'homme-Dieu, foulant aux pieds les peuples soumis. Rien d'équivalent au triomphe fastueux de Persépolis, où tout est édifié à la gloire d'un homme.

Rien d'équivalent non plus à ces subtiles hiérarchies de lettrés que connut jadis la Chine. Tout se passe d'emblée au niveau de l'homme. En face des images du souverain, si fréquentes ailleurs, il suffit d'imaginer un de ces *kouroi* nus et anonymes, que la Grèce a multipliés, et la différence d'esprit apparaît. Ou bien il suffit de penser à ce groupe célèbre de l'Agora d'Athènes, représentant les deux hommes qui avaient tué le tyran ! Ce groupe fut enlevé par les Perses lorsqu'ils occupèrent Athènes au moment des guerres médiques (encore elles !) ; il fut remplacé ensuite par les Athéniens, trois ans après leur victoire : un symbole, ici encore, d'une clarté révélatrice !

On dirait que là, à la limite de l'Europe et de l'Asie, se heurtaient deux formes de civilisation. Et le contraste est d'autant plus saisissant qu'il devait, *grosso modo*, reparaître et se prolonger jusqu'en notre temps. Il opposait, et devait continuer d'opposer liberté et absolutisme. Le contraste entre les peuples qui se prosternent devant un homme et ceux qui s'y refusent se retrouve à diverses époques — ainsi quand une ambassade anglaise refuse de faire le *kotow* devant l'empereur de Chine. Et, dans le domaine politique, un même idéal que l'on peut (comme alors !) appeler « européen », ou bien « occidental », continue à s'opposer à une série de régimes qui se succèdent « en face », et pour lesquels on peut parler, selon les cas, d'absolutisme, de totalitarisme, de fanatisme, et autres orientations — ceci englobant des régimes aussi opposés que la dictature personnelle, le stalinisme ou l'intégrisme. On dirait, en somme, qu'une même démarcation géographique sépare, aujourd'hui encore, les peuples qu'Hérodote distinguait comme représentant l'idéal des Grecs ou l'autoritarisme des Perses. Qu'ils s'achèvent ou non en guerre, les heurts entre les pays occidentaux et des chefs comme Kadhafi ou Khomeyni, Assad ou Saddam Hussein, sont autant d'illustrations, convergentes et troublantes[2].

La Grèce, se heurtant à Darius, puis à Xerxès, a donc défini en termes clairs notre idéal « européen ».

Les peuples qui s'y rallient le font cependant aujourd'hui en se réclamant du mot de démocratie ; et ceci nous ramène à Athènes, et au pas qu'elle a franchi alors.

Le roi de Sparte parlait d'indépendance et de respect des lois ; il ne disait pas — et pour cause — ni qui avait établi cette loi, ni dans quelle mesure cette liberté par rapport au dehors impliquait une liberté au-dedans : Athènes se saisit de l'élan grec et le poussa plus avant, installant le débat au centre de toute la vie politique.

On découvre donc, en même temps, une continuité et un seuil.

La démocratie

La naissance de la démocratie se fit par étapes.

Le premier auteur politique athénien est aussi un des pères fondateurs de la démocratie : Solon présida à la vie politique athénienne à partir de 594 av. J.-C., plus d'un siècle avant les guerres médiques. Il fut le grand législateur d'Athènes, et il tenta de s'opposer à la tyrannie de Pisistrate. Ses poèmes dégagent déjà quelques grandes notions sur le « bon ordre », le civisme, et les risques de l'excès, ou *hybris*. Ce n'est pas encore la démocratie ; ce n'est pas encore, non plus, la réflexion politique ; mais ce sont des jalons jetés vers l'une et vers l'autre.

Patientons un peu : voici, en 510, la fin de la tyrannie. Voici, en 508, le début des réformes démocratiques, avec Clisthène. Désormais, sauf deux brefs soubresauts, le régime ne devait plus changer.

Ou plutôt il ne devait plus changer de nom. Mais, de façon régulière et progressive, en une série de mesures prises au cours du ve siècle, les principes furent plus largement appliqués.

Athènes, il faut le préciser, avait été lancée dans les guerres médiques alors que son régime n'avait que vingt ans d'âge. Elle s'en était tirée glorieusement grâce à des chefs qui, quelles que fussent leurs opinions, avaient respecté les règles démocratiques. Un de ces chefs, Thémistocle, avait contribué à faire d'elle une puissance maritime ; et la victoire fut en partie celle des marins, c'est-à-dire du peuple, au sens social du terme. A tous égards, la démocratie avait, si l'on peut dire, gagné la guerre.

Aussi vit-on se succéder les réformes. Et des aristocrates comme Périclès y contribuèrent résolument. L'Aréopage, corps ancien et aristocratique (puisqu'il était composé des magistrats sortis de charge), perdit ses attributions politiques. Quelques années plus tard, les citoyens des classes sociales les plus modestes purent accéder aux plus hautes fonctions. Bientôt, une indemnité fut prévue pour l'exercice des fonctions publiques : ainsi personne n'en serait écarté par la pauvreté ; cette indemnité fut d'abord allouée aux magistrats et aux membres du Conseil, puis aux juges : elle devait s'étendre, au début du IVe siècle, même à l'Assemblée.

En même temps, toutes les précautions étaient prises pour permettre à tous une participation égale et éviter l'emprise des privilégiés. Certaines de ces précautions remontaient assez haut dans le temps : elles furent maintenues et renforcées ; le tirage au sort pour toutes les magistratures (sauf les fonctions militaires et financières), le panachage des désignations, permettant de grouper des éléments sociaux différents, et de réserver une représentation égale à toutes les tribus, le groupement des magistrats en collèges, le contrôle exercé sur eux, par l'assemblée du peuple, avant leur entrée en charge et à la fin de leur gestion (limitée à un an pour toutes les fonctions sauf celles des stratèges) : tout fut mis en œuvre pour que la démocratie devînt vraiment le gouvernement par les citoyens, et que tout dût passer par leurs décisions.

On comprend que cela ait changé la vie des Athéniens et donné au débat en commun une dimension imprévue. Il se passait à Athènes quelque chose que l'on n'avait encore jamais vu.

Est-ce à dire qu'il n'y avait eu nulle part ailleurs de démocratie ?

Peut-être y en avait-il eu, en Grèce ou hors de Grèce. Mais, à Athènes, l'instauration de ce régime s'est combinée avec le besoin éminemment grec de dégager toujours les principes sous une forme universelle. Elle s'est accompagnée d'écrits, d'arguments, de justifications. Elle a donné lieu à l'élaboration de concepts, valables pour d'autres formes de gouvernement comparables. Athènes a installé le débat au centre de la vie publique ; mais elle a aussi, grâce au débat, cerné les principes de cette vie publique. Et tous les auteurs du temps ont bientôt fait passer la substance de ce débat-là dans leurs œuvres. On vient de parler de l'Aréopage : une tragédie d'Eschyle, *Les Euménides*, évoque le rôle de ce tribunal. Quelques années plus tard, Hérodote introduit dans son œuvre une discussion (un « débat ») sur les avantages et les inconvénients des divers régimes. Thucydide prête à Périclès un grand discours sur l'esprit du régime athénien. Euripide aborde tantôt les beautés de la démocratie et tantôt ses défauts — les deux s'opposant (en un « débat ») dans la tragédie des *Suppliantes* — en attendant que les perversions de la démocratie remplissent une bonne partie de la tragédie d'*Oreste*. En même temps nous savons que des théories s'esquissaient en faveur de formes plus nuancées de la démocratie, de régimes mixtes, de la « Constitution des ancêtres »... On aura l'occasion d'y revenir ; mais il faut dès l'abord rappeler cette distinction capitale : même si Athènes n'a pas inventé la démocratie, elle a été la première à prendre conscience de ses principes, à la nommer, à en analyser le fonctionnement et les formes : elle a ainsi inventé l'idée même de démocratie — sans l'ombre d'un doute possible.

Le legs ainsi fait à l'Europe n'est certes pas négligeable.

Là aussi, Athènes rejoignait cet élan qui, dès le début, avait poussé les Grecs à définir, à nommer, à analyser, pour tous et pour toujours. Mais, là aussi, la réalité nouvelle stimulant et renforçant l'élan ancien, elle passait un seuil, entrant soudain dans la claire lumière de la réflexion politique. Là aussi, il y avait tout ensemble une continuité et un seuil.

La parole

La nature de la démocratie qu'elle se donna encourageait ce double surgissement. Pour comprendre l'impulsion que celle-ci apporta à toutes les activités de l'esprit, il faut rappeler une fois de plus ses principes les plus originaux. Ils consistent à inviter des milliers de citoyens à un débat de paroles et d'idées toujours ouvert.

Naturellement, les circonstances aidaient : il n'y avait pas de journaux, ni de radio, ni de télévision : il n'y avait que la parole. D'autre part, il s'agissait d'une petite cité, où il était possible de tenir des discussions devant ce qui était, au moins théoriquement, tout le peuple : la parole pouvait, par elle-même, s'adresser à tous[3].

Mais tout fut mis en œuvre pour que cette parole fût nécessaire et souveraine. Elle l'était à l'Assemblée, au Conseil, dans les tribunaux, et dans le contrôle des magistrats.

L'Assemblée comportait tous les citoyens de plus de dix-huit ans. Bien que certaines affaires graves aient exigé un quorum de 6000 personnes, il en venait rarement plus de 2000. L'Assemblée ordinaire se réunissait de dix à quarante fois par an. Il y avait aussi, dans les cas graves, des assemblées extraordinaires. Jusque-là, rien d'étonnant. L'étonnant est en fait que cette masse de gens, plus ou moins zélés et compétents, avait pouvoir de décision dans toutes les matières politiques.

Le Conseil, tiré au sort parmi les citoyens âgés de plus de trente ans, comportait, lui, cinq cents personnes. Et il préparait les textes soumis à l'Assemblée ; il menait même certaines négociations et jouait un rôle, souvent important, de gestion. Mais, en fin de compte, c'était l'Assemblée qui tranchait en matière de politique étrangère, décidait de la paix et de la guerre, ainsi que des alliances, votait les lois, exerçait un droit de haute justice dans tout ce qui touchait la sûreté de l'État, et ratifiait la gestion des magistrats.

S'agissait-il seulement d'un vote, pour ou contre ? Justement pas ! Le principe de l'Assemblée était que chacun pût parler.

Il va de soi que, dans la pratique, seul un petit nombre osait se lancer ; mais ce qui comptait était l'idée que ce fût, en théorie au moins, ouvert à tous, que ce fût libre.

Parler, s'expliquer, se convaincre les uns les autres : c'est là ce dont Athènes était fière, ce que les textes ne cessent d'exalter.

Ils le font en exaltant les institutions elles-mêmes, d'abord. Ainsi Euripide, lorsqu'il célèbre, par la bouche de Thésée, la démocratie, dans *Les Suppliantes,* écrit avec panache : « Quant à la liberté, elle est dans ces paroles : " Qui veut, qui peut donner un avis sage à sa patrie ? " Lors, à son gré, chacun peut briller, ou se taire. Peut-on imaginer plus belle égalité ? » (437-441).

Ce « Qui veut prendre la parole ? » semble avoir hanté et émerveillé les Athéniens. Trois fois la question revient dans le théâtre d'Aristophane, pour des Assemblées imaginaires[4]. Et c'est, dans les mêmes thèmes, la question que Démosthène a évoquée de façon si grandiose dans le *Sur la Couronne*, lorsque nul ne demandait la parole : « Le héraut répéta plusieurs fois sa question ; néanmoins on ne voyait toujours se lever personne. Et pourtant tous les stratèges étaient là, tous les orateurs, et la patrie appelait l'homme qui se lèverait pour son salut... » (170).

On le remarquera en passant : l'homme politique, à Athènes, s'appelle « l'orateur ».

Celui qui parlait montait pour cela à la tribune ; il parlait une couronne sur la tête, signe de son inviolabilité.

Mais les Athéniens étaient conscients aussi du choix fondamental qu'impliquait un tel régime : il impliquait la foi dans la parole et dans l'analyse. Thucydide a fait exprimer cette idée par Périclès, quand celui-ci explique l'esprit même de la démocratie athénienne ; après avoir insisté sur le principe du débat commun, il en dégage la philosophie. Il vaut la peine, ici encore, de citer le texte de façon complète :

> « Une même personne peut à la fois s'occuper de ses affaires et de celles de l'État ; et, quand des occupations diverses retiennent des gens divers, ils peuvent pourtant juger des affaires publiques sans rien qui laisse à désirer. Seuls, en effet, nous considérons l'homme qui n'y prend aucune part comme un citoyen non pas tranquille, mais inutile ; et, par nous-mêmes, nous jugeons ou raisonnons comme il faut sur les questions ; car la parole n'est pas à nos yeux un obstacle à l'action : c'en est un, au contraire, de ne s'être pas d'abord éclairé par la parole avant d'aborder l'action à mener » (II, 40, 2).

Cette idée essentielle sera reprise plus tard par Isocrate, en un éloge solennel de la parole, dont le début au moins doit être rappelé ; Isocrate vient de reconnaître que les hommes sont, sur bien des points, inférieurs aux animaux ; mais il y a la parole :

« Parce que nous avons reçu le pouvoir de nous convaincre mutuellement et de faire apparaître clairement à nous-mêmes l'objet de nos décisions, non seulement nous nous sommes débarrassés de la vie sauvage, mais nous nous sommes réunis pour construire des villes ; nous avons fixé des lois ; nous avons découvert des arts ; et, presque toutes nos inventions, c'est la parole qui nous a permis de les mener à bonne fin... » (*Sur l'Échange*, 254).

Le texte est beaucoup plus général ; et il est aussi moins précis que celui de Thucydide : rien d'étonnant à cela ! Il parle de l'humanité alors que Thucydide parlait de la démocratie athénienne ; et il parle du langage, alors que Thucydide parlait du débat entre citoyens. Pourtant, on reconnaît la même philosophie sous-jacente, et la même foi, grecque et athénienne, dans l'analyse menée à plusieurs.

Qui avait exprimé de telles idées auparavant ? Qui l'avait fait en un autre pays ? Les uns vantaient la divine majesté de leurs souvenirs, d'autres la sagesse inspirée de leurs prêtres ou de leurs prophètes. Cette ouverture soudaine est grecque, et sa mise en formules athénienne.

Le résultat est que toutes les institutions, dans la nouvelle démocratie, se conformèrent au même modèle. Car, si l'on revient à ces institutions, une remarque de plus s'impose : la justice était régie par des principes identiques — et cela semble à nos yeux beaucoup plus surprenant.

Le tribunal le plus important, à Athènes, était l'*Héliée* : les juges qui le constituaient étaient tirés au sort tous les ans parmi les citoyens de plus de trente ans qui se proposaient ; ils étaient 6000 et siégeaient, chaque fois, à plusieurs centaines. Donc, en pratique, presque tout le monde pouvait remplir ces fonctions. De plus, les citoyens qui comparaissaient devant ces juges plaidaient eux-mêmes leur cause. Ils pouvaient se faire aider à l'avance ; mais ils avaient directement la parole. Cela veut dire qu'ici aussi n'importe qui avait intérêt à savoir plaider, et qu'il fallait plaider pour un large public et le convaincre.

C'est la même philosophie sous-jacente ; mais c'est un pas de plus dans l'avènement de la parole. Car on pouvait toujours s'abstenir de prendre la parole à l'Assemblée : les gens simples ne le faisaient guère ; mais qui pouvait être sûr de n'avoir pas un jour à se défendre en justice, voire à défendre son bien en poursuivant quelqu'un qui vous faisait du tort ? Les assemblées politiques d'Athènes rendaient nécessaire l'apprentissage de la parole pour quiconque espérait jouer un rôle dans la cité : le fonctionnement du tribunal le rendait indispensable pour tous.

C'est bien pourquoi le Calliclès de Platon menace Socrate, qui préfère la philosophie à la pratique de la parole, et pourquoi, par une prophétie *ex eventu*, il lui annonce la fin qui sera la sienne : « En ce moment même, si on t'arrêtait, toi ou tout autre de tes pareils, et qu'on te jetât en prison sous le prétexte d'une faute dont tu serais innocent, tu sais bien que tu serais sans défense, pris de vertige et la bouche ouverte sans rien dire ; puis, amené devant le tribunal, mis en face d'un accusateur sans talent ni considération, tu serais condamné à mourir s'il lui plaisait de réclamer ta mort » (486 b).

D'ailleurs comment, entre ces deux sortes de réunions populaires, n'y aurait-il pas eu des interférences ? Si l'on voulait se débarrasser d'un adversaire politique, on l'attaquait devant l'*Héliée* : entre Eschine et Démosthène, ainsi que leurs associés respectifs, ce jeu se joua souvent ; mais il se jouait déjà lorsque les amis de Périclès furent, les uns après les autres, accusés d'impiété. On pouvait également attaquer l'auteur d'une proposition pour « illégalité ». Inversement, les causes qui concernaient la sécurité de l'État étaient du ressort de l'Assemblée; et cela offrait, à côté des « redditions de compte », de belles occasions pour faire condamner un adversaire, par le peuple lui-même, à de très lourdes sentences[5].

Un homme de quelque influence devait pouvoir parler, et parler de façon claire, devant des centaines ou des milliers de citoyens, de qui dépendait sans cesse son avenir, voire sa survie.

Et pourquoi pas? Le principe consistant à débattre en commun une question, de façon publique, est un idéal grec essentiel. A la fin des *Euménides*, Eschyle décrit un débat de justice, remplaçant le cycle des vengeances ainsi qu'un effort de persuasion venu d'Athéna, qui triomphe des Érinyes et de leur violence. Et il fait dire à Athéna que cette victoire est celle de « *Zeus agoraios* », Zeus, le dieu de la parole et du débat ! Cette épithète de Zeus est parfois donnée à d'autres dieux : appliquée au roi des dieux, elle figure chez de nombreux auteurs du ve siècle athénien.

Ainsi s'explique un premier essor, étroitement lié à celui de la démocratie, qui est celui de la rhétorique.

Ce n'est point ici le lieu de suivre cet essor, qui devait entraîner bien des surprises. Mais il peut être bon de rappeler ce lien initial avec la démocratie.

Une indication d'Aristote, transmise par Cicéron (dans le *Brutus*, 46), explique la naissance de la rhétorique à Syracuse par la chute des tyrans en cette ville, environ quinze ans après la fin des guerres médiques : il y eut alors quantité de procès, par lesquels les gens cherchaient à rentrer dans leurs biens ; et c'est alors que Corax et Tisias eurent l'idée d'écrire des manuels pour les plaideurs, afin de leur apprendre à défendre leurs causes.

La tyrannie avait entraîné des spoliations ; elle avait surtout fait prévaloir son arbitraire, que remplaçaient maintenant des juges, procédant de façon régulière.

Tisias eut un élève, Gorgias, qu'il aurait accompagné à Athènes, lorsque celui-ci y vint en ambassade, en 427. Même s'il n'y vint pas, le nouvel art, né en Sicile, y vint, avec Gorgias, qui y fut assez influent pour avoir de nombreux élèves et y être fort célèbre. Né du renversement d'une tyrannie, l'art nouveau se mit à fleurir dans la ville qui représentait le foyer même de la démocratie.

Toutefois ce n'est là qu'un premier lien, et un premier point de départ pour la rhétorique.

Après tout, Protagoras, qui était venu du nord de la Grèce, était arrivé à Athènes quelque vingt ans avant Gorgias. Il y était resté assez longtemps pour devenir le conseiller et l'ami de Périclès. Et, si sa formation était plus philosophique et raisonneuse que celle des Siciliens, il se passionnait bien aussi pour l'argumentation des tribunaux. Nous savons par Plutarque que, selon les récits moqueurs du fils de Périclès, les deux hommes pouvaient passer une journée entière à discuter d'un cas d'accident sportif, se demandant « si c'était le javelot, ou celui qui l'avait lancé ou les agonothètes qu'il fallait, selon la plus exacte logique, tenir pour les auteurs de l'accident[6] ». L'art de parler allait trouver là aussi son aliment. Dans le *Protagoras* de Platon, le bon jeune homme qui veut courir se faire l'élève de Protagoras commence par dire que le sophiste « sait rendre les gens habiles à parler[7] » (312 d).

Mais l'important pour notre propos est surtout de relever que Protagoras resta des années à Athènes, et qu'il y revint, et que Gorgias aussi resta et revint. Tous les deux ont donné leur nom à des dialogues de Platon, où on les voit à Athènes, entourés d'élèves et d'amis, connus de tous, chez eux. Or il n'y avait pas qu'eux. Parmi les « sophistes » qui enseignèrent cet art de bien parler, Hippias venait du Péloponnèse, et Thrasymaque d'Asie Mineure. Si les débuts de la rhétorique sont liés aux débuts, encore fort timides, de la démocratie sicilienne, son apogée est lié, de manière indiscutable, à l'apogée de la démocratie athénienne.

On en retrouvera plus loin les effets dans le domaine de l'esprit : il est capital. Mais, avant de l'envisager, on peut déjà constater, dans l'ordre des faits et des façons de vivre, l'extraordinaire ouverture que représentait ce régime. L'enseignement de l'art de parler, qui était le corollaire du pouvoir effectif des assemblées de toute nature, ouvrait les carrières politiques à des gens qui en avaient, sans doute, les moyens, mais qui n'étaient plus les aristocrates, nourris de leurs seules traditions familiales. Le principal, dorénavant, était l'entraînement de l'intelligence, la *technè,* qui n'est le privilège que du savoir.

L'égalité, les lois

Mais, en même temps que le débat et à cause de lui, la démocratie athénienne posait un certain nombre de principes, qui, par leur universalité, devaient rester les mots d'ordre de toutes les démocraties de l'avenir, selon un dosage variable.

On a vu que la discussion en commun était un signe de la liberté du citoyen (« Ils ne sont esclaves ni sujets de personne », proclamait la pièce d'Eschyle). Mais elle impliquait aussi une forme d'égalité. Dans les assemblées, dans les tribunaux, tous les citoyens pouvaient théoriquement intervenir, ou le devaient, et pouvaient trancher, ou le devaient. Bien qu'il y ait eu dans la démocratie athénienne de grandes inégalités sociales, là, à l'Assemblée, le principe, sinon la situation de fait, était l'égalité. Le mot signifiant « égalité dans la parole » est employé par Hérodote pour qualifier le régime d'Athènes après la fin de la tyrannie[8]. Et l'on a pu remarquer qu'Euripide, après avoir mis toute la liberté athénienne dans la fameuse question : « Qui veut prendre la parole ? », concluait, avec un décalage dans les termes : « Peut-on imaginer plus belle égalité ? »

Le mot, on le sait, était appelé à une grande carrière politique, qui n'est point finie : il vient tout droit d'Athènes — avec deux réserves : Athènes ne voulait l'égalité que dans les droits politiques ; et bientôt elle établit des distinctions entre l'égalité arithmétique (qui donne la même chose à tous) et l'égalité géométrique (qui respecte une proportion). Ces deux réserves n'ont plus cours aujourd'hui chez ceux qui réclament l'égalité.

Il n'en est que plus frappant de voir les Athéniens dégager ainsi, de cet ensemble complexe et à nos yeux un peu confus, l'idée maîtresse destinée à survivre si longtemps. Et il ne l'est pas moins de voir avec quelle fermeté ils ont choisi de se placer dans la perspective du principe fondamental, et non des conditions de vie.

La démocratie athénienne, en un siècle, a fait progresser l'égalité — avec même quelque excès, selon certains esprits du temps ; mais elle l'a fait progresser en facilitant la participation aux débats et en élargissant l'accès aux fonctions. Participer tous également aux décisions publiques, que l'on fût riche ou pauvre, était la grande revendication, presque la seule.

Dans l'éloge de la démocratie athénienne que prononce Périclès, chez Thucydide, il s'agit bien de riches et de pauvres, mais le cas n'est considéré qu'en fonction des charges politiques : « Ce n'est pas l'appartenance à une catégorie, mais le mérite, qui nous fait accéder aux honneurs ; inversement, la pauvreté n'a pas pour effet qu'un homme, pourtant capable de rendre service à l'État, en soit empêché par l'obscurité de sa situation » (II, 37, 1). De même l'éloge que fait Thésée dans *Les Suppliantes* d'Euripide, à une date toute voisine, parle de riches et de pauvres ; mais le cas n'est considéré que dans le domaine de la parole : « Sous l'empire des lois écrites, pauvre et riche ont mêmes droits. Le faible peut répondre à l'insulte du fort, et le petit, s'il a raison, vaincre le grand » (434-437) ; le passage aboutit au droit d'intervenir à l'Assemblée lorsque le héraut demande : « Qui veut prendre la parole ? » Au siècle suivant, de même, nous avons, avec Démosthène, un grand morceau d'éloquence contre les riches ; mais ce que Démosthène leur reproche est d'employer leur richesse pour entraver le respect des magistrats et le juste fonctionnement de la justice. Que ce soit l'égalité ou le rapport entre riches et pauvres, la question reste politique, plus que sociale, et vise le principe même du régime.

Au reste, ce principe est aussitôt, et partout, mis en relation avec un autre, qui est celui de la loi.

Les Grecs n'ont pas inventé l'idée de loi. Et les Athéniens moins encore. Mais on ne peut pas ne pas être frappé par l'insistance et la ferveur qu'ils ont apportées à en définir le rôle et à en illustrer l'importance.

Cela éclate dès le texte d'Hérodote cité au début de ce chapitre et rapportant les propos du roi de Sparte relatifs aux Grecs : « Ils ont un maître, la loi, qu'ils redoutent bien plus que tes sujets ne te craignent ; du moins font-ils tout ce que ce maître leur commande... »

Cette déclaration, qui lie la liberté et l'obéissance aux lois, pourrait s'expliquer comme étant le fait d'un Spartiate car Sparte était le pays de la discipline. Mais la jeune démocratie athénienne, si éprise de liberté, renchérit encore. Euripide nous présente un personnage pour qui l'hellénisme en général se définit par la loi ; Jason dit ainsi à Médée que grâce à lui elle est devenue grecque : « Tu as appris la justice, et tu sais vivre selon la loi, non au gré de la force » (*Médée*, 537-538). Mais le même Euripide l'identifie aussi à la démocratie : le texte des *Suppliantes* ouvre la description du régime par les mots : « Quand il y a des lois écrites... » Thucydide, dans le discours prêté à Périclès, compense aussitôt l'idée de liberté par celle de loi : « La crainte nous retient de rien faire d'illégal, car nous prêtons attention aux magistrats qui se succèdent et aux lois... » Mais, surtout, l'Athènes classique nous a légué sur ce thème les deux textes les plus étonnants de ferveur qui aient jamais été écrits. L'un et l'autre impliquent une personnification plus ou moins poussée des lois ; et le premier les fait parler. Socrate, en effet, explique qu'il ne veut point échapper à la mort en quittant Athènes, car il imagine ce que lui diraient les lois. On ne peut citer ici tout le texte, car il compte plus de sept pages. Mais on peut donner une idée du ton : il surprend un esprit moderne car les lois y sont si vivantes qu'elles prennent la place des parents :

> « Tout d'abord, n'est-ce pas à nous que tu dois la naissance ? n'est-ce pas nous qui avons marié ton père à ta mère et l'avons mis à même de t'engendrer ? Parle, as-tu quelque critique à faire à celles d'entre nous qui règlent les mariages ? Les tiens-tu pour mal faites ? — Nullement, répondrais-je. — Et à celles qui règlent les soins de l'enfance, l'éducation qui fut la tienne ? Étaient-elles mauvaises, les lois qui s'y rapportent, celles qui prescrivaient à ton père de te faire instruire dans la musique et la gymnastique ? — Elles étaient bonnes, dirais-je. — Bien. Et après que tu as été nourri, élevé, pourrais-tu prétendre que tu n'étais pas à nous, issu de nous, notre esclave, toi-même et tes ascendants ? » (*Criton,* 50 d-e).

Aucun moderne ne jugerait que les lois du pays où il est né étaient bonnes ; aucun ne se considérerait comme leur devant tout, et moins encore comme « leur esclave ». Dans la libre Athènes, cela était possible. Et le texte répond à celui d'Hérodote sur la loi qui est « le maître » des Grecs. La rencontre invite même à donner aux mots leur sens le plus fort. Et pourtant, cette souveraineté repose sur un accord librement consenti ; la suite du texte le dit nettement :

« Tout Athénien qui le veut, après qu'il a été mis en possession de ses droits civiques, après qu'il a pris connaissance de la vie publique et de nous, les lois, peut, si nous ne lui plaisons pas, sortir d'Athènes, emporter ce qui est à lui, aller où il voudra. Aucune de nous n'y fait obstacle. Aucune n'interdit à qui de vous veut se rendre dans une colonie, parce qu'il s'accommode mal de nous et de l'État, ou encore à qui veut s'établir à l'étranger, d'aller au loin, où il lui plaît, avec ce qui est à lui. Mais si quelqu'un de vous reste ici, où il peut voir comment nous rendons la justice, comment nous administrons l'État, alors nous prétendons que celui-là a pris en fait l'engagement d'obéir à nos commandements ; et nous affirmons que, s'il ne le fait pas, il est coupable triplement, parce qu'il se révolte contre nous, les auteurs de ses jours, contre nous qui l'avons élevé, et que, s'étant engagé à l'obéissance, il ne nous obéit pas, sans chercher non plus à nous corriger par la persuasion, si peut-être nous avons tort. »

Le terme d'engagement, ou de contrat, est ici employé à plusieurs reprises ; et il est net.

De façon plus mesurée, mais non moins frappante, Démosthène devait, un demi-siècle plus tard, et, cette fois, dans le cadre d'un procès politique, retrouver le même élan ; il demande aux juges qui donc leur assure la sécurité, lorsque, sortant de la séance, ils rentreront chez eux ; il découvre alors que c'est la loi ; et il poursuit :

« D'ailleurs, si vous voulez bien considérer les faits eux-mêmes et chercher ce qui donne aux juges qui se suivent un pouvoir souverain sur toutes les choses de la cité — qu'ils soient deux cents, mille, ou n'importe quel nombre arrêté par la cité —, vous trouverez que ce n'est pas pour être, seuls parmi les citoyens, groupés en bataillons, ni pour être en meilleure condition physique, ou les plus jeunes en âge, mais parce que les lois sont fortes. Or cette force des lois, en quoi consiste-t-elle ? Est-ce à dire qu'elles accourront pour assister celui d'entre vous qui, victime d'une injustice [9], criera à l'aide ? Non : elles ne sont qu'un texte écrit, qui ne saurait posséder un tel pouvoir. Alors, qu'est-ce qui fait leur force ? Vous-mêmes, à condition de les fortifier et de mettre, en toute occasion, leur puissance souveraine au service de l'homme qui les réclame : voilà comment vous faites la force des lois, de même qu'elles font la vôtre. Il faut donc les assister, comme on s'assisterait soi-même si on était offensé... » (*Contre Midias*, 223-225).

Un tel envol, deux fois en un siècle, implique, par-delà les divergences de ton [10], un sentiment d'une rare puissance.

Ce sentiment se traduit aussi dans les institutions — avec le serment de respecter les lois que devaient prêter les éphèbes, les membres du Conseil, les magistrats et les juges, comme avec la gravité des actions « en illégalité ». Mais, de plus, le lien avec la démocratie est constamment rappelé. Ce peut être une analyse expliquant que le mépris des lois provoque la naissance de la tyrannie (chez l'Anonyme de Jamblique), ou bien l'idée, prêtée à un ambitieux, que les lois sont de vaines conventions et qu'il est beau de les fouler aux pieds pour devenir tyran (avec le Calliclès de Platon), ou bien la méfiance contre un homme qui, peu soucieux des lois, est soupçonné de quelque complot politique en vue de la tyrannie (avec Alcibiade) [11], ou bien ce peut être telle analyse de philosophe montrant que la vraie démocratie se perd lorsque le peuple règne à coups de décrets, à la manière d'un tyran [12] : partout, l'opposition revient, se répète, se précise.

Qui plus est, il s'agit toujours des lois en général, du principe, valable partout et toujours. Il s'agit, une fois de plus, non pas d'une réalité (car Athènes ne fut guère un modèle à cet égard), mais d'une idée, bien dégagée et fortement sentie.

Quand Cicéron fait l'éloge des lois, quand Montesquieu exige la vertu d'une démocratie en écrivant que, dans le gouvernement populaire « celui qui fait exécuter les lois sent qu'il y est soumis lui-même et qu'il en portera le poids » (III, 3), on retrouve la lointaine descendance des ardeurs athéniennes. Et, si elles se sont aujourd'hui quelque peu éteintes, on les voit renaître sous chaque régime d'oppression. Les Latins fondèrent le droit et les codes, la démocratie athénienne avait posé l'idée de la souveraineté des lois. Elle l'avait posée avec, sans doute, une force qui déconcerte, mais dans une perspective définitive.

La découverte de la démocratie était donc déjà assortie de celle de plusieurs concepts, qui devaient constituer l'armature de la pensée politique moderne, dans des formes d'État cependant différentes, et dans des conditions matérielles différentes. On ne peut plus penser la démocratie, qui occupe une place si essentielle dans la pensée politique européenne, sans le faire, qu'on le sache ou non, dans le sillage d'Athènes.

La question de la tolérance

On peut ajouter qu'elle a également ouvert la voie, de façon moins affirmée mais très originale, vers les notions de tolérance et de libéralisme.

Mais il faut aussitôt préciser qu'il ne s'agit pas de la tolérance au sens où on l'entend couramment aujourd'hui, et qui a trait à la religion. Il s'agit de relations quotidiennes et de rapports humains.

De la tolérance religieuse, les textes anciens ne parlent pas. Mais l'explication de ce silence vaut d'être signalée : s'ils n'en parlent pas, ce n'est pas que les Grecs ne l'aient pas appréciée, c'est qu'elle allait de soi.

Il importe d'autant plus de le comprendre que l'on a un cas célèbre qui tendrait à prouver le contraire : c'est celui de Socrate, condamné à mort parce que, entre autres griefs, « il ne reconnaissait pas comme dieux les dieux de la cité et en introduisait de nouveaux ».

Ceci ne doit pas tromper.

La Grèce, on a déjà eu l'occasion de le dire, n'avait ni dogme ni clergé. Il semble que son panthéon se soit constitué de façon progressive, avec des emprunts, dont certains sont encore aisément reconnaissables (le culte de Cybèle, par exemple). Ce panthéon comportait, à côté des grands dieux, des divinités mineures, qui se multipliaient parfois (héros ou allégories divines). Il était par conséquent assez souple de nature.

Il l'était d'autant plus que les Grecs — ici encore, soucieux d'aller à l'essentiel et épris de contacts avec les autres — reconnaissaient volontiers dans les divinités étrangères l'équivalent des leurs. L'exemple le plus célèbre est constitué par le livre II d'Hérodote, qui porte sur l'Égypte. On y a la surprise de voir les croyances égyptiennes identifiées, sans plus, avec les croyances grecques. Hérodote a en effet des formules comme celle-ci : « En langue égyptienne, Apollon s'appelle Horus, Déméter Isis, Artémis Boubastis » (II, 156). Et le fait est que les équivalents surgissent à chaque instant : Neith s'identifie pour lui à Athéna, Osiris à Dionysos, Hathor à Aphrodite, Ammon (ou Amoun) à Zeus[13].

De là des transpositions étonnantes de légendes — comme lorsque l'on trouve Apollon et Artémis enfants de Dionysos et d'Isis, ou bien même que le jeune Apollon est appelé fils d'Osiris (II, 156).

Encore si c'était tout ! Mais Hérodote donne pour Zeus un nom babylonien (Bel-Mardouk) ou scythe (Papaios), n'hésitant pas à écrire Zeus quand il s'agit, chez les Perses, d'Ahuramazda[14]...

Comment, dans ce cas, les Grecs n'auraient-ils pas accueilli des divinités étrangères ? Elles n'étaient qu'une forme des leurs, elles-mêmes changeantes et pourvues de multiples spécialités locales. Ils adoptèrent ainsi au ve siècle un Zeus-Ammon et une Artémis-Bendis. Même la religion, en Grèce, était tout ensemble universaliste et, par conséquent, accueillante.

Il y a d'ailleurs toujours eu, en Grèce, une sorte de porte ouverte, qui laisse la place aux diverses formes du sacré. Il suffit de penser à la prière que prononce le chœur, au début de l'*Agamemnon* d'Eschyle : « Zeus ! Quel que soit son vrai nom, si celui-ci lui agrée, c'est celui dont je l'appelle » (160-162). Et l'on peut aussi rappeler qu'il y eut plus tard à Athènes un autel « Au dieu inconnu ». Saint Paul devait même s'en prévaloir pour tenter de glisser sous ce nom le christianisme qu'il prêchait.

Au reste, chacun eût tenu pour imprudent de manquer de respect aux dieux des autres : Hérodote raconte ainsi avec bien des détails les folies de Cambyse en Égypte, quand il défia Apis, puis se moqua d'autres cultes. Cambyse, bientôt, meurt fou. Et Hérodote observe : « Pour moi, d'après cela, il est de tout point évident que Cambyse fut en proie à une violente folie ; car, sans cela, il n'aurait pas entrepris de tourner en ridicule les choses saintes et consacrées par la coutume » (III, 38) ; suit tout un apologue sur l'attachement de chacun à ses propres coutumes : tout le principe de la tolérance se trouve latent dans l'anecdote.

On voit clairement par tous ces faits que des notions comme celles qui opposent « le croyant » et « l'infidèle » n'avaient pas de place dans un tel système. Il ne débouchait sur rien qui ressemble ni à l'intégrisme ni aux guerres de religion. Et c'est encore un point où la tradition grecque est largement devenue celle de l'Occident, opposée à celle de l'Orient islamisé.

Après tout la Grèce est le pays pour qui le mot désignant l'étranger a d'abord voulu dire « hôte » et a toujours gardé ce sens à côté de l'autre (pour les Égyptiens, les étrangers étaient « ceux du désert »).

Pour cette raison, la tolérance religieuse allait de soi, dans la mesure où l'intérêt de la cité n'était pas en cause.

La démocratie athénienne est restée fidèle à cette attitude. Elle a accueilli des nouveaux cultes (un exemple célèbre est fourni par Sophocle, qui eut la mission d'accueillir le culte du héros Asclépios, venu d'Épidaure). Elle a admis des innovations, accepté des attitudes très libres, cela en plein théâtre. Euripide, avant Platon, a refusé les traditions peu édifiantes de la mythologie. Et une de ses héroïnes déclarait avoir dans son cœur « un autel de la justice »[15]. D'autres personnages se réclamaient d'un Zeus revu par les philosophes et très peu conforme aux traditions, ainsi dans la prière d'Hécube : « Ô toi, support de la terre et qui sur la terre as ton siège, qui que tu sois, insoluble énigme, Zeus, loi inflexible de la nature ou intelligence des humains, je t'adore[16]. » Ou bien, reprenant la réserve respectueuse d'Eschyle, ce théâtre la transpose en un doute qui frise l'agnosticisme : « Zeus, quel qu'il soit, car je ne sais que ce que l'on dit... » (fragment 795). Tout semble être admis : toutes les ombres, tous les points d'interrogation[17].

La condamnation de Socrate n'est donc point le signe d'une intolérance générale en matière de religion. Elle s'explique par une crise politique et morale exceptionnelle. Athènes venait de perdre la guerre. Et l'on sait qu'une défaite entraîne des réactions de défense violentes contre tout ce qui semble attaquer l'ordre établi. La France libérale a elle-même connu de tels moments dans la défaite.

Et d'ailleurs la mort de Socrate nous est connue par les œuvres de ses disciples, indignés et meurtris, qui dénoncèrent cette iniquité : l'indignation ne vient pas de nous, mais de l'Athènes d'alors.

Tout ceci explique que la tolérance religieuse ne figure pas dans les thèmes dont se réclamait Athènes.

En revanche, elle se voulait et se voyait tolérante dans un autre domaine, qui est celui des rapports humains : là elle innovait et se distinguait, non plus des barbares, mais de Sparte.

Le texte de Thucydide, dont une partie a été citée plus haut, est à cet égard révélateur. Car à peine a-t-il défini le principe du régime qu'il passe de l'activité politique aux pratiques quotidiennes ; et à peine a-t-il rappelé le grand principe de l'obéissance aux lois qu'il y lie les tendances morales.

> « Nous pratiquons la liberté, non seulement dans notre conduite d'ordre politique (le *koinon*), mais pour tout ce qui est suspicion réciproque dans la vie quotidienne : nous n'avons pas de colère envers notre prochain, s'il agit à sa fantaisie, et nous ne recourons pas à des vexations, qui, même sans causer de dommage, se présentent au-dehors comme blessantes. Malgré cette tolérance qui régit nos rapports privés, dans le domaine public (les *dèmosia*), la crainte nous retient avant tout de rien faire d'illégal, car nous prêtons attention aux magistrats qui se succèdent et aux lois — surtout à celles qui fournissent un appui aux victimes de l'injustice, ou qui, sans être lois écrites, comportent pour sanction une honte indiscutée » (II, 37, 2-3).

La fin du texte suppose des élans d'entraide qui sont spontanés, et non dictés par la loi ; le début suppose une souplesse dans les relations humaines qui ne l'est pas moins. Le mot de « tolérance » rend l'adverbe grec qui signifie « sans prendre offense ». Il est caractéristique de l'esprit grec en général, mais caractéristique aussi de l'esprit athénien opposé à celui de Sparte.

Vis-à-vis des étrangers, Athènes était accueillante. Elle ne faisait pas d'eux des citoyens, mais elle se montrait hospitalière [18], Thucydide dit plus loin qu'elle ne pratiquait jamais, comme Sparte, les « expulsions d'étrangers » ; il dit aussi qu'à la différence de Sparte, elle ne leur cachait rien : on pouvait, à Athènes, tout voir et tout entendre[19]. D'autre part ce qui concerne le secours aux opprimés s'applique aux autres cités. Plusieurs pièces d'Euripide et bien des éloges d'Athènes sont là pour illustrer cette disposition généreuse, dont Athènes était fière.

Entre citoyens, il régnait des liens plus étroits, mais Thucydide précise bien qu'il existe une marge de tolérance envers les écarts individuels. Un mot commence à se répandre : c'est le mot *praos*, qui signifie « doux ». Aristophane demande en 421 que les Athéniens soient « des agneaux » entre eux et « beaucoup plus doux envers les alliés »[20]. Des textes d'orateurs parlent de la « douceur » des Athéniens, du caractère qui les rend, entre tous, « compatissants »[21]. Et ceci est une vertu ; mais, quand Platon voudra stigmatiser les excès démocratiques, il emploiera précisément les mots de douceur et d'indulgence pour critiquer ce qui devient bientôt désobéissance aux lois.

Il est clair que cette indulgence s'oppose à la rigueur de Sparte. Elle s'oppose aussi à la cruauté souvent reprochée aux barbares. En fait, tout se passe comme si l'élan qui poussait les Grecs vers la mise en commun des problèmes et le dépassement des barrières s'était, dans l'évolution historique, détourné de Sparte pour repartir, beaucoup plus fort qu'avant, avec Athènes. Avec la démocratie, avec le règne de la parole, avec les échanges d'idées constants, se développe aussi une certaine attitude morale, plus accueillante et plus ouverte.

Dans un livre récent que j'ai déjà eu l'occasion de citer, je me suis réjouie de trouver des phrases qui, parties de considérations toutes différentes, semblaient presque avoir été écrites pour soutenir la thèse que je défends ici. Ainsi lorsque R. Calasso écrit : « Entre Athènes et Sparte l'élément de discrimination est l'échange. Chez l'une il provoque la terreur, chez l'autre la fascination », ou bien : « A Athènes, amie des discours, la parole coule spontanément ; c'est une rigole qui arrose tous les vaisseaux capillaires de la ville. A Sparte, les brides de la parole ne sont jamais lâchées[22]. » L'élan grec s'est perdu à Sparte : il a rejailli dans toute sa force à Athènes.

*

De même qu'il a pu y avoir, avant Athènes, des sociétés démocratiques, qui ne nous ont laissé ni textes ni analyses sur ce qu'elles avaient voulu faire, de même la tolérance a pu exister dans bien des régions du monde, sans des textes pour la célébrer.

On sait, par exemple, qu'en Égypte, Égyptiens et Juifs ont longtemps fait très bon ménage. Les Grecs n'ont jamais réussi mieux, ni même autant ; mais, là aussi, ils ont laissé des textes ; et beaucoup de renseignements sur l'histoire des peuples d'alentour viennent d'Hérodote. De même, les rares revendications de la tolérance entre personnes viennent d'Athènes.

Il en va donc là comme dans le domaine politique, où les choses sont plus évidentes encore : les mots, les concepts, l'idéal, tout a été fourni par la Grèce. Ses réalisations ont pu être médiocres et imparfaites ; elles ont pu se détériorer ou comporter de graves lacunes : là n'est pas la question. Aujourd'hui, quand tous les exemples sont retombés dans un relatif oubli, ces mots, ces concepts, cet idéal demeurent — aussi toniques et vivaces que lorsqu'ils furent d'abord découverts. Ces institutions étaient nées d'un certain désir grec de mise en commun ; leur description était née d'un certain désir grec de dire et de définir. Et la portée de ces descriptions était née d'un certain désir grec de toujours définir, non pas des faits particuliers et tout mêlés aux données quotidiennes, mais un esprit d'ensemble, des principes, une visée essentielle et assimilable pour tous.

Térence n'a pas oublié les leçons de tolérance de Ménandre ou Cicéron les leçons de démocratie de Démosthène ; le plus obscur journaliste du xxe siècle a été nourri de ces leçons sans le savoir. Et ce n'était pas un hasard : les expériences vécues par la Grèce se muent aussitôt en expériences humaines.

Athènes, d'ailleurs, ne s'y trompait pas : elle louait non pas « sa » démocratie, mais « la » démocratie — en tant que principe universel.

NOTES DU CHAPITRE III

1. Sur ce texte et tout ce mouvement de pensée, voir notre livre *La Grèce à la découverte de la liberté,* éd. de Fallois, 1989, p. 43-59.

2. Plusieurs de ces exemples sont cités dans le livre de D. Rondeau, *Chronique du Liban rebelle* (1991), qui écrit à la p. 7 : « une région du monde souvent gouvernée par le fanatisme ».

3. Comment des assemblées de 2 000 ou 3 000 personnes, tenues en plein air, pouvaient-elles, matériellement, entendre ? Apparemment, c'était possible. La force de la voix, l'articulation, l'audition ont dû changer. D'autre part, au Ve siècle, les séances se tenaient à la Pnyx, qui formait un vaste amphithéâtre, fort approprié.

4. *Acharniens*, 45 ; *Assemblée des femmes,* 130 ; *Thesmophories,* 379.

5. C'est par cette voie que l'affaire des Hermès suscita tant de désordres dans Athènes : elle visait, en fait, Alcibiade.

6. Plutarque, *Périclès,* 36, 5 : on reconnaît dans ce débat à propos d'un cas précis un modèle de débat d'école : on trouve un problème équivalent traité dans la deuxième Tétralogie d'Antiphon.

7. La définition donnée par Protagoras lui-même est cependant différente : il parle d'« art politique » (319 a).

8. V, 78. « Ce n'est pas un cas isolé, c'est d'une façon générale que se manifeste l'excellence de l'*isègoriè* » : « gouvernés par les tyrans, les Athéniens ne valaient pas mieux à la guerre que leurs voisins, mais, débarrassés des tyrans, ils montrèrent une supériorité éclatante » (traduction légèrement modifiée).

9. Le terme grec s'emploie dans le sens concret d'agression ; mais il condamne ce qu'il désigne ainsi.

10. Sur les variations de l'idée de loi et les débats à cet égard, voir notre livre *La Loi dans la pensée grecque,* Les Belles Lettres, 1971 : ces deux textes y figurent dans des chapitres différents.

11. Voir pour l'Anonyme de Jamblique, fragment 6 ; pour Calliclès, le *Gorgias* de Platon (483 c-484 a), pour Alcibiade, Thucydide VI, 15 (avec les mots *paranomia* et *turannis*) et VI, 61, 1.

12. Aristote, *Politique*, 1292 a.

13. Voir II, 28, 59, 83, etc. ; II, 137, 156 ; II, 59, 73, 111 ; II, 42, 144, etc. ; II, 41 ; II, 42.

14. I, 181 ; III, 158 ; IV, 59. De même Aphrodite a un nom tout différent chez les Arabes, les Assyriens, les Perses et les Scythes (II, 131 et IV, 59).

15. *Hélène*, 1002.

16. *Les Troyennes*, 884-887.

17. Le dernier fragment cité semble avoir été corrigé, pour ne pas trop choquer. Mais il circula.

18. Par étrangers, il faut entendre des Grecs d'autres cités. Mais pour les Égyptiens ou les Perses, il faut plus incriminer, sans doute, le manque de relations faciles, qu'un défaut de l'hospitalité athénienne. Les rapports se multiplient au siècle suivant, mais surtout en sens inverse : Platon alla en Égypte, Xénophon alla se battre en Perse, et écrivit la *Cyropédie*.

19. Par un enchaînement édifiant, Athènes a dû son rayonnement au fait qu'elle avait accueilli les intellectuels et les artistes venus d'ailleurs ; elle est ainsi devenue pour des siècles une capitale de l'esprit, ce qui lui a valu, dès lors, d'attirer les étrangers à ce titre.

20. *Paix*, 935-936 ; cf. 998, où il parle d' « indulgence plus douce ».

21. [Lysias] *Contre Andocide*, 34, *Sur l'Invalide*, 7. On trouvera d'autres exemples dans notre livre *La Douceur dans la pensée grecque*, Paris, 1979, au chapitre intitulé « La douceur d'Athènes ».

22. *Les Noces de Cadmos et Harmonie* (trad. fr.), p. 261.

IV

DU DÉBAT DÉMOCRATIQUE A L'ANALYSE INTELLECTUELLE

Si les valeurs de la démocratie athénienne sont si largement passées jusqu'à nous, elles le doivent au fait qu'elles ont été dégagées et décrites, de façon lucide, dans des œuvres littéraires. Mais elles l'ont été grâce aux moyens qu'avait développés l'usage du débat public. La rhétorique, en effet, née au départ d'un souci pratique, servit bien vite à d'autres objets ; et l'habitude même du débat ne fut pas plus tôt instaurée que les auteurs la transférèrent tout droit dans le domaine des idées.

L'instrument forgé pour des fins utilitaires fut dès lors affiné et mis au service d'une réflexion d'ordre général. Et, par un seuil vite franchi, mais décisif dans l'histoire de l'humanité, on passa, dans cette fin du ve siècle athénien, des plaideurs aux penseurs.

Une telle mutation mérite que l'on s'y arrête.

C'est bien pourquoi l'on a, au chapitre précédent, annoncé, puis abandonné, la naissance de la rhétorique. Il est parfaitement vrai — et le témoignage d'Aristote le rappelle — que cette naissance est liée à la démocratie, à l'importance des procès et au rôle pratique de la parole. Mais, apprendre à parler, quand il s'agit de la Grèce ou d'Athènes, c'est aussi apprendre à penser [1].

Dans le principe même, cela se comprend. Il ne faut pas, en effet, se laisser tromper par les connotations modernes du mot « rhétorique » ; et celui-ci ne désigne pas particulièrement les grâces extérieures du langage. Même les figures de style que pratiquait Gorgias — les antithèses, ou les parallélismes entre les mots — ont surtout pour objet d'attirer l'attention, d'éveiller la surprise, de saisir, donc de mettre en valeur l'argument[2]. Et, dans la rhétorique originelle, l'argumentation était bel et bien essentielle.

Or, sur quoi la fonder, cette argumentation ? Cela aussi, les nouveaux maîtres l'enseignaient. Certes ce n'était pas l'art du raisonnement sans faille, tel que devait le définir, une génération plus tard, la dialectique philosophique. Mais c'était un art d'épuiser toutes les justifications d'une thèse. On peut s'en faire une idée en lisant le plaidoyer fictif de Gorgias en faveur de la femme connue pour ses fautes, à savoir la belle Hélène, la femme adultère qui portait la responsabilité de la guerre de Troie. On pouvait bien louer sa naissance ou sa beauté : Gorgias ne manque pas de commencer par là ; mais comment justifier sa conduite ? et comment la dire innocente ? Pour y parvenir, le maître de rhétorique va s'interroger *a priori* sur les causes vraisemblables de cette conduite, puis, pour chacune, se reporter à l'opinion admise selon laquelle, dans ce cas, il n'y a pas de faute. Si c'était la volonté divine qu'Hélène partît avec Pâris, comment aurait-elle pu résister ? Les dieux sont supérieurs aux hommes... et Gorgias continue : « Si elle a cédé à la violence... Si elle a cédé à la parole... Si elle a cédé à l'amour... » Chaque fois, une petite analyse montre que nul ne peut résister à ces diverses pressions. Chaque fois, on se réfère pour le prouver à une idée généralement admise. Chaque fois on déplace la responsabilité ; et Hélène, l'accusée, se transforme en victime.

Certes, le jeu est artificiel. Et ce petit texte est de ceux où cet aspect se voit le mieux. Mais, même sur un tel exemple, quel bel exercice pour l'esprit ! et combien instructif ! Le premier temps implique que l'on découvre les mobiles vraisemblables et que l'on en dresse l'inventaire — pour retenir les plus favorables. Puis, il faut un répertoire correspondant de vérités générales, qui vont depuis le truisme (les dieux sont supérieurs aux hommes) jusqu'aux remarques personnelles (comme le pouvoir de la parole). Autrement dit, une connaissance sur l'homme, placé dans telle ou telle situation, doit être toujours à la portée de l'orateur, et elle doit être aussi étendue que possible. Enfin, dans ces analyses, l'idée même de responsabilité se nuance et mûrit.

Ailleurs, Gorgias plaide (autre plaidoyer fictif) pour un personnage accusé de trahison : à nouveau, les arguments de vraisemblance se multiplient : pourquoi Palamède aurait-il trahi ? Pour de l'argent ? Il en avait...

Le procédé une fois lancé, chacun s'en sert. Les auteurs renchérissent. D'un texte à l'autre, les arguments sont repris, s'échangent. Certains semblent déjà passer des lieux communs du débat judiciaire à l'analyse sérieuse ; des échos surgissent ; des nuances s'établissent.

Voici ainsi un double exemple, qui rapproche un plaidoyer fictif d'Antiphon et un discours de Périclès dans Thucydide. Cet exemple est l'argument de l'enjeu, qui tantôt pousse à éviter les risques et tantôt pousse à les affronter. Antiphon, en effet, dit que les gens heureux ne sont pas portés aux gestes d'audace : ils auraient trop à perdre. C'est là un argument de vraisemblance, pour un plaideur. Périclès, au contraire, dit que les gens heureux (comme les Athéniens) sont prêts à donner leur vie en combattant pour la patrie : ils savent qu'un revers leur coûterait trop cher. Le même argument change donc d'orientation selon les circonstances envisagées ; et il change surtout de rôle, puisqu'il devient, chez Périclès, un des fondements du civisme athénien.

Le client fictif d'Antiphon se défend :

> « J'aurais craint, disent-ils, pour ma richesse et il serait pour cela vraisemblable que je l'aie tué. Mais c'est tout le

contraire ! Seuls les mal lotis gagnent aux bouleversements ; car tout changement a chance de s'appliquer à leur mauvaise situation ; les bien lotis, en revanche, gagnent à rester tranquilles, en préservant leur bonne situation, tout retournement devant les faire passer du bonheur au malheur[3]. »

Mais Périclès proclame :

« Ce ne sont point les gens dont le sort est mauvais qui peuvent de la façon la plus légitime faire bon marché d'une vie où ils n'ont pas de bonheur à attendre : ce sont ceux qui, en continuant à vivre, risquent un revirement de condition, et à propos de qui la différence, en cas d'échec, est la plus grande » (II, 43, 5).

L'invention des arguments, à elle seule, peut donc ouvrir déjà sur la réflexion ; et il y a, entre les deux domaines, une étroite communication.

Mais la rhétorique n'est point seulement cette chasse aux arguments, plus ou moins poussés. Il se trouve en effet qu'à force de plaider une cause ou une autre, on en vient à une technique plus complexe : Protagoras enseigne à confronter non seulement deux plaidoyers, opposés l'un à l'autre, mais deux arguments également contraires, ou mieux encore à retourner un argument, faisant de chaque point faible une force, et inversement.

La part de l'artifice est alors plus évidente encore ; mais la vérité, cependant, y gagne, à travers la rigueur même du raisonnement. Car, si une thèse isolée ou un argument isolé sont par nature partiels et tendancieux, deux thèses ou deux arguments, systématiquement confrontés, représentent comme la somme de ce que l'on peut dire d'un côté ou d'un autre, et par conséquent constituent l'analyse complète d'une question. Rien qu'à voir les deux thèses rangées côte à côte, on prend alors leur mesure : on juge, toutes pièces en mains.

C'est le principe qui préside à tous les procès, mais aussi à toutes les réflexions, à toutes les dissertations, à tous les efforts de jugement dans les domaines où aucune preuve absolue n'est possible. Dès lors, voici la rhétorique devenue moyen d'analyse et art de raisonner !

A Syracuse, elle était née de la multiplication des procès : à Athènes, elle s'est perfectionnée et aiguisée au service de la réflexion théorique.

Brusquement, l'on change de niveau. Et nous pouvons voir dans les textes s'effectuer ce changement.

I. *Du procès d'un homme au procès d'une idée*

Que tout commence par les discours établis en vue de convaincre soit les juges soit le peuple à l'Assemblée se traduit dans l'essor soudain du genre oratoire. Tous les élèves qui, dans tous les pays, pendant des siècles, ont étudié le grec se sont penchés sur ce que la tradition appelle « les orateurs attiques ». Lysias, Isée, Démosthène, Eschine, puis Hypéride et Lycurgue jalonnent cette suite glorieuse de plaidoyers judiciaires ou politiques. Et la renommée d'Athènes était à cet égard si bien établie qu'après l'effacement de son rôle politique, elle demeura un centre culturel, où les Romains désireux de parachever leurs études venaient apprendre la rhétorique — ce qui illustre une fois de plus le lien qui unit Athènes et l'art de la parole.

Or on pourrait aisément montrer comment, à côté de petites querelles de vraisemblances ou de minces débats sur des héritages contestés, la pensée de ces plaidoyers — qu'ils soient judiciaires ou politiques — s'élève souvent très haut. Lysias sait commenter avec force les abus des Trente ; Démosthène sait faire passer un message éternel de dévouement civique et de foi dans la liberté. De lointains souvenirs scolaires suffisent à en rendre chacun conscient.

Mais, sauf Antiphon et Andocide, les orateurs attiques ne nous sont connus que pour le IVᵉ siècle. Et, de toute façon, il est plus saisissant de voir comment, dès le temps de Périclès, et même dans des genres qui n'avaient en principe rien de rhétorique, la littérature du temps porte à jamais le témoignage du rôle joué, dans le développement de la pensée, par le modèle judiciaire[4].

Une des comédies d'Aristophane, *Les Guêpes*, offre une parodie de procès : pour consoler le vieil Athénien qui n'ira plus juger à l'*Héliée*, on lui arrange à la maison le procès d'un chien accusé d'avoir volé un fromage. Il y a là des allusions précises à l'actualité politique ; mais il y a aussi, pour nous, un témoignage sur l'importance des procès. Et cette importance est confirmée. Car des scènes qui se présentent comme des procès, avec deux plaidoyers contradictoires, apparaissent constamment dans les œuvres tragiques ou historiques du temps. Dans l'*Hippolyte* d'Euripide, le jeune homme plaide devant son père, pour tenter d'établir son innocence. Dans *Hécube*, la vieille reine s'est vengée du traître Polymestor en lui crevant les yeux et en tuant ses enfants : longuement, ils plaident chacun leur cause devant Agamemnon, qui les juge. Dans *Les Troyennes*, Hécube accuse Hélène et Hélène accuse Hécube, devant Ménélas, qui doit trancher. De même, si l'on passe à Thucydide, on voit les Corcyréens et les Corinthiens, en deux discours antithétiques, se renvoyer de mutuelles accusations devant les Athéniens qui vont prendre parti. Un peu plus tard, on voit des gens de Platée et de Thèbes s'affronter de même devant cinq juges venus de Sparte (le texte dit bien, à III, 52, 3, *dikastai*). Dans un drame ou un récit, nul n'aurait l'idée, de nos jours, d'introduire ces paires de discours savamment composés en parallèle, selon l'habitude judiciaire qui avait, à Athènes, pris une si grande importance.

Mais ce n'est encore rien à côté de tous les exemples

où ces paires de discours figurent dans des œuvres littéraires, mais sont comme affranchies du modèle judiciaire. Pas une pièce d'Euripide où un tel débat n'apparaisse, traité à fond et longuement. Pas un livre de Thucydide (sauf les livres V et VIII, qui n'ont pas de discours du tout), où l'on n'en trouve plusieurs exemples — là aussi, rigoureux et subtils, avec des arguments se répondant, se retournant, se réfutant...

Il peut être amusant de montrer comment, dans chaque cas particulier, des analyses d'idées surgissent au sein du cadre judiciaire et le font éclater. Même dans les cas qui semblent le plus impersonnels et le plus *a priori*, tout à coup un thème surgit et forme comme une excroissance au sein du plaidoyer[5]. Mais, par-delà ces exemples, on peut surtout retenir la façon dont ces plaidoyers de type judiciaire se chargent d'une valeur générale et deviennent le procès d'une doctrine.

Ce n'est pas toujours le cas.

On trouve, même chez Thucydide, des débats qui sont encore proches du débat judiciaire tel que la rhétorique du temps devait le pratiquer. Quand les Platéens expliquent que, s'ils ont été les alliés d'Athènes, c'est la faute de Sparte qui, auparavant, les avait repoussés, et quand les Thébains répliquent que s'ils ont envahi Platée, c'est la faute de ceux qui, dans la ville, les avaient apelés, quand on les voit citer chacun des formules parallèles pour ces excuses de type facile, on sent le procédé, et l'on n'avance pas beaucoup dans la réflexion politique. De tels échanges font penser à tous ces rejets de responsabilité, alors si fort à la mode ; ils font penser aux longs débats de Périclès avec Protagoras pour savoir si la responsabilité de la mort accidentelle d'un athlète devait revenir au javelot, ou à celui qui l'avait lancé ou aux organisateurs ; ils font penser à ces Tétralogies d'Antiphon où de tels cas sont débattus en quatre petits discours fictifs pour la défense et l'accusation.

Mais il est rare chez Thucydide que l'on s'en tienne là ; et ce n'est jamais que pour un argument parmi d'autres. Presque toujours, la discussion est plus serrée et touche à des réflexions plus originales. Pourtant ce serait une erreur de croire que cette densité accrue corresponde à un rejet des techniques de la rhétorique. Car c'est le contraire qui est vrai. Et ce progrès même ne peut être accompli que grâce au maniement de ces techniques. Parce qu'elles permettent de diviser, de confronter, de chercher, pour chaque argument, ses justifications possibles et ses limites, parce qu'elles obligent même à le faire, chaque problème est discuté avec plus de rigueur et plus de références à l'universel. Le procédé devient comme une algèbre de l'esprit, qui facilite et sous-tend la réflexion. Les techniques de la parole sont des armes pour la pensée.

Les cas, dans Thucydide, peuvent varier ; car, entre un extrême et l'autre, il y a bien des degrés. Les discours peuvent glisser une argumentation de grande portée humaine dans un débat en principe très concret ; ou bien ils peuvent d'emblée ouvrir une grande question. De toute façon, cet aspect de discussion d'ordre général ne cesse de resurgir, quelles que soient les circonstances : les arguments reviennent vers l'idée générale, comme l'aiguille d'une boussole revient vers le nord.

Avant la bataille de Naupacte, au livre II de Thucydide, les chefs des deux flottes, péloponnésienne et athénienne, expliquent à leurs troupes qu'elles doivent l'emporter et pourquoi (II, 87-90). Rien, en principe, ne saurait être plus particulier. Mais expliquer pourquoi la victoire viendra exige de la réflexion. Aucun des deux ne se contente de dire « Nous vaincrons parce que nous sommes les plus forts ». Ils analysent : en quoi, plus forts ? Ils dégagent chacun un ou plusieurs avantages ; et, pour qu'ils puissent se comparer, chacun leur donne une forme générale, et remonte au principe : finalement, ce qu'ils soutiennent est d'ordre théorique : ce qui compte est-il la vaillance naturelle (qui appartient de tradition à Sparte) ou l'expérience du combat naval (qui appartient à Athènes) ; autrement dit : quel est le rapport du courage et du savoir ? Ce problème a passionné aussi Platon ; il peut se poser en tous les temps. Il gagne en précision à être débattu de façon si serrée — et aussi à se dégager d'un cas concret, pour recevoir ensuite d'un récit également concret les diverses confirmations ou rectifications de l'expérience pratique.

On pourrait relever, même dans cette paire de discours, d'autres problèmes de portée générale, soulevés par l'argumentation [6]. Mais on peut aussi citer des débats dont le principe même est consacré à de tels problèmes. Ainsi lorsque deux Athéniens, Cléon et Diodote, discutent pour savoir s'il faut maintenir le très dur châtiment prévu envers la ville de Mytilène, après sa révolte contre Athènes. Il y a bien entendu des remarques sur la situation particulière de Mytilène et les conditions de sa révolte (surtout dans le discours de Cléon) ; mais elles ne sont examinées qu'en fonction d'une politique valable pour l'ensemble de l'empire, et elles sont interprétées par des références à la psychologie humaine en général.

Ce ton frappe dès le début du discours de Cléon. Il est hostile à une révision de la décision prise la veille ; mais les termes pour le dire vont tout droit à l'abstrait. « Souvent déjà, j'ai eu l'occasion de constater que la démocratie est un régime incapable d'exercer l'empire, mais jamais autant que dans votre revirement présent au sujet de Mytilène » : d'emblée, le cas discuté est tenu pour l'exemple d'un phénomène plus large ; et le débat devient théorie.

Puis, Cléon plaide pour le châtiment dur, parce qu'il est mérité, mais surtout parce qu'il sera un exemple. Il s'agit d'une politique d'ensemble, et, par suite, de théorie. D'autre part, le problème politique se double d'un aspect moral, quand Cléon dénonce le danger menaçant les cités qui règnent sur d'autres, si elles cèdent « aux trois sentiments les plus nuisibles à l'empire — la compassion, le plaisir de l'éloquence, la clémence » (III, 40, 2). Le réalisme de Cléon lie une certaine politique de sévérité aux exigences morales du pouvoir.

En face de lui, Diodote développera l'inefficacité de la menace pour prévenir le mal. Et ce sera une analyse plus générale encore, qui viendra étayer son idée ; on ne peut, en fait, en imaginer de plus générale :

> « La nature veut que tous, particuliers et États, commettent des fautes, et il n'est pas de loi qui l'empêchera, puisqu'on a parcouru l'échelle des peines en les aggravant, pour avoir moins à souffrir, si possible, des criminels. Il est vraisemblable qu'autrefois, pour les plus grands crimes, elles étaient prévues plus douces, mais, comme on les bravait, avec le temps, la plupart ont abouti à la peine de mort ; et ce risque même est bravé. Par conséquent, ou bien il faut trouver une peine plus redoutable encore, ou bien celle-ci, en tout cas, n'arrête rien : la pauvreté qui, par la nécessité, inspire l'audace, la grandeur qui rend insatiable par démesure et par orgueil, les diverses conjonctures qui interviennent par l'effet des passions humaines, en étant régies chaque fois par quelque force irrépressible, tout pousse au risque » (III, 45).

La partie citée suffirait pour montrer l'extraordinaire généralité de l'argumentation ; et l'on pouvait songer à s'arrêter là. Mais l'analyse gagne à se poursuivre ; car tout intervient, en une sorte de réflexion globale sur les erreurs humaines et leurs mécanismes :

> « Brochant sur le tout, le désir et l'espérance, l'un ouvrant la route et l'autre suivant, l'un imaginant l'affaire tandis que l'autre promet tout bas la faveur du sort, causent les plus grands dommages et, dans leur action cachée, sont

> plus forts que les dangers visibles. Le hasard, qui s'y ajoute, ne contribue pas moins à l'entraînement : comme il donne parfois son appui contre toute attente, il incite les gens à se risquer même avec des moyens inférieurs, surtout s'il s'agit d'une cité, dans la mesure où sont alors en jeu les plus grands intérêts — la liberté et l'empire — et où, uni à la communauté, chacun se surestime follement. Bref, il est impossible — et bien naïf qui se l'imagine — que la nature humaine, quand elle tend ardemment vers une action, en soit détournée par la force des lois ou quelque autre menace » (III, 45).

De ces considérations si amples et d'une portée si générale, Diodote tire la conséquence pratique : il faut, si l'on ne peut empêcher les rébellions imprudentes, obtenir au moins des retours à la raison aussi rapides que possible, et s'appuyer partout sur les éléments encore favorables à Athènes. La décision relative à Mytilène se fonde donc sur une théorie relative à l'empire, laquelle se fonde à son tour sur une théorie relative à l'homme.

Entre les deux discours, ainsi étroitement confrontés, il y a des relations de détail étroites et subtiles : elles avaient naguère retenu l'attention de Louis Bodin, qui ne se lassait pas d'admirer ces savants mécanismes ; mais il y a aussi, grâce à cette subtilité même, une réflexion poussée sur les problèmes de la répression en général. Et, en face d'une théorie simple, on voit s'élaborer une analyse approfondie, qui va beaucoup plus loin.

On peut ajouter un détail, qui n'est pas sans portée. On aura remarqué en effet que Cléon rangeait « le plaisir de la parole » parmi les tentations dangereuses. Il avait auparavant parlé des publics installés à écouter les sophistes. Son attitude peu nuancée correspond de façon avouée à un refus du débat, tel que le pratiquait la rhétorique. Au contraire, Diodote loue la parole et montre que les soupçons comme ceux de Cléon sont ce qui détourne des orateurs d'intervenir utilement. La thèse la plus fouillée est ainsi celle qui se réclame du débat ouvert. Et, allant plus loin, Diodote précise le but de ces débats. Ce n'est pas simplement, comme le pense Cléon, une affaire de culpabilité et de rétorsion : il s'agit de lucidité politique, d'*euboulia.* « Je peux démontrer qu'ils sont pleinement coupables sans réclamer pourtant leur mort, si tel n'est pas notre intérêt ; je peux même leur reconnaître un droit à l'indulgence : tant pis, si tel n'est pas le bien de la cité. Je pense que nous délibérons sur le futur plutôt que sur le présent » (44, 2-3). Dans les termes mêmes, c'est reconnaître que l'on est passé du niveau des plaidoyers à celui de l'analyse théorique, capable de prévoir l'avenir.

Le même changement de niveau s'observe chez Euripide.

Chez lui aussi certains débats s'élèvent assez peu au-dessus des exercices d'école commandés par le souci du tribunal. C'est ainsi qu'Hippolyte, pour nous tout auréolé de la poésie qui s'attache à sa pureté et à sa ferveur, ne trouve pas mieux pour prouver à son père qu'il n'a point tenté de séduire Phèdre, que de recourir aux vraisemblances à la mode : « A toi donc de montrer comment je me suis laissé corrompre. Son corps l'emportait-il en beauté sur toutes les femmes ? Ou avais-je conçu l'espoir d'être maître chez toi en acquérant le lit d'une héritière ? » (1008-1011). Les procédés de Gorgias sont ici appliqués dans toute leur sécheresse[7]. Mais, comme pour Thucydide, il est bien rare que l'on s'en tienne là, et ce n'est jamais que pour un argument parmi d'autres. Chez Euripide aussi, l'art du débat approfondi mène à une réflexion plus dense. Et ceci est d'autant plus remarquable que le théâtre et l'action ne sont pas *a priori* le lieu idéal pour de telles méditations.

Comme pour Thucydide, on peut citer soit le surgissement de l'analyse dans un débat concret, soit la discussion générale posée d'emblée comme telle.

Pour le premier cas, voici *Les Troyennes* : on est dans le cadre d'un procès — celui de la belle Hélène. Et l'on y trouve toutes les ressources de la rhétorique du temps. Ainsi Hélène dit : tout est arrivé par la faute d'Hécube qui, à l'origine, a donné le jour à Pâris ; ou bien elle accuse Ménélas, qui est parti laissant Pâris chez lui ; ou bien elle demande : « Dans quelle pensée l'aurais-je fait ? » (946). Tout cela entrecoupé des tours de l'avocat qui plaide, les « soit », les « où sont les témoins ? »... Nous sommes, ici encore, proches de Gorgias. Mais en rejetant la responsabilité sur les dieux, Hélène s'attire une réponse très forte d'Hécube ; d'abord celle-ci critique — au nom de la vraisemblance, justement ! — la tradition même du jugement de Pâris[8] ; et puis elle s'en prend au principe de ce que l'on pourrait appeler l'alibi divin : « Mon fils était d'une rare beauté et c'est ton propre esprit qui, à sa vue, est devenu Cypris. Les folies impudiques sont toujours Aphrodite aux yeux des humains » (987-989). Voici donc que toutes les excuses mettant en cause les dieux sont balayées au profit d'une analyse psychologique tout à fait réaliste. Par-delà les jeux sur les diverses responsabilités individuelles, que les plaideurs se renvoient les uns aux autres, toute la question de la responsabilité humaine surgit ici dans la protestation d'Hécube.

Était-ce pour briller dans l'art si apprécié des débats judiciaires — et pour briller justement à propos d'Hélène[9] — qu'Euripide a introduit tout cet épisode dans sa tragédie ? Ou bien était-ce pour cette protestation même, qui mettait en lumière le jeu des passions humaines ? En tout cas, l'on passe soudain, et pour un bref moment, du jeu intellectuel au débat philosophique.

Mais il arrive aussi que, dès le départ, le débat vise haut, et ne s'en cache pas. On peut citer à cet égard l'exemple des *Phéniciennes*. Le sujet en est la lutte entre les deux fils d'Œdipe. Or Euripide a placé au cœur de la pièce un débat — naturellement ! — dans lequel ils s'affrontent tous deux devant leur mère. La pièce fut jouée à Athènes dans une période où des ambitions rivales menaçaient d'entraîner une guerre civile, alors que la cité était engagée dans la guerre extérieure. Et voici les deux frères. Vont-ils faire valoir leurs droits respectifs ? On le dirait, à voir le sage début du premier. Mais, parce qu'il a parlé de partage, le second soudain s'enflamme : il avoue son ambition, son culte de la Souveraineté, « de toutes les divinités la plus grande » (506) ; et il refuse de rien céder. « Quand je puis commander, serai-je son esclave ? » Et, du coup, un autre débat s'engage ; car ces propos sont aussitôt critiqués par Jocaste ; de juge elle devient partie, en même temps que l'affrontement entre les deux hommes devient conflit entre deux thèses. Ce n'est pas Étéocle contre Polynice : les discours traitent de l'harmonie commune opposée à l'ambition, et de l'égalité opposée à la Souveraineté. Là encore, il vaut la peine de citer le passage un peu longuement, car on y voit comment soudain la pensée se généralise, comment l'univers lui-même est évoqué à propos d'une querelle entre deux frères, et comment les arguments et explications de détail s'effacent devant une grande pensée :

> « A la pire des divinités, l'Ambition, pourquoi t'attacher, mon enfant ? Ah ! n'en fais rien ! C'est une déesse sans justice. Dans bien des maisons et des cités heureuses son entrée et son départ ont fait la perte de ses fidèles. C'est elle qui te rend fou. Mieux vaut, mon enfant, honorer l'égalité, qui pour toujours attache les amis aux amis, les cités aux cités, les alliés aux alliés. Car l'égalité est pour les humains un principe de stabilité, tandis que contre le mieux pourvu le moins bien partagé entre toujours en guerre et donne le signal des jours d'inimitié. C'est l'égalité qui a fixé aux humains les mesures et les divisions des poids ; c'est elle qui a défini le nombre ; la nuit à la paupière obscure et la clarté du soleil suivent d'un pas égal le cercle de l'année,

sans qu'aucun des deux en veuille à l'autre de sa victoire. Et quand le soleil et la nuit sont asservis à la mesure, ne supporteras-tu pas, toi, d'accorder à ton frère une part d'héritage égale à la tienne ? Où est alors la justice ? » (531-549).

Cette tirade dans laquelle se rompt l'équilibre du débat rejoint un des grands problèmes que l'on discutait alors, sous l'angle moral, à Athènes ; Calliclès, dans le *Gorgias* de Platon, exalte l'ambition comme l'Étéocle d'Euripide ; et Socrate lui oppose la justice comme ici Jocaste à Étéocle. Il rejoint en même temps une question d'actualité politique à Athènes : c'est l'époque où, sous la menace des guerres civiles, naît un idéal de concorde, ou *homonoia.* Et l'importance de ce thème est renforcée dans la pièce d'Euripide par le fait qu'une scène suivante montre le jeune Ménécée acceptant la mort pour assurer le bien commun. Or on peut fort bien imaginer une tragédie qui aurait montré tout cela sans entrer dans un de ces débats théoriques, ni s'élever aussi haut dans la prédication abstraite : l'habitude des plaidoyers contrastés, soutenus par l'art de la rhétorique, a suscité ici ce morceau philosophique, qui part des données mythiques, mais rejoint l'expérience du jour, et qui, tout en adhérant de près à cette expérience, la transcende résolument, pour devenir une analyse intemporelle.

On arrive ainsi à ce résultat paradoxal que l'émotion, ici, passe par l'abstrait. Jocaste voit ses deux fils prêts à s'entre-tuer, et elle souffre, déchirée ; dans le même temps, Euripide voit ses concitoyens prêts à ruiner leur patrie dans leurs querelles ambitieuses ; et son tourment est assez fort pour pénétrer les données du mythe et les transformer. Mais, là, contrairement aux habitudes d'autres époques, ce tourment ne se traduit pas en plaintes particulières et en allusions au présent : il s'exprime en un plaidoyer abstrait, tendu, philosophique, qui est d'autant plus poussé et raisonné qu'il se veut plus convaincant. L'analyse sert la passion.

Il en allait de même avec Thucydide : croirait-on qu'un homme qui écrit l'histoire de la grandeur et de la chute d'Athènes ait pu rester indifférent à ces débats, où se jouait le sort de l'empire ? Simplement, cet intérêt passionné stimulait sa réflexion et, par là, éveillait le nôtre.

Partis du débat judiciaire et de ses habiletés, les hommes d'alors se sont emparés de ses ressources pour interroger obstinément le destin dans lequel ils se débattaient, et tâcher, dans la clarté des idées, d'en élucider les secrets. Ils devaient le faire constamment, entre eux, dans les rues, à l'Assemblée, ou dans le silence de la méditation individuelle. De cette atmosphère, nous n'avons que des témoignages fragmentaires ; mais les deux principaux auteurs du temps sont, dans des genres bien différents, les témoins de cet irrépressible mouvement de conquête par l'esprit.

II. *Des discussions de l'Assemblée à la philosophie politique*

Les deux exemples cités prouvent au reste que cette conquête s'exerçait volontiers dans le domaine de la pensée politique. Comment s'en étonner ? Si les procès occupaient le peuple au tribunal, les thèmes qu'il entendait traiter à l'Assemblée étaient tous relatifs aux décisions d'ordre politique. On vient de voir la question du châtiment à donner à Mytilène : elle avait été, effectivement, l'objet d'un débat à l'Assemblée ; et l'on vient de voir la défense de l'égalité contre les aspirations à la tyrannie : elle était, de toute évidence, un des soucis constants évoqués par les orateurs. Si le tribunal fournit un entraînement à la discussion, l'Assemblée tourne les esprits vers certains thèmes privilégiés.

Pourtant, à peine a-t-on dit cela qu'un premier élargissement saute aux yeux : la politique dont il s'agit dans nos textes ne se limite déjà pas à un cadre pratique et utilitaire. Pour les auteurs du ve siècle athénien, la politique et la morale font un tout.

On ne saurait dire ce qu'il en était dans les discours réellement prononcés, à cette époque, devant le peuple : peut-être simplifiaient-ils ; mais qu'il s'agisse des discours recomposés par Thucydide ou des débats de tragédie, toujours le moral et le politique sont entrelacés : on nous parle, ici, de la faute et des sentiments qui la suscitent, là des mérites du partage, opposés aux tentations de l'ambition. Ce ne sont que deux exemples ; mais on retrouverait le même trait partout. Aristophane, qui multiplie les allusions à une actualité précise, les mêle à de grandes idées sur la paix ou sur l'entente des Grecs, voire à des réflexions sur la nouvelle éducation ou sur la vie sage. Et l'on trouve côte à côte, dans la liste des œuvres de Protagoras, un traité « Sur la constitution » et « Sur l'ambition. » On retrouvera cette association, de manière éclatante, chez le pur philosophe qu'est Platon. Elle est éminemment grecque.

Aussi bien, les vrais discours que nous possédons pour le IVe siècle présentent-ils la même tendance à l'élargissement vers la morale : l'éloquence de Démosthène résonne, on le sait, de superbes envolées sur ce que doit être l'homme politique, ou le citoyen, sur ce que doivent représenter dans les choix d'Athènes, une tradition de liberté ou le sens de la gloire. Le débat politique, à Athènes, est toujours une réflexion sur les fins de la politique. Et c'est pourquoi les textes de ce temps gardent tant de présence et de valeur formatrice pour les jeunes et les moins jeunes, à vingt-cinq siècles de distance.

Ce premier élargissement qui combine, dès l'abord, politique et morale, en laisse pressentir d'autres, dans les thèmes mêmes qui sont alors abordés par tous. Pour chaque problème discuté, les méthodes de la rhétorique contribuent à nourrir et à aiguiser l'analyse ; mais, pour chacun, on voit aussi la question, née au ras des débats quotidiens, s'en affranchir pour prendre une portée largement universelle.

On aurait pu, partant de Thucydide et d'Euripide, choisir le thème de l'impérialisme, qui est aussi celui de la souveraineté. L'on aurait alors vu se dessiner, par-delà les problèmes immédiats de la guerre, de la répression, ou de telle expédition de conquête, l'image quasiment abstraite d'un pouvoir extérieur reposant sur la force et conduit par là à user de plus en plus de cette force, au risque de s'aliéner tous les autres peuples. On aurait même vu se dresser dans Athènes, en face de cette analyse de l'empire, l'image opposée d'une union et d'une autorité fondée sur la sympathie et le dévouement. On aurait pu à cet égard citer Aristophane et Isocrate. Et l'on aurait ainsi reconnu l'analyse, continuée en un long dialogue, de l'impérialisme en tant que tel — de l'impérialisme qui, toujours, obéit à certaines poussées intérieures et se heurte à certains risques, inhérents à sa nature. Pour éviter de sembler favoriser ce thème, on peut recourir à des exemples différents : on en retiendra deux, qui, empruntés à la politique intérieure, sont — parmi bien d'autres — caractéristiques de cet élan vers l'universel. A la différence du débat sur l'empire, ils ne s'appuient pas sur des questions débattues à l'Assemblée : ils se situent par-delà, et relèvent déjà de ce qui est pour nous la philosophie politique.

Le premier est l'éducation. L'Assemblée n'avait pas à en discuter, puisque l'État n'y jouait alors aucun rôle. Les orateurs devaient seulement y faire allusion, soit à propos des mœurs nouvelles, soit dans des attaques personnelles[10] : une fois l'enseignement des sophistes mis à la mode, il ne devait pas manquer de pointes réciproques, parmi les ténors de l'Assemblée, entre les représentants du bon vieux temps et ceux des milieux éclairés. Mais ce que nous voyons, nous, hors de l'Assemblée, dans les textes qui nous sont restés, est une série d'analyses, où chaque auteur va tout au fond, posant directement les problèmes les plus théoriques et les plus éternels.

Il y avait eu une nouveauté avec les sophistes ; et, tout de suite, la question posée est : éducation intellectuelle ou bien sport et formation morale. Aristophane consacre toute une pièce — *Les Nuées* — à en débattre ; et il instaure une joute oratoire en forme entre l'ancienne éducation et la nouvelle. Imaginons-nous aujourd'hui, après tant de siècles de réflexion et d'écrits accumulés, une pareille contestation dans une comédie ? Nous imaginons à la rigueur un spectacle comique illustrant le problème en montrant des jeunes formés par une éducation ou bien par l'autre. Mais faire parler les deux éducations elles-mêmes est une autre affaire ! De plus, dans les plaidoyers que leur prête Aristophane, tout entre en question : la justice contre l'habileté, les vertus contre la réussite, la discipline contre l'individualisme...

C'est déjà là pousser très loin la réflexion abstraite. Mais le saut est plus saisissant encore ; car voici tout de suite, dans Athènes, la question théorique préliminaire qui est jetée en avant, délimitée, dégagée : la vertu s'enseigne-t-elle ? Est-elle affaire d'hérédité, de leçons, d'habitude ? Et cette question n'est point seulement débattue par des philosophes (on sait qu'elle hante plusieurs dialogues de Platon, sans parler des remarques des sophistes ou de Démocrite) : elle est évoquée dans Euripide, à plusieurs reprises et dans les moments les moins appropriés ; elle figure dans son œuvre une bonne dizaine de fois ; elle se retrouve dans la double analyse du courage (inné ou appris) que font les chefs au livre II de Thucydide ; elle est longuement reprise, une génération plus tard, par Isocrate. Tout le monde s'y met ; et, chez tous, on reconnaît les mêmes termes, clairement délimités dans leur abstraction : nature-enseignement. Dans cette suite de textes, chacun ajoute une nuance, varie le rapport des termes. Mais le débat garde sa continuité et son unité — cela parce que d'emblée il a été placé à un niveau abstrait et universel, accessible à tous et adaptable à tous les cas. Pour cette raison aussi, il est resté actuel.

Il y a eu des voies latérales et des questions annexes : chaque fois, ces questions ont été posées avec la même netteté conceptuelle et la même rigueur abstraite. Ainsi pour la question de l'éducation intellectuelle ou bien physique, avec les thèses d'Aristophane s'en prenant aux méfaits de l'intellectualisme et celles d'Euripide s'en prenant aux excès du sport. Ainsi encore du rôle de l'entraînement pratique à côté du cours théorique : en formulant les choses sous cette forme, on semble viser telle querelle contemporaine d'horaires à l'Université ; mais c'est en fait bel et bien la question qu'avaient su dégager les Grecs du ve siècle : elle est dans Euripide avant de surgir à nouveau chez Isocrate et Aristote. Ces débats ont été étudiés ailleurs[11] : on ne les rappelle ici que pour ce que révèle leur principe même. Car, occupés d'en suivre les aspects divers et de restituer soit des positions individuelles soit une progression dans le temps, nous oublions le plus souvent de nous étonner des termes eux-mêmes et de la netteté lucide avec laquelle ils sont, une fois pour toutes, posés et confrontés.

Cette netteté n'empêche en rien la complexité ou les nuances : au contraire elle les facilite. Elle fournit simplement le langage commun qui permet aux impressions de devenir des idées et de prêter à la discussion.

Parmi les complexités et les raffinements que permettait cette définition du problème de l'éducation figure le rôle de la cité. Il est évoqué par Thucydide ; il est analysé par Protagoras ; il prend une précision nouvelle chez Aristote, avec l'idée du lien entre l'éducation et le régime. On constate en effet que tout débat concernant la vie des citoyens se rattache, pour les Grecs, au régime politique — qui sera, pour cette raison, notre dernier exemple.

Il est révélateur pour deux raisons.

D'abord, nous disons aujourd'hui « le régime », « la constitution » : ces mots ne sont grecs ni l'un ni l'autre. Les Grecs disaient *politeia.* Mais quand ils consacraient un ouvrage à la *politeia* de telle ou telle cité, ils ne décrivaient pas, comme nous le ferions, un texte officiel : ils décrivaient une façon de vivre, dans laquelle tout se tenait — les pouvoirs, mais aussi les mœurs, les pratiques, les valeurs. Cette idée a été bien illustrée dans le livre de J. Bordes, *Politeia dans la pensée grecque jusqu'à Aristote*[12]. Elle y étudie des textes du ve et du IVe siècle, en particulier les trois traités : « Constitution des Athéniens » du Pseudo-Xénophon, « Constitution des Lacédémoniens » de Xénophon, et « Constitution d'Athènes » d'Aristote[13]. Or il semble bien qu'il y ait là, de la part des Grecs, une autre preuve de cette ouverture, qui fait qu'ils voient toujours un ensemble, avec la parenté reliant entre eux des éléments *a priori* indépendants. Nous avons appris, depuis, à reconnaître qu'en effet les gens qui vivent dans un État socialiste ou conservateur, collectiviste ou individualiste, n'auront pas la même façon d'élever leurs enfants, de se marier, ou de commercer. L'extension donnée par les Grecs au mot *politeia* correspondait à une réalité que nous redécouvrons.

Mais, si le mot désignant la constitution offre ainsi une valeur large, et un peu floue, qui explique pour une part son abandon dans nos langues modernes, il se trouve que les divers régimes, au contraire, portent encore des noms grecs, dus au fait que les Grecs en ont défini le principe, une fois pour toutes — peut-être même avant d'employer pour la notion en général le terme de *politeia.* Démocratie et aristocratie, oligarchie, monarchie, tyrannie sont autant de mots grecs, dont la définition remonte à l'Athènes du ve siècle, et qui, dégageant une idée abstraite, restent utilisables de nos jours[14].

On fait en général partir de la fin du VIe siècle le début d'une classification des régimes politiques fondée sur l'élément au pouvoir[15]. Le premier texte où elle apparaît en toute clarté est la discussion qu'Hérodote introduit au livre III de son histoire (80-82) et dans laquelle les conjurés perses, après avoir massacré les Mages, discutent sur le gouvernement à établir. Or il y a trois discours, relatifs à trois régimes, qui se définissent par l'élément au pouvoir. S'il s'agit d'une seule personne, c'est la « monarchie » ; s'il s'agit d'un petit groupe, c'est l' « oligarchie », qui est aussi le pouvoir des meilleurs (ou *aristoi*) ; s'il s'agit de tous les citoyens, c'est le règne du *dèmos* ou égalité des droits *(isonomiè)* ; ailleurs, le même Hérodote emploie pour lui le nom de « démocratie », que l'on venait de former, pour désigner cette réalité nouvelle.

Cet effort de classement et de mise en ordre représente une conquête étonnante. Mais cette conquête même n'est rien à côté de l'effort d'analyse qui soudain se propage dans la pensée grecque à propos des mérites respectifs de chacun. Et ici l'on retrouve l'apport de la rhétorique, et de l'art de plaider une cause sous deux aspects contradictoires. Le texte d'Hérodote en est une preuve éclatante.

Sa composition est en effet la suivante.

Un premier discours, celui d'Otanès, montre longuement les défauts et inconvénients du pouvoir d'un seul, puis conclut en faveur du régime populaire. Après lui, Mégabyze montre longuement les défauts et inconvénients du pouvoir populaire, puis conclut en faveur du pouvoir des meilleurs. Enfin, Darius revient au régime monarchique, supérieur à ses yeux aux deux autres.

Chacun des trois régimes aura donc eu son plaidoyer

pour et son plaidoyer contre — la conclusion du débat revenant à son point de départ, pour opposer les vertus de la monarchie à ses défauts, par lesquels tout avait commencé.

Étrange débat, avec sa forme rhétorique raide, mais rigoureuse, et son argumentation tout abstraite, ne reposant que sur des analyses générales. Il va de soi qu'il est bien déplacé dans la bouche de ces grands personnages perses, en 522 avant J.-C. ! Mais où donc Hérodote en a-t-il pris le modèle ? On aimerait savoir si c'est en Ionie, ou s'il en a eu l'idée plus tard, à Athènes... Quoi qu'il en soit, le texte combine admirablement les deux tendances distinguées ici : découverte des discussions où la rhétorique sert à l'analyse, argument contre argument, et découverte des grands problèmes politiques commandant la vie quotidienne.

Il s'en dégage clairement un double point de départ : l'idée de trois régimes possibles, classés de façon abstraite, et l'idée d'une comparaison en vue de trouver le meilleur régime possible.

A partir de ce double point de départ, tout devenait possible. Et la recherche du meilleur régime possible donna lieu à bien des réflexions. On a déjà cité, à propos de la démocratie, la façon dont Euripide, dans la tragédie des *Suppliantes,* ouvre une discussion sur les mérites comparés de la tyrannie et de la démocratie. Le héros thébain expose les défauts et les inconvénients de la démocratie : Thésée expose ses mérites, puis critique la tyrannie [16]. L'analyse est plus nuancée et plus émue que celle d'Hérodote, mais c'est le même type et le même cadre de discussion.

Au cours de ces comparaisons critiques, il arrive que les critères se précisent. Si l'un fait l'éloge de la démocratie et que l'autre en fasse la critique, c'est peut-être qu'il existe une bonne et une mauvaise forme de ce régime, ou bien d'un autre. Et voici qu'ici encore, la tendance à la généralité intervenant une fois de plus, les auteurs tentent de remonter au principe. Peut-être le régime est-il bon quand le souverain respecte les lois, et autrement non ? Peut-être est-il bon quand ce souverain prend pour but le bien commun ? Ainsi se dégagent peu à peu des règles...

Et l'on assiste alors à un échange surprenant. Car à force de plaider et de chercher les critères, on est amené à retoucher la fameuse division en trois. Elle avait été adoptée très largement ; et on la retrouve dans des auteurs divers [17] ; mais elle subit, chez les uns ou chez les autres, des modifications [18].

D'abord chacun, découvrant le malentendu possible, en vient à dédoubler un régime. La bonne monarchie s'oppose à la mauvaise tyrannie, la bonne aristocratie à la mauvaise oligarchie. On trouve cinq régimes puis six. La démocratie donne du mal. On peut lui être assez attaché pour la laisser dans les bons régimes et l'opposer à la mauvaise « ochlocratie » ; on peut aussi lui donner un mauvais rôle et lui préférer un régime « constitutionnel ». D'une façon ou de l'autre, le schéma initial subsiste, mais s'étoffe.

D'autre part — et le dernier exemple, qui vise le régime « constitutionnel » d'Aristote, en est un signe manifeste —, il en est qui cherchent un régime ayant les qualités mais non les défauts du modèle théorique, et qui, par suite, envisagent des formes mixtes, où se combineraient deux modèles. Dès 411, on voit surgir à Athènes l'idéal de la « constitution des ancêtres », une démocratie, si l'on peut dire, moins démocratique que celle qui régnait alors. Thucydide loue l'essai qui fut fait en ce sens et qui était, d'après lui, « un mélange modéré entre le petit nombre et la masse » (VIII, 97, 2). Et Aristote souhaite un régime si mêlé que l'on puisse l'appeler aussi bien démocratie qu'oligarchie [19]. On aboutit ainsi au grand théoricien de la constitution mixte, qui en découvre le modèle dans la constitution de Rome, à savoir Polybe. Polybe s'est inspiré de l'exemple romain ; Cicéron devait partager ce goût du mélange.

Mais alors, demandera-t-on, que reste-t-il donc de ce classement tout abstrait, si vite dépassé et si loin des faits ? Précisément, il demeure l'armature de toute la pensée politique, et cela parce qu'il était abstrait et loin des faits.

Tout le progrès de la réflexion, toutes les retouches, tous les correctifs, sont nés de cette confrontation des modèles. Tout nouveau régime a été défini en fonction d'eux et à partir des critiques auxquelles le caractère abstrait des modèles donnait une portée plus large et plus universelle. Et c'est encore en fonction de cette analyse première que chacun a défini sa pensée.

Qu'il s'agisse de louer le plus particulier et le plus complexe des régimes, celui de Rome, c'est bien de là que part Polybe :

> « Il se trouve que la plupart des auteurs qui entendent nous donner un enseignement systématique de ces matières disent qu'il y a trois sortes de constitutions, qu'ils appellent l'une royauté, une autre aristocratie, la troisième démocratie. Mais je crois qu'il serait tout naturel de leur poser une question supplémentaire : nous présentent-ils ces constitutions-là dans l'idée que ce sont les seules, ou même que ce sont les meilleures ? Dans les deux cas je crois qu'ils se trompent. En effet il faut évidemment tenir pour la meilleure une constitution composée de tous les types caractéristiques que j'ai mentionnés » (VI, 3, 5-7).

Aussi bien, toute la réflexion politique, même dans les temps modernes, retourne spontanément au cadre du ve siècle av. J.-C. Témoin Montesquieu, qui ouvre le deuxième livre de *L'Esprit des lois* par ces mots :

> « Il y a trois espèces de gouvernements : le républicain, le monarchique et le despotique. Pour en découvrir la nature, il suffit de l'idée qu'en ont les hommes les moins

> instruits. Je suppose trois définitions, ou plutôt trois faits : l'un que " le gouvernement républicain est celui où le peuple en corps, ou seulement une partie du peuple a la souveraine puissance ; le monarchique, celui où un seul gouverne, mais par des lois fixes et établies ; au lieu que, dans le despotique, un seul, sans loi, entraîne tout par sa volonté et par ces caprices ". »

Un des régimes grecs a ici disparu[20]. Seule la monarchie, alors en place, est divisée en deux. Mais on retrouve le chiffre trois des débuts, comme aussi la définition des régimes par l'élément souverain, et le critère qui distingue bons et mauvais régimes : l'auteur moderne pense de façon neuve et s'adapte à son temps, mais l'instrument dont il se sert et la base dont il part remontent aux Grecs du ve siècle av. J.-C.

*

Il peut paraître un peu absurde que, dans un chapitre consacré aux débuts de la pensée théorique au cours de ce ve siècle av. J.-C., on en vienne à citer et Polybe et Montesquieu : la faute en est à cette universalité de la pensée grecque d'alors qui, aussitôt, se communique, s'étend, s'adapte, à travers les temps et les pays.

Mais, encore une fois, le fait même de cette propagation est bien connu et notre objet n'est pas d'y revenir : il s'agit ici de l'expliquer, de définir les caractères qui en rendent compte et de remonter jusqu'aux circonstances et aux tendances qui l'ont suscitée. Autrement dit, la survie des modes de pensée d'alors ne doit être considérée que comme une sorte de confirmation de l'analyse donnée ici.

Cette analyse — encore un mot grec, et qui prend dans Aristote la signification intellectuelle qu'il a encore aujourd'hui ! — révèle l'existence d'un seuil soudain franchi, qui libère alors la faculté de dégager idées et raisonnements, d'en faire le tour et de trouver les points de jonction : il est impossible de ne pas mettre cette faculté en relation avec l'essor de la discussion publique, réclamée par le régime démocratique et rendue possible par la rhétorique.

Cet essor commence avec la réflexion politique, qui fuse de tous côtés. Mais en même temps qu'elle, naissent aussi des genres littéraires autres que le genre oratoire, et des œuvres diverses qui profitent des découvertes récentes. L'un de ces genres en est encore tout proche : c'est l'histoire. C'est pourquoi, dans cet essor multiple, c'est par elle que l'on commencera.

NOTES DU CHAPITRE IV

1. Il serait absurde de dire que la pensée n'existait pas avant le ve siècle : les présocratiques suffiraient à ridiculiser cette idée. Mais on entend ici une pensée s'adressant à tous et ouverte au débat, c'est-à-dire une pensée discursive et fournissant des preuves.

2. C'est ainsi que les emploie Thucydide.

3. Première Tétralogie, § 9 (notre traduction).

4. Cf. ci-dessous, chap. VII, p. 243, avec la note.

5. Nous avons tenté cette démonstration, dans une conférence faite à l'Académie d'Athènes sous le titre « La démocratie athénienne et les grandes œuvres du Ve siècle av. J.-C. » (7 mai 1991). Les exemples étudiés étaient les trois « procès » cités plus haut pour Thucydide, et, pour Euripide, *Hippolyte, Les Suppliantes* et *Les Phéniciennes*.

6. Par exemple, le rapport qui existe entre l'expérience navale et le besoin d'un large champ : ce problème éclaire, dans la suite, tous les autres combats sur mer.

7. Hippolyte décrit la vie qu'il aime, évoque ses goûts, prête serment : et la pauvreté de son argumentation a elle-même un sens, suggérant l'impossibilité où il est, lui innocent, de prouver son innocence.

8. « Comme si, en restant tranquillement dans le ciel, elle n'aurait pas pu te transporter à Ilion, avec toute la ville d'Amyclées » : cet argument est à la fois la reprise d'un argument de vraisemblance digne des sophistes, et une critique des mythes, qui peut aller loin.

9. Il y reviendra dans une autre tragédie, qui s'appelle, cette fois, *Hélène* et dans laquelle l'héroïne n'a jamais été à Troie. Cf. notre étude « La belle Hélène et l'évolution de la tragédie grecque », *Les Études classiques*, 56 (1988), p. 129-143.

10. Sans parler des procès politiques, on voit ainsi, rien que dans Thucydide, des allusions au rôle des sophistes (chez Cléon) ou au rôle de la cité (chez Archidamos et chez Périclès) ; pourtant, on le sait, Thucydide laisse de côté tout ce qui est politique intérieure !

11. Voir déjà *Les Grands Sophistes dans l'Athènes de Périclès*, éd. de Fallois, 1988, au chapitre II.

12. Paris, Les Belles Lettres, 1982, 499 pages.

13. Dans les chapitres relatifs aux deux premiers, l'analyse se divise en deux idées fondamentales : « L'extension de *politeia* à tout ce qui fait l'originalité de la cité et la vie des individus » est l'idée que nous traitons ici, mais l'autre : « Morale et politique » fournit de belles preuves de ce que nous avons appelé plus haut le premier élargissement en matière politique.

14. Seule la royauté est en général nommée par des radicaux propres à chaque peuple, parce que chacun commence par être soumis à un roi, du *basileus* ou de l'*anax* au *rex* ou au *king*.

15. Certains en trouvent l'annonce chez Solon ; mais voir J. Bordes, *op. cit.*, p. 232.

16. Il n'y a pas d'éloge direct de la tyrannie : un tel éloge aurait été insupportable à Athènes. De toute façon, les textes sur les régimes ont toujours valeur polémique, chaque éloge sous-entend une critique du régime opposé (on le voit assez dans la façon dont Périclès loue la démocratie (Thucydide, II, 37 et suiv.).

17. Voir ainsi Platon, *République*, 338 d, Eschine, *Contre Timarque*, 4, Isocrate, *Panathénaïque*, 132 ; voir aussi ci-dessous, p. 286-287.

18. Avant le livre de J. Bordes, nous avions esquissé l'histoire de cette réflexion dans un article intitulé « Le classement des constitutions d'Hérodote à Aristote », *Revue des Études grecques*, 72, 1959, p. 81-93.

19. *Politique*, 1293 b, cf. 1280 a 13 sqq. Platon voit dans le régime de Sparte un « mélange proportionné des éléments qu'il fallait » (*Lois*, 692 a).

20. L'aristocratie ou l'oligarchie gardent leur sens dans les temps modernes, mais ce sens est social, et non plus institutionnel.

V

L'HISTOIRE

Le premier genre où devait se traduire cette réflexion politique est naturellement l'histoire. Mais l'histoire n'existait pas : elle fut inventée alors ; et l'on peut penser que cette invention dut beaucoup à l'éveil de la conscience politique. L'histoire telle que les Grecs la pratiquèrent, et telle que nous devions, après eux, la pratiquer pendant des siècles, se caractérise précisément — à la différence d'autres peuples et d'autres cultures — par cet intérêt presque exclusif.

Toutefois, l'histoire n'est pas née à Athènes, et n'est pas fille de la rhétorique : avant Thucydide, il y a Hérodote ; et c'est lui que Cicéron a appelé le « père de l'histoire ». On va en effet découvrir ici, en deux temps, les débuts de l'histoire, qui sont grecs, puis, avec un seuil et un décalage sensible, ce que l'histoire est devenue à Athènes, à l'âge de la rhétorique.

I. *Hérodote*

A vrai dire, c'est déjà un seuil, et considérable, que l'on franchit avec Hérodote. Le premier, il narre des événements, et ne se contente plus de consigner des chroniques locales ou des généalogies plus ou moins mythiques de personnages. Ce type de récit a existé en

Grèce comme ailleurs : rien n'en a subsisté ; et ce n'étaient là ni des productions littéraires, ni du travail sérieux, ni une vraie matière à réflexion. Tout cela — après quelques essais préliminaires — commence avec « L'enquête » d'Hérodote. Et c'était vraiment de sa part une décision extraordinaire que de prendre pour sujet ces événements réels, dans leur réalité, c'est-à-dire en les décrivant le plus exactement possible, et en prose, mais en leur donnant la forme d'une œuvre littéraire comparable à l'épopée, avec des récits de batailles, des aventures individuelles, des personnages, prononçant des discours et vivant sous nos yeux.

Or Hérodote a réussi la gageure d'introduire en effet dans ce récit d'événements réels les qualités humaines qui avaient fait, déjà, l'universalité d'Homère. Indépendamment de tout mérite intellectuel ou scientifique, il a su, tout en relatant ce qu'il avait appris, présenter une série de personnages simples et accessibles, aux passions exemplaires, suivre leurs aventures, et, en somme, montrer en eux des exemples de ce qui peut arriver à des hommes placés dans telle ou telle circonstance. Mieux même : il a saisi toutes les occasions de relever l'aspect universel du devenir, et la fragilité des choses humaines — ce qui ouvre des perspectives capables de toucher tous les hommes.

Une phrase célèbre de sa préface exprime ce souci avec force :

> « Je parlerai des cités des hommes, des petites comme des grandes ; car les cités qui furent grandes ont, en général, perdu maintenant leur importance, et celles qui étaient grandes de mon temps ont d'abord été petites. Donc, parce que je sais que la prospérité de l'homme n'est jamais stable, je parlerai des unes comme des autres » (I, 5).

Ce sentiment, qui n'est pas exempt d'un certain tragique, rend émouvants les retournements de fortune qu'il décrit. Et il en décrit beaucoup, car il croit que l'excès de prospérité entraîne bientôt son contraire. Aussi certains de ses récits nous touchent-ils comme des symboles nous concernant tous.

Le plus célèbre est, au livre I, l'histoire de Crésus. Crésus, roi de Lydie, est au comble de la prospérité lorsqu'il reçoit la visite de Solon (comme par hasard, un Athénien...). Et Solon le déçoit fort en ne songeant pas à le désigner comme le plus heureux des hommes. Car on ne peut, explique-t-il, dire qu'un homme doit être appelé heureux tant qu'il n'est pas mort. Plus tard, Crésus, trompé par un oracle qu'il a mal compris, est entré en guerre contre Cyrus et il a tout perdu. Il va être brûlé sur un bûcher quand, méditant sur son sort, il crie à trois reprises le nom de Solon. Son vainqueur l'interroge, apprend l'histoire et est ému : « Par un brusque revirement, il réfléchit qu'il n'était qu'un homme, qu'il livrait aux flammes un autre homme, dont la fortune avait égalé la sienne, il craignit d'expier un jour, il songea à l'instabilité de toutes choses humaines, et il donna l'ordre d'éteindre au plus vite » (I, 86).

Tout y est : de grandes figures, une erreur humaine, une péripétie pathétique, une certaine amitié humaine, poussant le conquérant à la tolérance... Tout y est pour toucher et émouvoir des gens qui n'ont rien à voir avec Crésus ni Cyrus, et pour donner à cette histoire un sens valable en tous les temps. On a même une formulation générale, qui dégage en clair cet aspect humain.

Dans l'inspiration d'Hérodote, celui-ci se retrouve partout. Il se marque en particulier par la présence constante d'une grande pitié pour les hommes et d'une grande tolérance à leur égard.

C'est ainsi que, formulant avec plus d'éclat qu'Homère la même compréhension des horreurs de la guerre, il fait dire au même Crésus : « Nul n'est assez insensé pour préférer la guerre à la paix. Pendant la paix, les enfants ensevelissent leurs pères ; pendant la guerre, les pères ensevelissent leurs enfants » (I, 87). Qui, aujourd'hui, pourrait dire autant en si peu de mots et de façon si concrète ?

Il présente même des épisodes où cette pitié des humains les uns pour les autres joue un rôle attendrissant : ainsi dans cet épisode rapporté au livre V où dix hommes sont envoyés pour mettre à mort le bébé qui sera le tyran Cypsélos. Le premier qui le tiendrait devait le tuer ; mais, quand sa mère le leur apporta, « le ciel voulut qu'il sourit à l'homme qui le tenait ; touché, l'homme eut pitié de l'enfant et ne put se résoudre à le tuer ; il le remit à l'un de ses compagnons, celui-ci s'en débarrassa de même, et l'enfant passa successivement aux mains des dix complices ». Une fois sortis, ceux-ci se font cependant des reproches, et reviennent ; mais, dans l'intervalle, sa mère l'a caché. Ce sourire d'enfant qui désarme dix hommes résolus vaut bien le sourire en pleurs d'Andromaque dans Homère. Il donne au récit cet accent humain qui ne cesse de toucher des générations de lecteurs.

Et puis la tolérance entre les peuples, qui semblait si caractéristique de l'époque homérique, se retrouve, elle aussi, accrue et renforcée. Il faut insister sur ce point, car c'est précisément dans l'œuvre d'Hérodote que s'exprime la première prise de conscience d'une différence de civilisation et d'esprit entre les Grecs et les barbares, au cours des guerres médiques. C'est là un fait, et un témoignage. Mais il n'empêche en rien Hérodote d'étendre à tous les peuples la même curiosité tolérante et pleine de sympathie.

Il a été partout. Il connaît presque toutes les cités grecques, mais aussi Sardes et Babylone, Suse et Ecbatane, Tyr, l'Égypte, Cyrène, aussi bien que la mer Noire et l'Ukraine. Pour tous les peuples, il a noté, sans esprit de critique, les usages sociaux, les méthodes de guerre, les formes du culte. Non seulement il s'est plu à les identifier à des cultes grecs[1], mais il a cru à la relativité de ces usages et au devoir qui imposait de les respecter tous. Il l'a bien montré à propos du roi fou, Cambyse, le fils de Cyrus. D'après Hérodote, Cambyse, en Égypte, blessa et tua le taureau divin, incarnation du dieu Apis. Et il précise, en son nom personnel, que c'était là folie :

> « En définitive, il me semble absolument évident que ce roi fut complètement fou ; sinon il ne se serait pas permis de railler les choses que la piété ou la coutume commandent de respecter. En effet, que l'on propose à tous les hommes de choisir, entre les coutumes qui existent, celles qui sont les plus belles et chacun désignera celles de son pays — tant chacun juge ses propres coutumes supérieures à toutes les autres. Il n'est donc pas normal, pour tout autre qu'un fou du moins, de tourner en dérision les choses de ce genre » (III, 38).

Quelqu'un qui aborde les événements et les peuples avec cet esprit-là représente une ouverture vers autrui et un sens de l'universel, qui rejoignent ce que l'on avait vu dans Homère, en en élargissant l'esprit à un domaine beaucoup plus étendu.

Ces traits divers suggèrent assez que, même en ne tenant pas compte du rôle d'Hérodote dans la naissance de l'histoire, les qualités littéraires et humaines de son œuvre avaient de quoi toucher des générations nombreuses de par le monde.

Mais comment parler du premier des historiens en négligeant le fait qu'il a précisément inventé l'histoire ? Ce cadeau, dont l'Europe profite encore — et combien ! — demeure l'essentiel et nous fait entrer tout droit dans le domaine de la politique.

Comment ? Pourquoi ? Pourquoi alors ?

Il n'est pas douteux que les événements ont joué leur rôle. Les Grecs ont été bien obligés de découvrir dans le grand bouleversement des guerres médiques que les histoires locales étaient un cadre dépassé : presque toutes les cités grecques et l'immense empire perse y avaient été engagés. Hérodote, dont la naissance se place à une date située entre la première et la seconde guerre médique, entre Marathon et Salamine, a dû avoir une enfance et une jeunesse bercées de récits et de commentaires à ce sujet. Cela est d'autant plus probable qu'il était né dans une des cités grecques d'Asie Mineure ; or celles-ci avaient été directement mêlées à la révolte de l'Ionie contre la Perse, qui fut la préface des guerres médiques. En plus, l'Asie Mineure, carrefour de peuples et de civilisations, invitait à se montrer curieux sur les réactions de chacun. Enfin, Hérodote avait toutes raisons d'être sensible au phénomène politique : il avait connu très tôt la lutte des conjurés contre le tyran au pouvoir dans sa ville ; son oncle Panyassis avait joué un rôle important dans ce mouvement et avait dû lui en parler beaucoup ; et le jeune Hérodote lui-même fut amené, à la suite de ces perturbations, à quitter la ville. La politique, sous toutes ses formes, avait formé son esprit et ses sentiments.

Aussi n'est-il pas étonnant que, tout imbu de l'importance des événements récents, tout pénétré des discussions à cet égard, il ait eu l'idée de mettre ces événements au niveau qui était celui du mythe, de se renseigner, de chercher à comprendre et à expliquer. Il fondait par là l'histoire politique, qui devait demeurer la forme de l'histoire pendant des siècles. Et, en même temps, il introduisait dans son œuvre un autre intérêt, tout aussi universel et humain que le premier, mais d'ordre, cette fois, intellectuel et rationnel : l'intérêt d'une réflexion sur le sort des peuples et des cités, sur la guerre et la paix, sur la tyrannie et la liberté.

Il n'y a rien encore de systématique dans cette réflexion ; Hérodote, avec sa curiosité d'homme d'Asie Mineure, s'intéresse à tout, aime les digressions, les anecdotes, les renseignements ethnographiques et les merveilles de chaque pays. Mais il les expose, en fait, au fur et à mesure qu'il les rencontre dans son long récit de la formation de l'empire perse. Tout doit s'enchaîner, se rejoindre. Et peu à peu, quand on se rapproche des guerres médiques elles-mêmes, quand on rejoint le rôle d'Athènes et les discussions qui avaient alors lieu entre les hommes politiques, les digressions diminuent, les descriptions curieuses disparaissent, et les leçons politiques l'emportent sur les apologues d'ordre moral. On dirait que la politique et les idées pénètrent en force dans l'œuvre.

Déjà au livre V, quand il est question de la Grèce (le chef de la révolte d'Ionie venant demander de l'aide à Sparte puis à Athènes), on voit les réflexions politiques fuser et se multiplier. Voici, simplement sur la question du régime intérieur, trois suggestions, offertes au cours du livre.

D'abord sur les raisons qui font la valeur de la démocratie, ceci, à propos d'Athènes :

> « Athènes vit alors grandir sa puissance. D'ailleurs on constate toujours et partout que l'égalité entre les citoyens est un avantage précieux : soumis à des tyrans, les Athéniens ne valaient pas mieux à la guerre que leurs voisins, mais libérés de la tyrannie, leur supériorité fut éclatante. On voit bien par là que, dans la servitude, ils refusaient de manifester leur valeur, puisqu'ils peinaient pour un maître, tandis que, libres, chacun dans son propre intérêt collaborait de toutes ses forces au triomphe d'une entreprise [2] » (V, 78).

Voici encore, un peu plus loin, un grand discours du Corinthien Soclès, qui est un acte d'accusation contre la tyrannie (92). Le discours n'offre pas une analyse abstraite, mais il dresse une liste des crimes des tyrans ; et il cite une anecdote qui devait rester célèbre dans les attaques contre la tyrannie : celle du tyran Thrasybule, à qui le tyran de Corinthe demandait comment assurer solidement son pouvoir, et qui répondit par un seul geste : il trancha tous les épis qui dépassaient les autres, dans un champ, et ne dit rien ; la réponse était claire : mettre à mort les premiers des citoyens. Un symbole, plutôt qu'une analyse, mais un symbole à jamais clair pour tous.

Ceci n'empêche d'ailleurs pas Hérodote de remarquer, quelques paragraphes plus loin, quand Athènes se laisse séduire par les arguments avancés en faveur de la révolte d'Ionie : « Il est plus facile de tromper une foule qu'un seul homme. »

Il ne cherche pas la cohérence, ni le système, mais déjà chaque expérience concrète se mue en maxime politique.

Il sait aussi débattre des questions de guerre et de paix : le début du livre VII offre un superbe exemple de débat de ce genre, quand Xerxès consulte ses amis pour savoir s'il doit ou non engager la deuxième guerre médique. Mardonios est d'avis de le faire, après avoir d'abord soumis l'Égypte ; Xerxès s'y décide effectivement, explique les avantages de l'entreprise, et ses justifications ; Mardonios insiste sur le succès vraisemblable ; mais Artabane montre ses dangers. Un vrai débat, qui enseigne à mesurer les risques ? Sans doute, mais ce qui finalement emporte la décision n'est pas un argument, mais un rêve que fait Xerxès ! La réflexion politique progresse, mais n'est pas seule à commander le récit !

En revanche, comme Hérodote sait bien faire exprimer aux personnages de son histoire ce qu'il sent lui-même vivement, à savoir le lien existant entre les Grecs et leur imposant une union contre l'envahisseur, ou bien le sens de la liberté grecque, qui vaut beaucoup de sacrifices !

Le débat entre Xerxès et l'ancien roi de Sparte, cité dans un chapitre précédent, justifiait le sens de cette liberté : il s'affirme avec éclat à la fin du livre VIII, quand une ambassade vient tenter de gagner les Athéniens à la cause perse. Ce que disent les Spartiates, alors présents, ce que disent les Athéniens eux-mêmes, montre un sentiment très fort du panhellénisme, et une image radieuse des sacrifices qu'il peut susciter, ainsi qu'une conscience lucide de ses justifications.

> « Nous savons, sans qu'on nous le dise, que le Mède a des forces mille fois plus importantes que les nôtres, et point n'est besoin de nous rappeler notre infériorité pour nous confondre. Cependant la liberté nous est si chère que nous nous défendrons comme nous le pourrons. Cet accord avec le Barbare, n'essaie pas de nous le faire accepter, nous n'y consentirons jamais... » (143).

Et, aux Lacédémoniens :

> « Vous savez qu'il n'y a pas au monde assez d'or, une terre assez extraordinaire par sa richesse et sa beauté, pour que nous consentions à ce prix à nous ranger du côté du Mède et à réduire la Grèce en esclavage. [...] Il y a le monde grec, uni par la langue et par le sang, les sanctuaires et les sacrifices qui nous sont communs, nos mœurs qui sont les mêmes et cela, les Athéniens ne sauraient le trahir » (144).

Le sentiment atteint ici une ferveur qui prend la netteté d'un principe.

Ces derniers exemples le suggèrent : l'importance des analyses politiques s'amplifie, dans l'œuvre, avec le rôle joué par Athènes.

De fait, ce sont des Athéniens qui le plus souvent prononcent des discours où ils exposent des plans et calculent les conséquences de chaque attitude adoptée.

On le voit d'abord avec Miltiade, juste avant Marathon (VI, 109 : « Si Athènes s'incline... Si nous n'engageons pas le combat... Si tu choisis le parti des hommes qui refusent le combat... »). Puis cet aspect se développe avec Thémistocle et la seconde guerre médique. Hérodote loue certaines de ses mesures (VII, 143-144), insiste sur son rôle lors de l'Artémision et surtout lors de Salamine. Il cite son discours à Eurybiade (VIII, 60 : « Tu es maître aujourd'hui de sauver la Grèce, si tu livres bataille ici même suivant mon conseil [...]. Écoute, et confronte nos avis : si tu engages la bataille près de l'Isthme [...]. Si, au contraire, tu adoptes mon plan, tu y trouveras bien des avantages : d'abord... en outre... Ajoute encore cette considération... »). L'histoire devient politique lorsque les Athéniens entrent en scène.

Il faut ici se rappeler qu'Hérodote a fait divers séjours à Athènes et y a donné des lectures publiques de son œuvre. Il y a aussi, sans doute, beaucoup appris. Et la transformation qui se marque entre le début et la fin de son œuvre est peut-être due à cette influence.

Peut-être aussi celle-ci perce-t-elle dans d'autres livres, plus anciens : le débat des sept conjurés perses, au livre III, pourrait bien être dû à cette influence et l'est en tout cas à celle des théoriciens alors en vogue (80-82). Il est en effet plus structuré, plus dialectique que les autres ; et il ne convient guère aux hommes que met en scène Hérodote.

Quoi qu'il en soit, plus l'histoire se centre sur Athènes, plus elle devient politique et raisonnée. On voit ce caractère se dessiner et se préciser au cours de l'œuvre d'Hérodote. Mais la découverte qu'il apportait et qui, au cours d'une lecture donnée à Athènes, devait, selon la tradition, faire pleurer d'émotion le jeune Thucydide, allait, dans l'exaltation intellectuelle de l'époque de Périclès, et en se fondant avec les méthodes d'analyse de la rhétorique, franchir un second pas, décisif, pour une nouvelle création, également décisive.

Car il restait à faire ! L'histoire d'Hérodote est, avons-nous admis, une histoire humaine et politique. Mais elle n'est pas entièrement humaine : elle laisse une grande place aux oracles, et au destin. Et elle n'est pas non plus entièrement politique : même sans tenir compte des digressions, des descriptions et des anecdotes, les schémas qu'il lit dans l'histoire (on l'a vu avec le livre I) sont plus souvent moraux que politiques ; et s'il cherche toujours à établir des enchaînements, ceux-ci restent assez linéaires et fondés sur une psychologie très simple, dans laquelle domine la vengeance. La pensée historique d'Hérodote se ramène à : « Qui a commencé ? », et « Comment le lui faire payer ? » Il reste, avec tout ce zèle audacieux, avec toutes ses enquêtes et sa vaste fresque, plus près de l'Asie Mineure que d'Athènes, et d'Homère que de Thucydide. Il est le père de l'histoire — de notre histoire à nous Occidentaux ; mais dans cette Athènes qui l'attira, cette fille allait s'émanciper, et devenir, d'un coup, singulièrement adulte.

II. *Thucydide*

Il peut paraître étrange, quand on a traité de Thucydide pendant toute une vie, de vouloir, dans un livre, le présenter en quelques pages. Mais l'objet de ces quelques pages est précis : il s'agit de mesurer, dans la perspective adoptée ici, en quoi Thucydide a renchéri sur ce que venait d'inventer Hérodote, et en quoi, d'autre part, le climat intellectuel d'Athènes et l'influence de la rhétorique l'ont amené à prendre une orientation toute nouvelle — qui était, précisément, commandée par une tendance irrépressible à l'universel.

Hérodote avait été un novateur en consacrant une œuvre littéraire au passé récent : Thucydide renchérit en consacrant une œuvre, plus étoffée encore, à une guerre — la guerre du Péloponnèse — qui avait commencé alors qu'il avait atteint l'âge adulte et dont il connut la fin. Il a jugé, et dit, qu'elle était plus importante que tous les événements antérieurs, y compris la guerre de Troie et les guerres médiques (elle avait, en tout cas, duré beaucoup plus longtemps que ces dernières). Et, s'il remonte en quelques brefs chapitres vers le passé et les origines, c'est précisément pour justifier l'importance du présent ; ou alors c'est en une parenthèse destinée à expliquer la formation de l'empire d'Athènes. On ne trouve rien, chez lui, de ces détours, de ces méandres, et de cette longue préparation aux événements récents, menés à loisir et à petits pas : on dirait qu'il y a eu une contraction depuis l'histoire telle que la pratiquait Hérodote : seul subsiste le présent. Seule subsiste la politique.

Thucydide renchérit aussi sur Hérodote en ce que seul subsiste l'homme. Car Hérodote avait à coup sûr été un novateur en préférant les hommes réels aux héros du mythe ; mais il avait gardé le rôle des oracles, un peu de merveilleux à l'occasion, et une présence fréquente de la volonté des dieux ou du destin : plus rien de cela n'existe chez Thucydide. S'il mentionne un oracle, c'est pour signaler la relativité et l'imprécision de sa transmission ou de son interprétation. Et si une entreprise tourne mal, c'est en général qu'elle a été mal conçue ou mal conduite : l'intérêt de l'histoire est précisément de montrer en quoi.

Hérodote avait été novateur en se donnant de la peine pour établir la vérité. Il avait voyagé, enquêté, tiré parti de documents divers, et il avait loyalement donné côte à côte les versions contradictoires d'un même fait, se contentant, au mieux, de suggérer sa préférence. Thucydide renchérit, en se montrant exigeant. Il sait ce qu'est l'esprit critique. Il sait comment on établit une vraisemblance. Il sait que ce n'est pas facile, et il a si bien conscience de ce qu'il fait qu'il le dit :

> « En ce qui concerne les actes qui prirent place au cours de la guerre, je n'ai pas cru devoir, pour les raconter, me fier aux informations du premier venu, non plus qu'à mon avis personnel : ou bien j'y ai assisté moi-même, ou bien j'ai enquêté sur chacun auprès d'autrui avec toute l'exactitude possible. J'avais, d'ailleurs, de la peine à les établir, car les témoins de chaque fait en présentaient des versions qui variaient, selon leurs sympathies à l'égard des uns et des autres, et selon leur mémoire » (I, 22, 1-2).

Qui plus est, Thucydide, passionné comme il l'est par la politique et la conduite des opérations, trouve une compensation à l'exil qui le chasse de sa charge et de ses droits : cet exil lui a permis de se renseigner des deux côtés : « ce qui m'a donné tout loisir de me rendre un peu mieux compte des choses » (V, 26, 5). Capable de tirer des renseignements, s'il n'en a pas d'autres, d'un nom sur une inscription ou d'un mode de sépulture, il l'est aussi de filtrer et de trier les témoignages comme un juré athénien, entraîné à déceler la vérité entre deux mensonges.

Mais il faut bien se rendre compte que cette naissance de l'esprit critique et celle de l'objectivité systématique, tout comme cette contraction du sujet en un tout bien délimité et susceptible d'informations exhaustives, correspondent l'une et l'autre à une différence dans le but poursuivi.

Hérodote voulait avant tout sauver de l'oubli les événements passés, en insistant — ce qui était une ambition neuve — sur l'enchaînement qui menait des uns aux autres. Sa phrase d'introduction est, à cet égard, parfaitement nette :

> « Hérodote d'Halicarnasse présente ici les résultats de son enquête, afin que le temps n'abolisse pas les travaux des hommes, et que les grands exploits accomplis soit par les Grecs soit par les barbares ne tombent pas dans

l'oubli ; et il donne en particulier la raison du conflit qui mit ces deux peuples aux prises » (I, début).

Le premier but est la mémoire, puis vient — fierté légitime — l'enchaînement des faits à partir du passé.

Si de là on passe à Thucydide, on découvre un saut vertigineux. La mémoire n'est plus mentionnée : il s'agit de comprendre. Et — ô stupeur ! — il s'agit de comprendre non seulement le passé mais des enchaînements universels, susceptibles de se reproduire :

> « A l'audition, l'absence de merveilleux dans les faits rapportés paraîtra sans doute en diminuer le charme ; mais, si l'on veut voir clair dans les événements passés et dans ceux qui, à l'avenir, en vertu du caractère humain qui est le leur, présenteront des similitudes ou des analogies, qu'alors on les juge utiles, et cela suffira ; ils constituent un trésor pour toujours, plutôt qu'une production d'apparat pour un auditoire du moment » (I, 22, 4).

On cite souvent ce dernier membre de phrase, en admettant de façon vague qu'il vise une sorte de renommée posthume. Mais il s'agit de tout autre chose : il s'agit de sortir de la narration du particulier, pour atteindre à une science susceptible de s'appliquer en d'autres temps — cela parce qu'elle met l'accent sur cet élément qui fonde la répétition et qu'il appelle lui-même « l'humain » *(to anthrôpinon)*.

Cette ambition si audacieuse est évidemment ce qui commande les différences avec Hérodote. S'il lui fallait plus de rigueur dans l'information, une plus stricte limitation à l'humain, et un sujet plus cohérent et plus étroitement circonscrit, c'est parce que telles étaient les conditions requises pour pouvoir dégager ces enchaînements d'ordre universel, et que tels étaient les moyens de faire de l'histoire une science de l'homme. « Science » s'entend autant de la rigueur que du désir de faire apparaître des relations de type général au sein du récit : ce sont là deux aspects d'une seule et même visée, qui constitue une nouveauté radicale. La fierté de Thucydide, dans cette phrase de son « programme » est celle de qui se consacre, dans l'enthousiasme, à un grand dessein entièrement personnel.

Ce grand dessein n'était possible que lié à une conception nouvelle de la causalité historique. Non seulement, à la différence de ce qu'offrait l'œuvre d'Hérodote, cette causalité sera toujours d'ordre humain et non divin (on ne peut « voir clair » dans le choix du destin), mais elle ne sera plus linéaire.

Chez Hérodote, l'enchaînement principal entre un fait et un autre était la vengeance ; il cherchait la première offense, puis, par ricochet, suivait les réactions en chaîne. Thucydide écarte ces causes fondées sur des récriminations — les « motifs et les sources de différends » — et voici que, là aussi, il va droit vers le plus général — vers la cause qui déborde les individus et leurs revendications : il considère, à un autre niveau, les exigences d'une situation, exigences qui expliquent toute une série d'événements : c'est ce qu'il appelle, par une merveilleuse formule, « la cause la plus vraie » ; et, en ce qui concerne la guerre, cette cause est à chercher, non pas dans telle décision de Périclès ou telle réclamation d'un allié ou d'un autre, mais dans l'accroissement de la puissance athénienne qui finit par effrayer Sparte, rendant ainsi la guerre inévitable. La causalité n'est plus personnelle et ponctuelle : elle aussi est générale et humaine ; elle aussi peut se retrouver dans d'autres contextes.

Mais surtout, parce qu'elle n'a plus cette simplicité tout individuelle, la causalité, en passant d'Hérodote à Thucydide, devient complexe. Au lieu de relier un événement à un autre par un fil conducteur unique, défini par une réaction psychologique, Thucydide cherche, en profondeur, des causes multiples, qui se combinent. On vient de rencontrer le texte où il distingue des motifs mis en avant et une cause moins avouée ; il lui arrive aussi de distinguer des causes profondes ou occasionnelles. On a alors un « et en même temps » bien révélateur. Enfin son désir d'aller toujours plus avant dans l'explication fait que chaque événement devient comme un champ de forces où les volontés et les circonstances se rejoignent et se coordonnent les unes par rapport aux autres. C'est bien pourquoi on ne se réfère pas à son œuvre pour y reconnaître seulement la montée et la crise d'un impérialisme, mais toutes sortes de situations et de problèmes, qui sont, chacun, susceptibles de se retrouver ailleurs : la difficulté d'un débarquement, l'influence morale d'une guerre, la différence entre la guerre maritime et terrestre, le rôle de la structure, unifiée ou non, des groupes en guerre, les dangers de la répression, la philosophie qu'implique la puissance, ou la conquête, tous ces problèmes surgissent, sont discutés, et entrent en ligne de compte. C'est bien pourquoi, aussi, Thucydide s'abstient presque partout (la déclaration liminaire relative aux causes de la guerre est une exception) de dégager en son nom une cause unique : il montre les forces en jeu et transpose en système compréhensible la complexité du devenir.

On découvre alors une nouvelle forme de ce goût grec, et athénien, pour l'universel. Homère ou Hérodote avaient offert des types humains, des sentiments, des expériences, pouvant toucher n'importe quel public par leur côté humain : avec Thucydide, ce sont des situations politiques, et des entreprises politiques qui prennent cette valeur humaine, qui peuvent servir de symbole, et passionner soudain un public qui connaît ou croit connaître des situations analogues. Après l'universel des sentiments et des émotions, on découvre celui de l'expérience pratique ; et les cas de figure ainsi décrits marquent une nouvelle conquête de l'esprit d'abstraction, bien qu'ils soient, ici encore, lisibles à travers le récit concret d'événements spécifiques.

Que l'influence de la vie politique athénienne et des débats de l'Assemblée soit pour beaucoup dans cette visée, nul n'en peut douter. Mais il est également clair que les leçons de la rhétorique ont fourni à Thucydide le seul moyen capable de la réaliser.

On a pu s'étonner qu'un esprit critique aussi exigeant que le sien se soit accommodé de l'usage des discours prêtés aux chefs politiques ou militaires, alors que ces discours ne prétendent pas reproduire leurs propos de façon exacte : on a pensé à une facilité littéraire, surgissant dans la suite d'Homère et d'Hérodote, et encouragée, peut-être, par le rôle de la parole à Athènes ; mais où était, en l'occurrence, ce grand souci de la vérité ? L'usage surprenait d'autant plus que l'on voyait ces discours aller par paires et s'organiser l'un par rapport à l'autre de façon subtile, les arguments et les formules se retournant de l'un à l'autre selon les procédés de la sophistique. Une mode, ici encore ? Une liberté de plus, prise avec l'objectivité ? Cela sans compter que ces discours étaient bizarrement abstraits et théoriques, avec, à chaque instant, des réflexions générales sur la conduite normale des hommes dans telle ou telle situation donnée. Un jeu d'intellectuels, sans doute ? Car aucun chef n'eût pu tenir à ses hommes des propos si peu concrets et si peu chaleureux.

S'en étonner était méconnaître que cet usage faisait partie d'une méthode d'exposition, ou plutôt de démonstration, parfaitement originale.

Il ne suffisait pas, en effet, pour arriver à une interprétation de portée universelle, de simplifier les lignes, d'écarter tous les éléments anecdotiques, et même tous les renseignements concrets que les historiens modernes aimeraient avoir. Thucydide l'a fait, bien entendu. Et il est déjà assez remarquable de le voir, dans un récit précis d'événements qu'il a lui-même vécus, rejeter toutes les circonstances qui ne contribuent pas à éclairer le sens de l'action. Il a connu Périclès, mais c'est par Plutarque, des siècles après, que nous apprenons ce que nous savons sur sa famille, ses maîtres, ses problèmes dans la vie politique intérieure avant la guerre. Même quand il s'agit des attaques concernant le rôle de Périclès dans le déclenchement de la guerre, pas un mot : Thucydide préfère les ignorer. Il nomme peu de magistrats, recourant plutôt, pour dater les événements, à des critères qui soient accessibles à tous. Il donne peu de distances, aucune indication sur les groupes politiques à Athènes ou ailleurs. Oui, il simplifie et ne retient que l'essentiel. Mais cela ne suffirait pas à donner une interprétation des faits qui soit universelle. Et c'est là que les discours jouent un rôle capital.

Un discours, avant l'événement, peut indiquer *a priori* les motifs, supputer les chances de succès, et donner leurs raisons. L'interprétation vient, dans ce cas, avant. Et le rapport discours-récit donne à ce dernier une dimension intelligible. Mais, mieux encore, le discours, le plus souvent, s'oppose à un autre selon l'art à la mode des discours doubles dont on a dit plus haut l'importance. Et Thucydide oppose alors deux analyses contrastées ; elles se mesurent l'une à l'autre, et le verdict des faits, dans le récit qui suit, viendra alors trancher entre les deux. Plus les deux analyses auront été proches l'une de l'autre, plus on sera à même de mesurer où se joue la différence. Et plus elles auront été générales, plus le sens de la narration recevra de portée humaine. Chaque mot du récit sera ainsi chargé de sens. On verra en quoi les deux thèses étaient justifiées et ce qui a tranché entre elles, à tel moment précis, pour telle raison à l'avance suggérée. Et, du fait même que ce récit renverra à des analyses antérieures plus approfondies, il deviendra non seulement compréhensible dans chacun de ses détails, mais riche d'enseignements valant pour les événements qui, « à l'avenir, en vertu du caractère humain qui est le leur, présenteront des similitudes ou des analogies ». On a envie d'ajouter, tant l'invention est lumineuse : « C'est ce qu'il fallait démontrer[3]. »

On ne peut ici en donner des exemples, précisément parce qu'il s'agit d'ensembles, et que chaque mot ne prend sa portée que dans son rapport avec un discours adverse et avec l'épreuve des faits : on ne montre pas une tige ou une petite roue isolée pour faire admirer un mécanisme d'horlogerie.

De plus les rapports entre l'analyse et la confirmation des faits s'établissent souvent à distance, quand une prévision finit par se réaliser à long terme : il faut voir tout, ou rien.

En revanche, il est facile de saisir, même sur des exemples isolés, la valeur d'universalité qu'apportent dans l'œuvre ces analyses.

Périclès, au début de la guerre, avait expliqué qu'Athènes ne pouvait pas se démettre de son empire :

> « Ne pensez pas qu'il s'agisse uniquement, en cette affaire, d'être esclaves, au lieu de libres : il s'agit de la perte d'un empire, et du risque attaché aux haines que vous y avez contractées. D'ores et déjà il constitue entre vos mains une tyrannie, dont l'acquisition semble injuste, mais l'abandon dangereux » (II, 63, 1-2).

Il démonte là un mécanisme, valable pour n'importe quel pouvoir en butte aux haines de ses sujets. Il s'agit d'une situation très générale, dont les exigences imposent de continuer[4].

Mais la suite de l'œuvre montre, successivement, parmi les successeurs de Périclès, Cléon parlant pour le principe de répressions impitoyables en cas de révolte, puis Alcibiade tirant de cette même situation l'idée que de nouvelles conquêtes s'imposent :

« J'ajoute qu'il nous est impossible de régler, comme on fait d'un domaine, l'extension de notre empire, mais qu'au point où nous nous sommes mis, force nous est, ici, d'ourdir des menaces, là, de ne pas céder, car le risque est pour nous de tomber, le cas échéant, sous l'empire d'autrui, si nous n'en exercions pas nous-mêmes un sur d'autres » (VI, 18, 3).

L'analyse de la situation, qui est valable et claire, explique donc aussi, sans qu'un commentaire soit nécessaire, l'évolution qui intervient : cette situation impliquait des obligations particulières, que l'on pouvait calculer avec plus ou moins de prudence ; et l'évolution était, du fait de ces obligations, au nombre des vraisemblances. Elle était liée à la nature de l'empire — et pouvait menacer tout empire reposant sur la force.

Hérodote, pour une telle évolution, aurait invoqué une règle morale : il aurait parlé d'*hybris* : Thucydide explique, par le raisonnement, la probabilité d'une évolution, qui guetterait, dans une situation équivalente, d'autres peuples autant que les Athéniens.

Et il ne se contente pas même de ce degré-là d'abstraction. Dans deux textes de l'œuvre, il cherche plus profond encore, en montrant quelle philosophie implique l'usage de cet empire-tyrannie. Un de ces textes[5] est exceptionnel et saisissant. Car, abandonnant, pour une fois, le principe du débat en deux discours, il a choisi la forme du dialogue. Ce dialogue oppose les Athéniens, qui viennent, sans raison, conquérir la petite île neutre de Mélos, et les Méliens qui sont impuissants mais ne veulent pas céder. Et l'étrange dialogue ! Il analyse les chances politiques, et les raisons de la conquête ; mais il analyse aussi la pensée sur le monde que suppose chacune des deux attitudes. Et l'on découvre alors, en clair, que cet empire-tyrannie implique bel et bien une doctrine, réaliste et sans illusion, du droit du plus fort :

> « Nous estimons, en effet, que du côté divin comme aussi du côté humain (pour le premier c'est une opinion, pour le second une certitude), une loi de nature fait que toujours, si l'on est le plus fort, on commande ; ce n'est pas nous qui avons posé ce principe ou qui avons été les premiers à appliquer ce qu'il énonçait : il existait avant nous et existera toujours après nous, et c'est seulement notre tour de l'appliquer, en sachant qu'aussi bien vous ou d'autres, placés à la tête de la même puissance que nous, vous feriez de même » (V, 105, 2).

On ne peut imaginer ni une formulation plus générale, ni — par-delà le propos immédiat des Athéniens — une peinture plus impitoyable de la philosophie qu'inspire la force[6]. Là aussi, les analyses des sophistes ont vraisemblablement joué un rôle, en dégageant des idées où s'exprimait le même réalisme. Mais le résultat, en tout cas, est de donner dès lors au texte de Thucydide une portée qui dépasse de très loin l'événement. A ce niveau, toutes les conquêtes brutales se ressemblent. Et le fait est qu'à chaque invasion qui les choque et les scandalise, les lecteurs de Thucydide, en tous les temps, reconnaissent le modèle offert par son histoire. Le texte les aide et rejoint leur émotion : Thucydide l'avait voulu ainsi. Aussi voit-on, à chaque agression gratuite, surgir des articles qui commentent à nouveau l'actualité du dialogue des Athéniens ou des Méliens. Derrière l'événement, il a tracé, clairement lisible, son schéma intelligible et intemporel.

Une telle méthode comporte en outre deux avantages précieux, sur lesquels il faut éviter tout malentendu.

D'abord, ces généralités, sauf de très rares exceptions, ne sont pas formulées par Thucydide en son propre nom. Elles font partie des thèses contrastées des personnages. Parfois elles se vérifient, ou se vérifient en partie ; parfois elles se révèlent, par rapport aux thèses adverses, sommaires et précaires. Dans le cas qui vient d'être cité, les Athéniens ont certes raison de se sentir les plus forts ; et ils détruiront Mélos ; mais l'accord des villes inquiètes ou déjà hostiles finira cependant par abattre Athènes. Le lecteur a toutes les cartes en main pour comprendre ; mais c'est à lui de tirer les conclusions, ou au moins de mesurer la difficulté du problème. La méthode subtile de Thucydide est la plus objective qui soit.

D'autre part le côté très intellectuel de cette méthode et son allure de démonstration ne doivent pas tromper : elle ne donne à l'œuvre rien de sec ni de théorique, tout au contraire. Comprendre, comprendre vraiment, à chaque fois, ce qui est en cause, ce qui risque d'arriver, ce sur quoi chacun compte, c'est aussi devenir sensible à la valeur de chaque détail, désormais pleinement significatif. Ainsi, quand on a compris à l'avance l'importance pour Athènes, si habile manœuvrière sur mer, d'avoir, dans une bataille navale, assez de champ pour faire usage de son talent, on suit le déroulement de la bataille de la même façon que ceux qui l'ont menée : on le suit comme une partie engagée dans un jeu que l'on connaît, et où l'on sait à chaque instant ce que va coûter ou rapporter tel mouvement. On comprend l'ennui que c'est de devoir longer la côte, la défaite qui en résulte, mais aussi le prix de l'occasion offerte, la qualité de la manœuvre qui change tout, et l'on éprouve même comme une joie intellectuelle à voir qu'alors l'adversaire perd la tête et rompt ses lignes, comme prévu. C'est ce qui arrive à Naupacte (II, 87-92). Ou bien l'on suit, avec la même tension lucide, les efforts de la flotte athénienne coincée dans le port de Syracuse, ne disposant d'aucun champ pour manœuvrer, et livrée à des assauts désordonnés. Il en va cette fois du sort de toute l'expédition de Sicile. Les explications sur la difficulté de lutter dans de telles conditions ont été longuement exposées. A présent c'est l'instant décisif ; et, pour rendre l'émotion plus forte, le sobre Thucydide décrit même celle des Athéniens qui guettent de la terre, se croient sauvés, se croient perdus — jusqu'à la panique qui marque un désastre définitif, et que Thucydide décrit non sans emphase. Comprendre — comme les Athéniens, sur place, comprenaient ce qui se jouait — rend les choses plus accessibles et s'allie avec l'émotion. Cela s'appelle participer : Thucydide était contemporain de la tragédie, autant que de la sophistique.

*

Le résultat de cette extraordinaire méthode est double.

En un sens, on a ici le type même du phénomène grec et athénien que nous nous proposions de mettre en lumière dans ce livre. Thucydide, en effet, a dit, haut et clair, son ambition d'atteindre une vérité valable pour d'autres temps et d'autres circonstances. Il a eu conscience de ce qu'il faisait et il ne cache pas sa fierté à cet égard. Or le résultat a été conforme à ses vœux. Cette œuvre, écrite avec l'avenir en vue, et l'universel en tête, a été lue et utilisée dans tous les pays occidentaux, non seulement par les historiens ou les amateurs de beaux textes, mais par les gens qui s'interrogeaient soit sur la politique de leur temps, soit sur la philosophie politique en général. Parmi les traducteurs célèbres de Thucydide, l'homme d'État grec Vénizélos est un exemple du premier cas et le philosophe anglais Hobbes est un exemple du second. De plus, les livres et articles ne se comptent pas, qui s'étonnent de voir l'accord des analyses de Thucydide avec leur temps — pour des raisons et des caractères qui sont chaque fois différents, grâce à la complexité du tableau offert par l'historien.

Ce fait est connu. Aucune étude sur Thucydide ne manque de le signaler. Mais l'important pour notre propos est de voir à quel point ce résultat avait été lucidement et délibérément recherché, combien il rejoignait l'orientation de l'hellénisme en général, et combien il devait aux découvertes de l'Athènes contemporaine. L'art de la parole est devenu chez Thucydide le moyen d'analyser les faits en profondeur ; et le goût des débats d'idées est devenu le moyen de donner à un récit concret comme un double abstrait, compréhensible et assimilable par tous. Quand, dans son cas, nous répétons notre question : « Pourquoi la Grèce ? Pourquoi cette survie et ce rayonnement à travers le temps ? », la réponse est claire : parce que cette survie et ce rayonnement ont été, en vertu d'un choix libre et audacieux, poursuivis et recherchés, exprès.

Toutefois, précisément parce que Thucydide est un cas limite, il nous ouvre des perspectives un peu différentes des autres. Le ve siècle grec a vu la naissance de l'histoire ; l'Athènes de Périclès a vu, et suscité, la naissance d'une histoire toute politique, à la fois critique et réaliste — l'histoire, en somme, que devaient adopter les siècles à venir. En revanche, nul n'a plus jamais tenté d'écrire l'histoire à la manière de Thucydide, en insérant une interprétation en profondeur au sein d'un exposé objectif, et en faisant du récit une sorte de démonstration. Nul n'a plus jamais introduit dans l'histoire toutes ces maximes générales, étayant des arguments contradictoires, ni toutes ces réflexions qui parlent de l'homme, de la « nature humaine », de ce qui « se passe en général » dans telle ou telle situation donnée, et pourquoi. Thucydide a été emporté par l'enthousiasme qui le menait à comprendre ce qu'il avait vécu, à y reconnaître des traits universels, et à vouloir les dégager par sa maîtrise dans l'art des débats d'idées : il a voulu tout inclure dans son œuvre ; et nul n'a eu l'audace de risquer après lui une telle entreprise. L'histoire politique a survécu jusqu'à nous — sans discours ni références à la nature humaine. Et, à côté de l'histoire, sont nées toutes les disciplines, qu'il avait inaugurées et qu'il avait liées à l'histoire : la psychologie, la sociologie, la polémologie, la stratégie, la philosophie politique... Son ambition intellectuelle a été telle que son œuvre nous offre l'amorce de toutes ces sciences, maniées par les orateurs, confirmées par les faits, résumées en formules frappantes, et parfois nuancées. Il les avait voulues au service de l'histoire ; mais il les avait, en tout état de cause, lancées et inventées. Il annexait « l'humain » : de lui partent un bon nombre de nos « sciences de l'homme ».

Il a ainsi apporté à notre culture non seulement la déroutante actualité que garde à jamais son œuvre, mais les curiosités et les ambitions que l'histoire après lui a abandonnées, pour les voir renaître beaucoup plus tard en autant de surgeons indépendants.

Appendice : la médecine

On ne peut évoquer l'effort qu'accomplit Thucydide pour donner à l'histoire une portée universelle sans évoquer l'effort parallèle mené par Hippocrate dans le domaine de la médecine. Hippocrate n'était pas athénien ; il n'a jamais, semble-t-il, séjourné à Athènes ; il ne doit rien à la démocratie athénienne. Mais il se trouve que lui aussi (il était exactement contemporain de Thucydide) a voulu procéder à une enquête rigoureuse, dégager dans la maladie des symptômes susceptibles de se reproduire et par conséquent d'être prévus ; lui aussi a écarté les explications mettant en cause le sacré, et lui aussi a cherché à fonder son analyse des maladies sur la considération de « la nature de l'homme », entendue, cette fois, au sens physique.

Au reste, Thucydide s'est inspiré de la médecine, non seulement dans sa description minutieuse de la peste d'Athènes, mais dans sa façon de concevoir la vie politique, et d'appeler les hommes politiques à se faire à l'occasion les « médecins » de la cité, veillant — comme les médecins hippocratiques prêtaient serment de le faire — à « rendre à la cité le plus de services possible ou du moins à ne lui causer délibérément aucun préjudice » (VI, 14).

Aussi bien faut-il reconnaître un fait : sans que la

démocratie athénienne y soit pour rien, le rôle d'Hippocrate dans l'art médical correspond bien à la tendance profonde décrite dans ce livre, et propre à l'esprit grec.

Hippocrate était de Cos et appartenait à la famille des Asclépiades, dont les compétences médicales étaient connues et constituaient un véritable privilège. Les connaissances se transmettaient au sein du groupe de façon aristocratique, et reposaient sur des traditions plus que sur un enseignement. Au ve siècle, tout change : les compétences médicales deviennent l'objet d'un enseignement, qui s'ouvre à des disciples extérieurs à la famille. De plus, Hippocrate lui-même (qui devait se fixer loin de Cos, en Thessalie) voyage en Grèce. Et, là où il passe, il enseigne. Déjà au niveau des personnes, l'ouverture se fait.

Elle est rendue possible par le fait que la médecine, soudain, s'est érigée en art raisonné, en *technè.* Les traités hippocratiques revendiquaient ouvertement ce statut, parlaient des différences entre un traitement correct ou fautif, et cherchaient l'objectivité. Celle-ci commençait par l'observation systématique des symptômes, et le rapprochement de nombreux cas. Elle permettait le pronostic. Elle conduisait à réfléchir sur l'influence du climat et de l'environnement. Elle cherchait à établir des causes, et même à éclairer les phénomènes de la santé par une analyse du corps humain et de son fonctionnement. La tendance à l'universalité anime chacune de ces démarches.

Mieux encore, les médecins hippocratiques voulurent communiquer ce savoir et en discuter. Ils durent entrer eux aussi dans le débat démocratique et eurent à défendre devant le peuple leurs titres à devenir « médecins publics ». Ils se mirent aussi soit à publier leurs cours, pour répandre leur savoir soit à composer des traités : les uns mettaient à la disposition de tous des observations dûment consignées, les autres défendaient des hypothèses, et n'hésitaient pas à aborder des questions très générales, relatives à l'homme, au régime, ou au progrès des connaissances humaines. On a conservé une soixantaine d'écrits médicaux, transmis sous le nom d'Hippocrate : ils ne sont pas tous de lui ; mais leur existence même révèle ce souci nouveau, et proprement grec, de construire une science, valable pour tous, et de la fixer, à l'usage de tous. D'autres peuples ont eu des traditions médicales brillantes et originales : ce désir de diffusion scientifique est propre à la Grèce du ve siècle, et fonde la médecine occidentale.

Après tout, n'est-ce pas par les mêmes traits que la science grecque en général s'est distinguée des autres, et a pris l'importance que l'on sait dans le monde ? Elle s'est voulue connaissance réfléchie, théorique, exempte de tout souci empirique. Déjà dans l'Antiquité, on le savait ; un ancien disait de Pythagore qu'il « remontait aux principes supérieurs et recherchait les théorèmes abstraitement et par l'intelligence pure ». Et la science grecque, elle publie, discute, progresse.

Quoi qu'il en soit, les traités hippocratiques jouent ce rôle. Qui plus est, nombre de ces traités examinent des questions fondamentales et sont ainsi conduits à aborder des problèmes philosophiques (le progrès, la science) ou bien à discuter les doctrines des philosophes d'alors : le médecin des corps est souvent, dans ses écrits, aussi abstrait et général que Thucydide.

Tout ceci explique qu'une étude comme celle qui est menée ici ne puisse ignorer Hippocrate. Son influence, d'ailleurs, s'est étendue partout en Grèce. Elle a pénétré la pensée athénienne, a encouragé l'essor des autres *technai*, leur a servi de modèle et de référence. Platon et Aristote l'ont mentionnée et respectée. Cette influence est aujourd'hui reconnue dans le monde entier. On ne lit plus guère les traités, où la part scientifique est évidemment dépassée ; mais les médecins de divers continents se retrouvent dans la petite île de Cos pour célébrer l'esprit qu'Hippocrate avait su, alors, donner à la médecine.

Peut-être peut-on rêver, et imaginer Hippocrate venu se fixer, ou faire de longs séjours à Athènes — comme les maîtres de rhétorique, comme Hérodote ou Anaxagore, ou bien d'autres : pourquoi la médecine ne seraitelle pas alors entrée dans le grand courant athénien, pour y figurer aux côtés de la philosophie ? Elle l'a presque fait du dehors. Et même, en bien des cas, elle nous a laissé les analyses les plus lucides et les plus fières de l'esprit nouveau. Il suffit, pour le comprendre, de lire les traités les plus généraux, comme le traité *De l'Ancienne Médecine*, qui évoque le progrès des connaissances, et le traité des *Airs, eaux et lieux*, qui précise l'influence du climat sur le caractère et la culture des hommes. C'est bien l'ouverture à la connaissance de l'homme, telle que ce livre essaie de la décrire.

NOTES DU CHAPITRE V

1. Voir ci-dessus, p. 119.

2. Voir ci-dessus, p. 126, n. 8.

3. On trouvera des analyses détaillées sur ce procédé dans trois de nos études : *Histoire et raison chez Thucydide* (Paris, les Belles Lettres, 1967), *La Construction de la vérité chez Thucydide* (Paris, Julliard, Cours et conférences du Collège de France, 1990) et « Les prévisions non vérifiées dans l'œuvre de Thucydide », *Revue des Études grecques*, 1990, p. 370-382.

4. Quitter des colonies présente des difficultés, mais peut se faire : les obligations des cités sujettes étaient différentes et les cas de révolte fréquents ; Thucydide en traite à propos de Mytilène, au livre III.

5. L'autre est le discours d'Euphémos au livre VI, moins frappant, mais où l'on lit, entre autres : « Pour un tyran ou pour une cité maîtresse d'un empire, il n'y a pas d'illogisme dans ce qui est avantageux » (VI, 85, 1).

6. Peut-être une telle pensée produit-elle l'usage de la force ; mais ce que montre Thucydide est l'inverse : du livre I au texte cité ici, cette pensée ne cesse de se durcir, au fur et à mesure que la situation devient plus tendue.

VI

LA TRAGÉDIE ET LE LANGAGE DES MYTHES

La tragédie est, de tous les genres littéraires qui surgissent alors, le plus étroitement lié à l'essor d'Athènes et à sa démocratie.

Comme dans d'autres cas déjà cités, le point de départ n'était pas athénien ; mais Athènes se saisit des premiers balbutiements tragiques ; et l'on ne connaît plus dès lors que des auteurs tragiques athéniens ou venus se faire jouer à Athènes. De plus, le genre naît, pratiquement, avec le ve siècle, et même avec la victoire sur les Perses [1] : la première fois où Eschyle remporte la palme au concours dramatique se place en 484, soit quatre ans avant Salamine, et la première tragédie conservée (consacrée précisément à Salamine) date de 472, soit huit ans après la victoire. A partir de là, le genre s'épanouit, et les chefs-d'œuvre se succèdent, d'année en année. Puis Sophocle et Euripide meurent, la même année, en 406-405, juste avant la fin de la guerre du Péloponnèse et l'écrasement d'Athènes. Leur mort marque la fin. Quelques noms ont surnagé pour les années antérieures à Eschyle (comme ceux de Thespis et de Phrynichos) ; quelques autres sont connus des spécialistes pour le IVe siècle ; mais aucune œuvre ne subsiste. La tragédie naît et meurt avec le grand moment de la démocratie athénienne : l'une et l'autre coïncident.

Aussi bien retrouve-t-on, dans le principe de ce

théâtre, l'inspiration même qui animait les institutions premières de la démocratie. La tragédie, à Athènes, était l'objet d'une manifestation collective, organisée par l'État, et à laquelle tout le peuple assistait. Athènes créa même, très tôt, une allocation destinée à compenser le manque à gagner des citoyens pauvres, venus assister au concours de tragédies. On rencontre donc, pour ces grands jours, le peuple encore une fois réuni — un peu comme à l'Assemblée ou au tribunal.

Cela implique pour les auteurs l'obligation de savoir toucher un très large public ; d'où la nécessité de perspectives aussi amples que possible et de moyens d'expression aussi efficaces que possible. La soudaine éclosion du genre tragique relève par là du même élan fondamental que celle de l'éloquence, de la réflexion politique ou de l'histoire. Liée à une séance annuelle et à une compétition organisée, la tragédie obéit même à des contraintes plus urgentes et plus ambitieuses : il lui faut émouvoir tout le monde, et tout de suite.

On voit ainsi poindre, dans le principe même, une sorte d'aspiration à l'universel : l'auteur tragique doit s'élever au-dessus de ce qui intéresse seulement telle ou telle catégorie de spectateurs ; et il doit, pour cela, viser toujours à l'essentiel.

Deux traits allaient aider les auteurs en ce sens — deux traits dont l'un concerne la matière même dans laquelle ils choisirent leurs sujets et l'autre la forme, très particulière, qui s'imposa pour le genre ainsi créé : la matière fut le mythe, et la forme fut une association, qui demeure sans équivalent ailleurs, entre des personnages dialoguant sur une scène et un chœur chantant dans l'*orchestra*. L'une et l'autre se révélèrent porteuses d'universalité — un peu comme si, la fonction créant l'organe, les diverses composantes de la tragédie avaient été retenues en vue d'un tel objectif. En tout cas, elles y concourent.

Pour le mythe, cela n'est pas d'emblée évident. Après tout, on pourrait penser que l'élan de la démocratie athénienne aurait dû la porter, là aussi, vers le présent et vers les réalités athéniennes : en adoptant le mythe, elle fuyait ailleurs, et ne faisait que reprendre, sans plus, la tradition de l'épopée. A première vue, cette orientation pourrait paraître peu en rapport avec son dynamisme ou sa fierté.

Et pourtant, c'est un fait : l'emploi du mythe correspond de façon rigoureuse avec l'épanouissement du genre, et avec celui de la démocratie. Au début, il y avait eu quelques tragédies inspirées par l'histoire récente : la première tragédie conservée, *Les Perses* d'Eschyle, en est un bel exemple[2]. A la fin, inversement, la tragédie semble prête à s'affranchir du mythe : Aristote signale une tragédie d'Agathon (qui était plus jeune qu'Euripide) et s'étonne de voir que, dans cette pièce, « les faits et les noms sont pareillement inventés[3] ». Tout se passe donc comme si la force du genre était liée au mythe, et comme si celui-ci avait mieux que tout servi sa visée maîtresse.

De fait, c'est bien la merveille du mythe, tel que l'ont pratiqué les tragiques grecs : par son essence même, il prend valeur universelle. La survie des Électre et des Iphigénie dans le théâtre de tous les temps et de tant de pays en est la conséquence, et aussi la preuve éclatante.

On rejoint en cela l'ambition fondamentale d'Athènes. Encore faut-il tenter de comprendre comment et pourquoi. On s'aperçoit alors que les raisons sont de divers ordres, et que tout converge vers un même résultat : les caractères *a priori* du mythe en tant que tel, et la façon dont les auteurs grecs l'ont, en fait, exploité.

I. *Le principe du sujet mythique*

Les mythes viennent de loin. Et déjà cela peut jouer. Car, à l'origine, ils sont sans doute liés à une couche profonde de notre sensibilité. Ils ont été inventés, ou bien adoptés et retenus par la mémoire collective, parce qu'ils traduisaient des peurs, des rêves ou des scandales enracinés en nous. Les études de Claude Lévi-Strauss ont, de fait, entrepris de montrer que les mythes présentent des formes qui se retrouvent en diverses cultures, pour la raison qu'ils expriment à leur manière des données communes à des sociétés diverses. Selon l'école structuraliste, cela se vérifie même pour des détails concrets inhérents aux mythes. L'exemple d'Œdipe comporte un certain nombre de signes par lesquels s'exprime le langage secret du mythe : le boiteux, ou bien l'énigme, sont des façons de signifier la rupture de la communication sociale[4].

Sans entrer dans le détail, il reste en tout cas que les mythes peuvent puiser assez largement à un fonds immémorial, dont nous portons la trace en nous. Les mythes retiendraient, en quelque sorte, des histoires privilégiées pour l'imaginaire humain.

Mais, de plus, par leur nature même, ils présentaient, littérairement, des possibilités particulières, qui les rendaient plus susceptibles que d'autres sujets de prendre la valeur universelle qu'ils ont bel et bien revêtue. Et ceci, pour la tragédie, est manifeste.

Il suffit de réfléchir aux caractères qui étaient les leurs, *a priori*, et une série d'avantages saute aux yeux.

Tout d'abord, dans les mythes, le gros de l'histoire était connu. Chaque auteur était libre de modifier des détails, d'ajouter des personnages, de changer leurs motifs ; et nul ne s'est jamais privé de le faire. Mais on devait respecter une certaine forme, qui était le schéma de l'histoire, et définissait le principal de son contenu.

On n'aurait pas pu présenter un Oreste renonçant à tuer sa mère, ou un Œdipe n'apprenant jamais qu'il avait épousé la sienne. Ce noyau irréductible du mythe constituait comme l'épure d'un destin. Et les auteurs étaient libres d'interpréter cette épure chacun à sa façon.

C'est pourquoi déjà dans l'Antiquité ils reprenaient les mêmes données, sans que cela fît difficulté. On peut comparer l'Électre d'Eschyle, celle de Sophocle, celle d'Euripide : elles sont différentes ; leur part dans le crime n'est pas la même ; et le mythe change de sens selon que cette part évolue. Dès lors, on comprend que ces données traditionnelles aient pu également être reprises à d'autres époques et chez d'autres peuples, pour qui elles n'étaient rien — sinon une image humaine à interpréter. Avec le mythe, la fixité du cadre laisse la part plus grande à l'interprétation, et subordonne la donnée d'ensemble à l'idée que l'auteur a voulu faire passer. Il n'y a donc rien d'étonnant à ce que le ve siècle athénien, si désireux de dégager des idées sur l'homme, ait eu recours à ce système de signes que le mythe lui proposait.

Cette valeur intemporelle était naturellement renforcée par le fait que l'histoire elle-même se situait à une époque irréelle et indéterminée.

Pour les Grecs, les rois et les héros du mythe avaient en principe existé — mais dans un temps ancien et d'une existence plus ou moins fictive. Ils n'étaient pas liés à une époque et à une société, ou bien ils l'étaient de façon très souple. On pouvait, en brouillant les temps, faire faire à un ancien roi d'Athènes l'éloge d'une démocratie qu'il n'avait pas connue, ou bien représenter l'affaire des Sept contre Thèbes, où s'étaient opposées deux cités grecques, comme une guerre entre peuples de cultures différentes. L'actualité, bien entendu, s'en mêlait et venait donner sa couleur au mythe : les savants ont plaisir à en repérer le reflet dans les œuvres. Mais ce reflet n'est pas toujours évident et ne porte souvent que sur des détails. Cette actualité acquiert d'ailleurs au contact du mythe une sorte de recul. Ainsi les mythes ont-ils pu être chargés, selon les époques, d'une actualité à chaque fois différente : ils sont restés, eux, hors d'atteinte, et prêts pour les auteurs suivants. Ils sont à tout le monde. Ils échappent au temps qui s'efforce, à chaque fois, de les travestir. Ils ont valeur de signes et de symboles.

A Athènes, dans leur forme simple et forte, ils s'imposaient aussitôt. Il suffisait d'un nom, et chacun reconnaissait les héros qu'il avait rencontrés chez les poètes ou bien dans les œuvres d'art, et jusque dans les objets familiers. De plus, la perception de l'histoire comme un tout était d'autant plus frappante dans la tragédie d'alors, que, surtout dans la première moitié du siècle, elle respectait cette simplicité. Elle laissait à ce destin sa forme dépouillée — tout comme elle laissa à ces héros leur grandeur tout d'une pièce. Il y avait là une puissance sobre, sans rien de surajouté, qui rappelle ce qui a été dit de Pindare. Et cette simplicité dénudée renforce le caractère intemporel du mythe.

On en prend conscience lorsque l'on se reporte aux adaptations modernes des tragédies grecques. Toute la différence est là ! Giraudoux et Anouilh parlent tous deux de ces « rois » de la tragédie ; mais ils cèdent tous deux au désir moderne de rapprocher de nous les héros. La « petite Antigone » d'Anouilh, avec sa pelle d'enfant, rappelle la « petite Électre » de Giraudoux, s'occupant du bébé Oreste. Et la haine de Clytemnestre pour son mari, qui était, chez Eschyle, l'instrument de la vengeance divine en même temps que le ressentiment d'une mère, se colore, chez Giraudoux, du souvenir du petit doigt d'Agamemnon, qu'elle sentait avec exaspération s'appuyer contre son dos dans l'étreinte conjugale. Faut-il s'en étonner ? Après tout, Racine lui-même a bien fait d'Hippolyte, l'ami sans tache d'Artémis, un amoureux qui brûle pour la jeune Aricie...

En surchargeant de détails concrets l'épure originelle de l'œuvre grecque et en se livrant à cette sorte de jeu anachronique, les auteurs des temps modernes ont débusqué au passage mille émotions subtiles ; mais ils ont perdu, avec la grandeur lointaine du héros, la nudité de l'aventure ou de la situation dont il était le symbole. Des caractères, à la moderne, ont succédé à ce qui était la forme d'une donnée humaine, considérée dans son essence. Le conflit a été entre Phèdre et Aricie, non plus entre l'amour et la chasteté.

Plus proche du mythe, la tragédie grecque en avait la grandeur.

Car c'est là un autre trait des données mythiques : elles semblent placer le spectateur devant un monde d'exception, et, par un beau paradoxe, elles permettent par là même de conférer à ce monde une signification plus large.

Jamais la tragédie grecque n'a cherché, ni aimé, le réalisme. Que l'on pense seulement à ces personnages au visage masqué et à la voix amplifiée par le masque ! Que l'on pense aux cothurnes qui rehaussaient leur taille ! Que l'on pense au fait qu'ils incarnaient des rois, des fils de dieux, voire des dieux ! et qu'un chœur anxieux rappelait à chaque instant que de leur sort tout dépendait — les serviteurs, le palais entier, toute la cité, ou bien l'armée, et l'avenir de familles éplorées ! Que l'on se rappelle le caractère extrême de leurs actes et de leurs souffrances, le nombre des meurtres souvent monstrueux, et les familles éclatées en de sanglants affrontements ! Était-il donc courant de voir un père immoler sa fille, comme fait Agamemnon ? de voir une femme tuer son mari pour être ensuite tuée par son fils, comme Clytemnestre ? Était-il normal qu'une femme jalouse en vînt à tuer non seulement sa rivale, mais ses propres enfants, comme Médée ? Aucun de ces actes n'était plus normal dans la Grèce classique que de notre temps. Et même certains poètes grecs montraient quelque réticence à admettre ces versions ; ainsi Homère ne semble pas connaître le sacrifice d'Iphigénie, et il reste fort discret sur le rôle de Clytemnestre. Mais la tragédie voulait l'extrême — l'extrême du crime et l'extrême de la souffrance — afin d'offrir par là un spectacle plus saisissant. Le rôle même du sacrifice dans la tragédie, dont on a tant parlé, doit sans doute à cette exigence une bonne part de son importance.

De toute façon, les maux sont toujours poussés à la limite. La cruauté des tyrans aussi. Et le courage que montrent les êtres faibles, les femmes, les jeunes filles, est sans mesure, comme la vertu des héros. Ce serait un jeu aisé que de relever, dans le détail des textes, ces « records », à chaque fois soulignés par un commentaire[5] : ce sont les « records » propres à la grandeur du mythe.

Enfin, cette grandeur est encore accrue par le fait que le mythe met en cause les dieux.

Il vient d'être dit que l'*Hippolyte* d'Euripide présentait le conflit pur et net de l'amour et de la chasteté ; mais, derrière l'amour et la chasteté, il oppose en fait les deux divinités qui en sont les patronnes : une Aphrodite, réelle et résolue, contre une Artémis, bien-aimée et présente. Les deux déesses commandent tout. Et ce n'est point là une exception : dans le mythe, les dieux jouent toujours un rôle. Et ils en jouent un aussi dans la tragédie grecque. On les voit intervenir souvent, au début ou à la fin. Il arrive même qu'ils interviennent en tant que personnages (dans le *Prométhée* d'Eschyle ou dans *Les Bacchantes* d'Euripide). Sans cesse, on les prie, on les craint, on attend leur secours. Certaines pièces d'Eschyle voient ainsi se succéder des prières à Zeus, ou bien aux dieux, qui peuvent atteindre cinquante vers ou davantage[6]. Devant tout événement, la première pensée exprimée est toujours qu'un dieu en est l'auteur : on se demande seulement lequel[7]. Cette présence constante du sacré accroît, évidemment, l'impression de grandeur. Mais elle ajoute aussi à la portée du sens. Car, dès lors, l'attention est naturellement tournée vers le rapport entre l'homme et les dieux, entre le crime et le châtiment, entre la façon juste ou cruelle, compréhensible ou incompréhensible dont la divinité se comporte à l'égard de l'homme. Par suite, l'intérêt se porte, non plus sur le héros particulier du mythe, mais sur l'humanité en général, dans ses rapports avec les forces qui dirigent le monde. Le mythe, en cela aussi, s'oriente vers le général.

Chez Eschyle, ces questions presque métaphysiques sont posées avec insistance, et de façon directe. Il n'en est plus ainsi dans la suite. Mais la cruauté d'Aphrodite ou de Dionysos, chez Euripide, n'est-elle pas une façon, moins directe mais aussi pertinente, de répondre au même problème ?

On arrive ainsi au paradoxe qui était annoncé tout à l'heure et dont on ne devrait jamais cesser de s'émerveiller : le mythe, en effet, prend valeur de leçon humaine précisément parce qu'il se situe dans un monde d'exception, dans un monde grandi et lointain, dans le monde des symboles.

A cet égard, il est un texte bien révélateur : c'est celui d'*Œdipe Roi,* dans lequel Sophocle fait dire au chœur, lorsque la vérité est révélée, que l'exemple d'Œdipe vaut pour tous, précisément par ce qu'il a d'extrême :

> « Pauvres générations humaines, je ne vois en vous qu'un néant. Quel est, quel est donc l'homme qui obtient plus de bonheur qu'il n'en faut pour paraître heureux, puis, cette apparence donnée, disparaître à l'horizon ? Ayant ton sort pour exemple, ton sort à toi, ô malheureux Œdipe, je ne puis plus juger heureux qui que ce soit parmi les hommes.

« Il avait visé au plus haut. Il s'était rendu maître d'une fortune et d'un bonheur complets. Il avait détruit, ô Zeus, la devineresse aux serres aiguës. Il s'était dressé devant notre ville comme un rempart contre la mort. Et c'est ainsi, Œdipe, que tu avais été proclamé notre roi, que tu avais reçu les honneurs les plus hauts, que tu régnais sur la puissante Thèbes.

« Et maintenant, qui pourrait être dit plus malheureux que toi ? Qui a subi désastres, misères plus atroces, dans un pareil revirement ? » (*Œdipe Roi*, 1186-1207).

Le malheur d'Œdipe est hors du commun. Il représente un cas limite. Mais, malgré cela, ou peut-être à cause de cela, son sort devient un exemple, un « paradigme » (c'est le mot grec), de la condition humaine : « Pauvres générations humaines... »

Sans doute est-ce là dégager des conclusions qui relèvent de l'interprétation donnée par l'auteur tragique : on aura l'occasion d'y revenir. Pourtant il est clair — et c'est un « paradigme » ici encore — que, de façon latente, mais constante, le mythe invitait à cette utilisation et se prêtait à un tel rôle. Accompagné ou non de commentaires, il est toujours l'image, agrandie par les pouvoirs de l'imaginaire, qui sert de symbole à nos destinées et en désigne le sens.

Le mythe était donc un langage bien fait pour parler de l'homme. Il offrait pour cela des figures et des signes plus grands que le quotidien : c'était là obéir à la suggestion que devait faire Platon, lorsqu'il propose, au début de *La République*, de chercher ce qu'est la justice en considérant l'État dans son ensemble, et qu'il explique : « Les mêmes lettres se trouvent [alors] écrites en caractères plus gros sur un tableau plus grand » ; ainsi seront-elles « plus faciles à déchiffrer ».

S'il en est ainsi, on comprend que le mythe, tel que l'a pratiqué la tragédie grecque, soit devenu bel et bien un langage.

Les sociologues qui se sont penchés sur les mythes tels que l'on peut parfois les saisir aux origines, y voient un langage premier, exprimant indirectement des tabous, des interdits, des règles. En ce sens, Claude Lévi-Strauss a écrit : « Le mythe est langage[8]. » Mais nous sommes ici à l'autre extrémité de l'évolution ; il s'agit du mythe employé comme ressource littéraire et consciemment élaboré par des auteurs ; et c'est en un autre sens que celui-ci devient alors langage.

Peut-être cela était-il vrai des mythes grecs en général, sous la forme que leur avaient donnée peu à peu les poètes et les conteurs de ce peuple épris de clarté : cela expliquerait que les mythes grecs et les dieux grecs aient pu, ultérieurement, se répandre dans l'Orient byzantin, et devenir, comme l'écrit G. Bowersock, « la lingua franca » de ces divers pays[9]. Mais, de façon plus nette encore, dans la littérature tragique de l'Athènes du ve siècle, les mythes sont devenus un moyen d'expression destiné à se répandre chez tous ceux qui voudraient parler de l'homme.

Il est amusant d'ailleurs de constater que, même chez les moins « universalistes », ce sentiment affleure assez volontiers. Relisant récemment le recueil de J.-P. Vernant et P. Vidal-Naquet intitulé *Mythe et Tragédie,* je constatais qu'un sociologue comme J.-P. Vernant écrit ainsi que les souffrances humaines sont, dans la tragédie, « arrachées à l'opacité du particulier et de l'accidentel », et que « tout en concernant des personnages et des événements singuliers, liés au cadre historique et social qui est le leur, ils acquièrent une portée et une signification autrement plus larges[10] ».

Quant à Vidal-Naquet, étudiant les variations du mythe dans le théâtre, il insiste sur l'idée de royauté dans les pièces relatives à Œdipe du XVIe au XVIIIe siècle et il écrit : « De Voltaire à Chénier, c'est un chemin qui a été parcouru ; mais, tout au long du parcours, un langage commun a été gardé[11]. »

Mais nul, je pense, n'a mieux senti et exprimé ce caractère du mythe que Marguerite Yourcenar, lorsque, dans le livre intitulé *En pèlerin et en étranger,* elle a écrit (à la page 29), à propos de la mythologie grecque : « Au même rang que l'algèbre, la notation musicale, le système métrique et le latin d'Église, elle a été pour l'artiste et le poète européen une tentative de langage universel. »

II. *Le langage des mythes*

L'admirable citation que l'on vient de reproduire ici exprime un sentiment juste et profond. Mais il ne faut pas se laisser prendre trop vite à sa séduction. Car la phrase et celles qui ont été citées auparavant portent, en réalité, sur les mythes grecs tels que la tragédie les a élaborés et transmis.

Obnubilés par le rayonnement des tragiques grecs, nous risquons toujours de nous y tromper, et de dire « le mythe » quand nous voulons dire : « le mythe dans la tragédie ». Or ce dernier n'a pas grand-chose à voir avec le mythe originel. Et ceci explique assez bien pourquoi les autres mythes, des autres civilisations, n'ont pas pris cette valeur exemplaire ni connu cette utilisation quasi universelle.

Le principe même du sujet tiré du mythe se prêtait plus qu'un autre au rôle que visait la tragédie grecque ; mais tout restait à faire.

D'ailleurs, quel mythe ? Que savons-nous de ces mythes grecs dans lesquels ont puisé les tragiques ? Avec la Grèce, nous ne connaissons presque jamais de « mythes primitifs »[12]. Que ce soit avec Homère, ou les lyriques, ou la tragédie, nous ne connaissons que des œuvres littéraires, choisies, élaborées et arrangées. C'est tout juste si parfois une image poétique venue de loin, ou bien un rite, ou encore quelque légende recueillie tant bien que mal par un mythographe se renseignant bien des siècles plus tard, ouvre soudain un aperçu sur des traditions populaires sans doute très anciennes, que les poètes ont laissées dans l'ombre, ou ignorées. Même Hésiode, avec son désir de mettre de l'ordre dans les multiples traditions du panthéon grec, a dû beaucoup reconstruire et amalgamer, quand il n'a pas mêlé aux récits grecs des récits orientaux. Les Grecs, avec leur désir de tout exprimer et clarifier, sont peut-être le peuple au monde pour qui les traditions mythiques sont le plus constamment présentes dans la littérature, mais aussi le plus largement recouvertes et englouties sous ces créations littéraires.

Une chose est sûre, en tout cas : le peu que nous en savons nous entraîne en général très loin des grands mythes qu'offre la tragédie et de leurs symboles. On peut en faire l'expérience en lisant tel auteur qu'enchantent les histoires racontées ici ou là dans ces sources incertaines : on met alors le pied dans un univers monstrueux et bigarré. C'est ainsi que le livre récent de R. Calasso, *Les Noces de Cadmos et Harmonie,* commence avec des enlèvements multiples, où à chaque instant intervient le taureau (taureau qui enlève Europe, taureau de Crète, et de Pasiphaé) ; puis on passe aux amours de Dionysos ; et l'on voit défiler des héroïnes inconnues : Pallène, Aura, Nikuia... ; plus loin encore, on rencontre les amours de Zeus et de Sémélé, avec les transformations multiples de Zeus, et l'étreinte du serpent, décrite dans le livre avec un réalisme presque angoissant...

De tout cela, rien qui soit connu par la tragédie, rien que les auteurs du ve siècle aient retenu. Déjà Homère était à cet égard d'une rare discrétion — lui qui ne fait jamais allusion aux métamorphoses de Zeus, et chez qui l'on ne rencontre jamais autour des héros ni taureaux ni dragons. Pourtant, il était plus près de la source que nous.

La tragédie, elle aussi, a beaucoup éliminé — probablement par goût, comme Homère, et sûrement par nécessité : il fallait laisser de côté ce qui était trop invraisemblable, par l'horreur ou par le burlesque. Et de tels éléments ne manquaient pas[13] !

On a toujours été surpris, en effet, de voir que cette Grèce éprise de clarté et de raison révélait dans sa mythologie tant de sauvagerie et de traditions incongrues. Des images de cauchemar surgissent d'un peu partout, dès que l'on sort des poèmes délibérément recomposés. Rien que la généalogie des dieux nous offre l'image de Cronos châtrant son père Ouranos avec une longue serpe aux dents aiguës, puis dévorant ses propres enfants « dès l'instant où chacun d'eux du ventre sacré de sa mère descendait sur ses genoux » — sauf Zeus, que sa mère remplaça par une pierre, aussitôt avalée par le dieu ! Puis on rencontre Dionysos coupé en morceaux et cuit, en attendant que ses fidèles pratiquent l'omophagie. Plus près des légendes humaines, on retrouve, à côté de l'inceste et du parricide, les dévoreurs de chair humaine, avec, par exemple, le souvenir d'Atrée, faisant servir à son frère Thyeste les corps de ses enfants. Au total, beaucoup d'horreurs, dont la tragédie ne pouvait faire aucun usage. Les deux premiers faits cités ici en exemple sont signalés par Hésiode. Mais que deviennent-ils chez Eschyle ? La discrétion de l'allusion est révélatrice du refus tragique. Cette allusion, parée de mystère, figure dans un chant du chœur, qui oppose la grandeur de Zeus aux deux premiers maîtres du monde :

> « Un dieu fut grand jadis, débordant d'une audace prête à tous les combats : quelque jour on ne dira plus qu'il a seulement existé. Un autre vint ensuite, qui trouva son vainqueur et sa fin. Mais l'homme qui de toute son âme célébrera le nom triomphant de Zeus aura la sagesse suprême » (*Agamemnon*, 167-175).

Quant au festin d'Atrée, il surgit chez Eschyle de façon non moins mystérieuse, dans les visions entrecoupées de Cassandre, au moment où elle va pénétrer dans le palais des Atrides :

« Ah ! dis plutôt une maison haïe des dieux, complice de crimes sans nombre, de meurtres qui ont fait couler le sang d'un frère, de têtes coupées... un abattoir humain au sol trempé de sang ! [...] Ah ! J'en crois ces témoignages : ces enfants que je vois pleurer sous le couteau et ces membres rôtis dévorés par un père ! » (*Ibid.*, 1090-1097).

Ces deux textes montrent assez que, sans renier le mythe, et tout en en conservant la sinistre coloration à l'arrière-plan de ce qu'ils choisissaient d'évoquer, les tragiques ont su en rejeter les suggestions les plus terribles dans une ombre allusive et dans des évocations lyriques. Le résultat est que ces épisodes n'ont point pénétré, jusqu'à nos jours, la littérature pourtant si nourrie des mythes grecs.

Seuls les mythes des tragiques sont devenus un langage pour elle.

Le fait est qu'ils avaient choisi. Ils n'avaient retenu que les plus humains des mythes, à partir d'une masse de légendes.

Qui plus est, même pour les thèmes qu'ils retenaient, ils en ont fait autant. Ils ont, là aussi, éliminé et décanté. Ils ont également ajouté, ordonné, transposé, de manière à dégager des récits une histoire qui soit capable de prendre un sens en ce qui concerne l'homme, et de mettre ce sens en évidence pour tous, de façon immédiate. A ce prix seulement, les mythes pouvaient devenir les symboles humains que l'on a dit. Car s'il est parfaitement vrai que le principe d'un sujet mythique se prêtait bien à l'analyse d'une situation humaine significative, il fallait aussi que cette analyse vînt, quitte à revoir et infléchir les données premières. Et c'est donc à partir de cet effort d'élaboration, et de tout ce qui fut, à chaque fois, écarté ou ajouté, qu'apparaîtra ce désir d'universalité, dont la citation de Marguerite Yourcenar disait si bien le résultat.

Encore convient-il bien de s'entendre sur ce sens qui s'attache au mythe tragique, et sur son universalité. Il existe en effet plusieurs niveaux de sens, qu'il ne faut surtout pas confondre.

L'idée d'exemple humain, valable pour tous les hommes, est apparue, clairement formulée par le chœur, dans un passage d'*Œdipe Roi*. Mais cet exemple ne concernait que la facilité avec laquelle se font les grands retournements du sort. On est monté très haut, et soudain c'est le désastre : voilà de quoi rappeler à chacun, dans la pitié et la terreur, la menace qui pèse sur tous.

Cette grande impression de désastre est essentielle à la tragédie grecque. Agamemnon, Ajax, Héraclès sont là pour en servir de preuves ; et le chœur ne cesse de commenter (dans la terreur et la pitié, ici encore) ces effondrements sans appel. Il le fait même sous la forme de maximes, qui, elles, nous paraissent assez évidentes et un peu trop simples. Ainsi, pour en rester à *Œdipe Roi*, les vers de conclusion ont frappé par leur ressemblance avec Hérodote : « Gardons-nous d'appeler jamais un homme heureux, avant qu'il ait franchi le terme de sa vie sans avoir subi un chagrin », conclut le chœur, aux vers 1528-1530. De même, Hérodote faisait dire à Solon, comme une grande révélation, qu'il faut attendre la fin de la vie d'un homme avant de le dire heureux, « car à bien des hommes le ciel a montré le bonheur, pour ensuite les anéantir tout entiers » (I, 32). En fait, dans la ligne de l'Athénien Solon, la tragédie a fait sienne cette maxime. On la trouve presque mot pour mot dans l'*Agamemnon* d'Eschyle (928) et dans l'*Andromaque* d'Euripide (100). Elle est sans aucun doute caractéristique, à la fois, de la tendance des Grecs à la formulation de règles générales, et de la conscience aiguë qu'ils avaient de ce qu'est la condition de l'homme, soumis aux volontés des dieux et aux caprices du destin.

Mais, si la tragédie, avec ses exemples retentissants, donne à cette vieille sagesse un éclat qui la rend comme neuve, ce n'est évidemment pas là une connaissance de l'homme très profonde ni qui suffise à justifier l'invention du langage des mythes.

Ce langage commence avec la question « Pourquoi ? ». Pourquoi ces désastres ? Pourquoi cet homme ? Pourquoi ainsi ?

La réponse peut être (et on le constate presque toujours chez Eschyle) : parce que les dieux ont voulu ce destin. Mais, si les dieux sont justes, quelle est la faute qu'ils punissent ? Et quels sont les crimes qu'ils ne peuvent tolérer ? Le meurtre ? la guerre ? l'impiété de celui qui n'a pas écouté les oracles ou qui a été entraîné par la démesure ? La tragédie naît avec ces interrogations-là. Qu'une reine comme Clytemnestre tue son mari et soit tuée par son fils est à coup sûr une fâcheuse histoire, mais qui, en soi, ne nous apprend rien sur l'homme. L'histoire ne prend un sens qui nous concerne que si quelqu'un nous montre que ce peut être là une forme, indirecte et retardée, de la justice divine... Et cette idée commandera l'*Orestie* d'Eschyle. Trait remarquable, Eschyle procède de façon analogue pour Xerxès, car — on l'a souvent reconnu — l'auteur tragique a ici tiré même l'histoire récente dans le sens du mythe, et a ainsi donné au désastre perse une signification comparable à celle de la mort d'Agamemnon.

La réponse à ce « Pourquoi ? » de la tragédie peut aussi être — et on le constate presque toujours chez Sophocle — qu'il s'agit d'un destin que nous ne comprenons pas ; mais, alors, cette obscurité même fait que toute l'attention se reporte sur les hommes : doivent-ils supporter, ou tenter de lutter ? mourir, ou bien vivre ? *Ajax* ou *Antigone* débattent de telles questions. Et, puisque l'on est ici parti d'*Œdipe Roi,* comment ne pas relever que le vrai sens de la pièce est dans l'ironie fondamentale qui fait qu'Œdipe, jouet des dieux, tombe d'autant mieux dans leur piège qu'il s'est cru assez fort pour l'éviter, et que ses plus belles qualités, en le lançant dans une enquête acharnée, le mènent justement au désastre. A l'intérieur des tragédies, le mouvement qui fait que la joie est à son comble quand va surgir la catastrophe, et que chaque progrès en rapproche l'homme qui ne sait rien, contribue à dégager un sens déjà beaucoup plus subtil et profond que les vers de conclusion qui étaient cités tout à l'heure, ou autres remarques plus ou moins sentencieuses.

Enfin, chez Euripide, le pourquoi est à chercher dans le cœur des hommes ; et chaque héros devient l'image d'un désastre créé par la passion ; l'amour, la jalousie, l'ambition, la faiblesse sont les formes universelles, mais multiples et souvent complexes, du destin humain.

Encore n'est-ce pas tout. Car les héros tragiques sont toujours pris dans les problèmes de la guerre, du pouvoir, de la responsabilité : tous incarnent des questions d'ordre moral, qui ne s'identifient nullement avec la simple constatation de la fragilité humaine en général, et qui ne s'en posent pas moins à toutes les époques et dans tous les pays. C'est là, en fait, que le langage commence ; car les héros figurent chacun un type de conduite mis à l'épreuve par le destin [14].

Ce n'est donc pas l'histoire elle-même qui se charge ainsi d'une valeur symbolique, mais l'histoire orchestrée et modifiée par quelqu'un qui, délibérément, l'a employée comme langage.

L'auteur a pu le faire en fonction de l'actualité dans laquelle il vivait : c'est souvent le cas. Mais il n'y a pas contradiction. Déjà la rencontre entre le temps du mythe et le temps de l'auteur est une façon de transcender le temps. De plus, pourquoi pas ? Thucydide aussi était passionné par son époque, mais il voulait en tirer une « acquisition pour toujours ». Le cas est le même.

En faisant du mythe un langage, les auteurs ont créé les « mythes tragiques » : une telle création était un petit miracle littéraire.

III. *La création des mythes tragiques*

Il avait fallu d'abord choisir : il fallait ensuite élaguer, puis reconstruire.

Il est difficile de suivre avec précision ces transformations : nous possédons les pièces (celles qui furent conservées...), mais nous n'avons, en ce qui concerne les sources, que des renseignements lacunaires et incertains. Du moins sont-ils assez nombreux pour laisser apercevoir l'importance de ce travail en profondeur.

Ce que les auteurs ont écarté est évidemment tout ce qui traîne dans les mythes, même les plus humains et le plus propres à devenir tragiques, de bizarre ou d'invraisemblable.

Ainsi, dans le *Prométhée enchaîné,* Eschyle s'est bien gardé de suivre la version traditionnelle que l'on a dans Hésiode[15]. Selon cette version, Prométhée s'était attiré la colère de Zeus en lui offrant la mauvaise part du sacrifice — à savoir des os blancs, perfidement recouverts de graisse. Étrange histoire, mesquine et saugrenue ! Chez Eschyle, Prométhée a irrité Zeus par les dons qu'il a faits aux mortels. Au lieu de prêter à sourire, cette provocation nous émeut, et place le sort de l'homme au centre de l'action. On pense, dans de tels cas, à la phrase d'Aristote, disant que la tragédie avait été élaborée à partir de « petits mythes et de formules risibles » (*Poétique,* 1449 a).

Parfois, d'ailleurs, la donnée mythique est là, mais

estompée et enveloppée de tant de discrétion que ses aspects choquants sont passés sous silence. Ainsi l'énigme que posait la Sphinx et qu'Œdipe a résolue. C'était une simple devinette de village (« Quel est l'animal qui... ? »). Or Sophocle ne pouvait pas supprimer le fait qu'Œdipe avait résolu l'énigme : il en parle sept ou huit fois dans la pièce. Mais il se garde bien de la citer jamais, ne parlant que de l'esprit avisé d'Œdipe et de son dévouement pour Thèbes. De même pour Médée, chez Euripide : il n'est presque pas question du meurtre de son frère ; et Euripide semble écarter la version selon laquelle elle l'aurait dépecé et jeté par morceaux du char qui l'emmenait. Euripide ne craint pas les horreurs : il le montre dans la pièce ; mais cette horreur-là eût été gratuite et aurait échappé à l'enchaînement tragique.

A chaque fois, un petit coup de lime était le bienvenu.

Il est cependant plus remarquable de constater une autre forme de suppression, ou au moins de mise en veilleuse, qui, elle, touche l'action principale. Elle concerne les héros et ce qui leur a valu leur éclat. Si cet éclat est fondé sur le merveilleux, les tragiques passent très vite. Ils admettent que les faits sont connus, et choisissent de montrer ces héros dans des crises où ils subissent un sort tout humain, où ils souffrent, et sont confrontés même au déshonneur.

La dernière tragédie mentionnée était *Médée*, et *Médée* met en scène Jason. Or Jason était pour tous le héros de la grande aventure des Argonautes, qu'Homère connaissait déjà. Pindare dit la splendeur de l'entreprise et celle du personnage. Mais Euripide s'est placé, lui, après le retour de l'expédition, quand Jason, revenu avec Médée, qui l'a aidé de ses sortilèges, l'abandonne pour épouser la fille du roi de Corinthe. L'histoire est donc en définitive celle d'un mari ingrat et infidèle, qui pousse à bout une femme violente.

C'est un exemple humain, qui ne doit quasiment rien à l'éclat des aventures relatives à la Toison d'Or.

Ou bien, à la même époque, voici Thésée. On célébrait en lui le héros du labyrinthe de Crète, le ravisseur de Phèdre et d'Ariane, et l'auteur de bien d'autres exploits... Rien de tout cela n'apparaît dans l'*Hippolyte* d'Euripide (bien que le roi d'Athènes revienne des Enfers). Thésée est un mari offensé, un justicier hâtif, et un homme confronté, ici encore, à une situation tout humaine. De même, Thésée reparaît ailleurs, chez Euripide : il est le bon roi, hospitalier, prêt à offrir asile aux opprimés, voire à défendre la démocratie, dans *Les Suppliantes :* l'aventurier de Crète est devenu le type du bon roi et de l'Athénien.

Le cas d'Héraclès est plus net encore. Car Héraclès était un des grands héros de la mythologie, et ses exploits étaient on ne peut plus célèbres. Or il a inspiré deux tragédies parmi celles qui ont été conservées, *Les Trachiniennes* de Sophocle et l'*Héraclès furieux* d'Euripide. Ces deux tragédies se placent l'une et l'autre après toute la série des exploits. Dans *Les Trachiniennes,* Sophocle a choisi la mort du héros : sa femme Déjanire lui envoie une tunique revêtue d'un philtre magique, qui devrait le ramener vers elle, mais qui le tue dans d'atroces souffrances. Héraclès apparaît dans la seconde moitié de la pièce, condamné et criant de douleur... Sophocle n'a retenu du mythe qu'un désastre dû à une erreur, et une fin plus affreuse que toutes. Celle-ci est représentative de l'homme, non du héros.

Quant à Euripide, il a choisi un autre épisode dramatique. Héraclès, rendu fou par la jalouse Héra, massacre ses propres enfants, qu'il prend pour ceux de son ennemi ; et il se réveille de sa crise déshonoré, prêt au suicide. L'épisode, dans la tradition mythologique connue par les *Chants Cypriens,* se plaçait au début de la carrière d'Héraclès : audacieusement, Euripide l'a déplacé, pour le faire servir de conclusion à toute une vie d'héroïsme. Ce désastre est en outre rendu plus tragique par le fait que, dans le début de la pièce, Héraclès est attendu comme un sauveur par les siens, et paraît, en effet, juste à temps pour les sauver. On ne peut imaginer retournement plus complet, ni plus pathétique.

Il en est de même partout. Pour être tragique, le héros doit souffrir, autant et plus que n'importe quel simple humain. Il ne se distingue du commun des mortels que par l'ampleur de sa chute et du revirement que connaît son sort. Il en est ainsi d'Agamemnon, même chez Eschyle. Il en est ainsi d'Ajax et d'Œdipe chez Sophocle. Quand on en vient à Euripide, ses Agamemnon et ses Ménélas ne sont plus que des rois craintifs, dont on n'entrevoit plus qu'à peine le rayonnement originel.

Ce réalisme d'Euripide lui est propre ; mais il n'aurait pas été possible s'il n'y avait eu, dès le principe, dans l'esprit même du genre tragique, le besoin de peindre les héros imparfaits et tourmentés, en un mot de les prendre — eux, les exceptions — pour paradigme de la condition humaine et de ses maux.

Il faudrait toutefois ajouter un correctif. Les bizarreries et le merveilleux du mythe ne pouvaient être retenus dans l'action tragique : la tragédie représentait un malheur ; et la tragédie devait être crédible. Mais ne risque-t-on pas, en formulant cette idée, de rationaliser et de moderniser les œuvres grecques ? Passaient-elles vraiment tout cela sous silence ? Ont-elles tué les mythes en les remodelant ?

La réponse est plus complexe, et plus belle que prévu. Car — on l'a vu sur l'exemple d'Eschyle — ces souvenirs irrationnels du mythe, qui faisaient un halo prestigieux autour du héros, sont bel et bien rappelés ; mais ils ne le sont pas dans l'action tragique : ils le sont dans les chants du chœur. La naissance d'Io, celle de Dionysos, les exploits d'Héraclès, la Sphinx, le jugement de Pâris, la cithare d'Orphée, tout cela est évoqué en des chants de nostalgie ou de supplication, de rêve ou de ferveur[16]. Ces thèmes sont devenus des thèmes poétiques, qui brodent leurs festons autour de la scène tragique, et auxquels on croit un peu moins qu'à l'action tragique ou à ces héros qui, sur la scène, vivent et souffrent devant nous.

Ce n'est pourtant pas assez d'élaguer. Il fallait aussi procéder à des additions et à des modifications, qui rendraient les données du mythe susceptibles de revêtir un sens. Et il fallait que l'on vît surgir à leur sujet des problèmes relatifs aux conduites humaines. Il fallait que l'on vît se confronter des thèses, concernant chacun d'eux. Il fallait que l'on pût lire dans l'histoire représentée une interrogation sur ce qu'est l'homme et sur la façon dont il devrait agir.

Pour cela il était en général nécessaire d'introduire des personnages nouveaux, ou jusqu'alors accessoires, et parfois même appartenant à d'autres traditions.

Cette réinvention des mythes représente un travail si merveilleux, et il illustre de façon si claire l'aspiration fondamentale des Athéniens d'alors, que l'on aimerait multiplier indéfiniment les exemples. On se contentera, non sans regret, de n'en citer que quelques-uns.

Voici d'abord, pour ne pas trop vite quitter Eschyle, deux tragédies de lui : le *Prométhée enchaîné* et *Les Suppliantes* : j'admets en effet, contrairement à certains, que le *Prométhée* est bien d'Eschyle ; mais peu importe : il est en tout cas d'un auteur tragique du ve siècle.

Or *Prométhée* est l'histoire d'un Titan cloué seul sur un rocher. Pour faire d'une telle donnée une tragédie, Eschyle a imaginé une série de présences, qui se manifestent auprès de Prométhée, et que la tradition ne donnait nullement.

D'abord, qui cloue Prométhée sur ce rocher? Deux personnages vivants, que la mythologie connaissait, mais ne reliait pas à Prométhée : Pouvoir et Force. Autrement dit, tout de suite, on nous avertit que le sujet concerne l'abus de la puissance souveraine (« Nul n'est libre que Zeus », dit Pouvoir au vers 50). L'histoire de Prométhée et de Zeus sera, pour ces Athéniens passionnés de politique et de justice, le signe d'une réflexion sur les excès du pouvoir.

Puis vient le chœur, formé des Océanides ; et il sera suivi par l'arrivée d'Okéanos lui-même, leur père. Rien ne le liait, semble-t-il, à la légende de Prométhée. Mais voici que, par leur présence, un double contraste s'établit. A la révolte passionnée et intransigeante de Prométhée s'oppose le vieux courtisan Okéanos, ami des compromis et donneur de leçons (« Si tu acceptes mes leçons, tu cesseras de regimber contre l'aiguillon. Considère qu'il s'agit d'un dur monarque, dont le pouvoir n'a pas de comptes à rendre. Aussi, tandis que j'irai tenter, si je puis, de te dégager de ces peines, reste en repos, ne t'emporte pas en propos violents... », 322-327). Ce contraste pose ouvertement un problème à la fois moral et politique : patience et adresse, ou bien résistance déclarée, quelle qu'en soit l'issue.

Mais ces remontrances mielleuses d'Okéanos s'opposent aussi à la pitié jaillissante de ses filles. Le chant du chœur, aux vers 397 et suivants, est, à cet égard, poignant. Il commence avec le mot « Je gémis » ; et celui-ci se répète tout au long du chant en s'élargissant de proche en proche : le chœur gémit *(sténô)*, mais le pays entier gémit lui aussi *(stonoen, stenousi, megalostonoisi)* ; et, pour finir, la nature entière s'associe à cette plainte :

> « Avec un sourd gémissement, la vague des mers retombe sur la vague ; l'abîme gémit ; les noires entrailles d'Hadès souterrain lui répondent par un grondement, et les

ondes des fleuves au courant sacré gémissent leur plainte désolée [17]. »

Ce chant est émouvant ; et sans doute est-ce pourquoi je n'ai pas résisté au plaisir d'en citer les derniers mots. Mais cette pitié, qui met en relief la cruauté du roi des dieux, s'oppose aussi à l'égoïste sagesse d'Okéanos. C'est à l'instant où il se retire que le chœur chante ainsi. Et les Océanides qui le composent, à la fin de la pièce, accepteront de rester aux côtés de Prométhée et de partager son désastre, car s'en aller serait trahir. Entre ces jeunes filles et leur père, le problème éternel de la fidélité opposée à la prudence est posé en pleine lumière, pour tous : le mythe ne le comportait aucunement.

On pourrait ajouter qu'Eschyle a aussi introduit dans sa tragédie le personnage d'Io. Il restait par là dans l'esprit des mythes, puisque Io devait finalement mettre au monde la lignée d'où sortirait Héraclès, le libérateur de Prométhée. Mais le lien était vague, et la présence d'Io un peu gratuite. En revanche, dans la pièce, cette présence élargit les perspectives : Io est une autre victime — ce qui aggrave la critique contre des dieux arbitraires ; d'autre part ses tourments auront une fin, ainsi que ceux de Prométhée : comme toujours, Eschyle plaide pour la réconciliation dans une unité retrouvée.

Entre le récit tout nu du mythe relatif à Prométhée et cette épure d'un conflit à la fois théologique, politique et moral, la marge est grande : le mythe de Prométhée, tel qu'il se présente dans Eschyle, est son œuvre. Et il est devenu méditation sur l'homme.

Un autre exemple, pour Eschyle, serait *Les Suppliantes*. Une curieuse histoire, ici encore ! cinquante princesses poursuivies par cinquante ravisseurs venus d'Égypte, qu'elles devront épouser, mais qu'elles tueront (sauf une) le soir de leurs noces — ce n'est point là une aventure moyenne, propre à poser beaucoup de problèmes moraux ! Une épopée avait raconté cette légende : elle est aujourd'hui perdue. Mais il semble qu'Eschyle ait ici rapporté les faits sans y changer beaucoup.

Sauf que...

Sauf que le roi d'Argos, Pélasgos, à qui revient la charge d'accueillir les fugitives, met toute une grande scène de la pièce à s'y décider (234-625) ; et l'on a là la première grande description d'hésitation et de conflit intérieur de toute l'histoire du théâtre. Roi dans la cité, a-t-il le droit de leur refuser un asile que l'obligation religieuse lui impose ? Inversement, a-t-il le droit de déclencher une guerre dont souffrira la cité dont il a la charge ? Homère avait parfois décrit de brefs moments d'hésitation : on a ici une grande scène vécue, faite d'angoisse et du sentiment de la responsabilité :

> « Oui, de tous côtés, d'invincibles soucis ! Une masse de maux vient sur moi comme un fleuve, et me voici au large d'une mer de douleurs, mer sans fond, dure à franchir — et point de havre ouvert à ma détresse ! Si je ne satisfais à votre demande, la souillure que vous évoquez dépasse la portée de l'esprit. Si, au contraire, contre les cousins, les fils d'Égyptos, debout devant nos murs, je m'en remets à la décision d'un combat, ne serait-ce point une perte amère que celle d'un sang mâle répandu pour des femmes ? — Et pourtant je suis contraint de respecter le courroux de Zeus Suppliant : il n'est pas pour les mortels de plus haut objet d'effroi » (*Suppliantes*, 470 et suiv.).

Parmi ces angoisses et ces doutes, nous avons là un conflit de conscience aisément reconnaissable et émouvant. Tous les citoyens d'Athènes avaient à le trancher, quand des alliés demandaient un secours qui n'irait pas sans danger. Et tous les hommes de tous les temps savent qu'il est souvent dur de se résoudre à aider une personne en danger, quand le pouvoir doit nous en rendre ensuite responsables, nous et les nôtres. Ce sens de la décision du roi d'Argos, c'est Eschyle qui l'a introduit dans le mythe, lui donnant ainsi sa portée [18]. En l'occurrence, ce n'est pas une donnée qui est ajoutée dans le mythe, mais une scène, et cette scène suffit à transformer le mythe en un débat humain qui ne cesse de se poser à travers les diverses époques et les diverses cultures.

Il en va de même, pour passer à Sophocle, du débat posé dans *Antigone*. Ici encore, le mythe n'offrait rien de clair ni d'humain. Nous savons, en fait, qu'il existait des versions différentes. Selon certaines, les deux sœurs ensemble bravaient l'interdit ; ailleurs, l'édit ne venait pas de Créon, mais du fils d'Étéocle ; dans une pièce perdue d'Euripide, Antigone, à la fin, épousait Hémon. Bien des constructions étaient donc possibles. Or, que voit-on dans la pièce de Sophocle ? On voit d'abord les deux sœurs s'affronter en un débat. Elles sont attachées l'une à l'autre ; et Ismène voudra après coup partager la responsabilité de l'acte d'Antigone. Mais une grande scène les amène à débattre cette question morale : faut-il braver l'interdit, au nom de la religion et du respect des morts, quoi qu'il en coûte ? Ou bien doit-on céder, parce que l'on est sans moyens de défense ? Dans tous les cas de persécution et d'oppression, des hommes et des femmes se posent cette question : en choisissant cette version, en choisissant de faire de ce débat l'ouverture de sa tragédie, en choisissant enfin de prêter aux deux sœurs une lucidité passionnée, Sophocle a fait de la donnée mythique un symbole humain.

Et si c'était le seul contraste ! Mais non ! Entre Créon et Antigone, l'ordre de la cité et la loi morale s'affrontent, avec des tirades, des arguments, et une indéniable ferveur des deux côtés. Et puis vient l'affrontement entre Créon et son fils Hémon : l'autorité contre l'opinion des autres, la sévérité contre la tendresse… De scène en scène, les débats se multiplient, comme s'il s'agissait de voir toutes les facettes que peut présenter l'interprétation morale d'une seule et unique action. Et même la politique de l'Athènes démocratique s'en mêle, quand Hémon déclare à son père : « Il n'est point de cité qui soit le bien d'un seul. » Hémon intervenait-il seulement dans l'histoire, avant Sophocle ? Cela est fort douteux. Avec ces divers débats, tout se noue et s'éclaire, jusqu'à ce désastre final, dont le poids retombe sur la tête du trop orgueilleux Créon, à qui il ne reste plus rien... Entre la donnée initiale et la construction qu'offre la tragédie, une force puissante est passée — celle qui pousse les Athéniens à vouloir réfléchir, de façon de plus en plus claire et exhaustive, à la condition de l'homme et à sa conduite.

Quelquefois, on dirait même que les tragédies ajoutent au mythe tout un prolongement étranger, qui débouche sur un de ces problèmes. Après Eschyle et Sophocle, dont les œuvres sont plus unes et plus fortement centrées, Euripide en offre des exemples remarquables. On en citera ici deux : *Héraclès furieux* et *Iphigénie à Aulis*.

Il vient d'être rappelé qu'Euripide avait déplacé l'épisode de la folie d'Héraclès pour le placer, de façon beaucoup plus tragique, à la fin de la vie d'Héraclès. Mais il ne s'en est pas tenu là. Il aurait pu, une fois ce changement fait, finir sur ce désastre et dans les plaintes. Ou bien il aurait pu introduire le roi d'Athènes, qui vient recueillir le héros et l'emmène chez lui, désespéré. Il pouvait même présenter un Héraclès appelant de ses vœux la mort. Mais non ! Il a introduit une longue scène d'environ deux cents vers, et comptant de longues tirades, raisonnées de près, dans lesquelles Thésée et Héraclès discutent du caractère noble ou vil du suicide. Ne savait-on pas très bien que, selon le mythe, Héraclès était mort sur l'Œta, et nullement du fait d'un suicide ? Même Sophocle, qui le présente dans *Les Trachiniennes* comme tué par la tunique venue de Déjanire, le fait à la fin emmener sur l'Œta, pour respecter le mythe. Mais peu importe à Euripide : Héraclès, sans se suicider, avait pu y penser ; et le problème moral pouvait bien être évoqué à son sujet. Le retournement qui le frappait en justifiait l'idée et son légendaire courage rendait la solution plus frappante. Que la tragédie ait rejoint par là un problème humain de première importance est, en tout cas, évident. Et donner au héros ce nouveau courage, qui est celui de vivre, implique de la part d'Euripide une réflexion aussi poussée qu'audacieuse.

Avec l'autre exemple annoncé, ce sera, cette fois, le courage de mourir, illustré par Iphigénie.

Là du moins, nous avons, au cœur même du genre tragique, le contraste entre deux versions.

Eschyle avait évoqué le sacrifice d'Iphigénie en peignant la violence de l'acte — plus tard, suivi d'un châtiment divin. En tête de son *Agamemnon* venait cette faute du roi, brutale :

> « Ses prières, ses appels à son père, tout cela — même son âge virginal ! — elle le vit compté pour rien par ces chefs épris de guerre. Et, les dieux invoqués, le père aux servants fait un signe, pour que, telle une chèvre, au-dessus de l'autel, couverte de ses voiles et désespérément s'attachant à la terre, elle soit saisie, soulevée, cependant qu'un bâillon fermant sa belle bouche arrêtera toute imprécation sur les siens — cela par la force, la brutalité muette d'un frein » (*Agamemnon*, 228-237).

Euripide admet la même version dans *Iphigénie en Tauride ;* toutefois, il suppose une substitution finale : Iphigénie aurait été transportée en Tauride et remplacée par une biche. Mais, dans *Iphigénie à Aulis,* quelques années plus tard, voici qu'Iphigénie — comme bien des jeunes héroïnes ou des jeunes héros d'Euripide : Macarie, Polyxène ou Ménécée — accepte volontairement ce sacrifice, et s'offre elle-même en victime, par piété pour la Grèce. Il y a là un coup de théâtre, un revirement brusque, si audacieux qu'il choquait Aristote comme un manque de cohérence. Mais du coup entrent en jeu l'idéal panhellénique et celui de l'individu, qui, si faible qu'il soit *a priori,* trouve soudain la force d'assumer ce que l'on veut lui imposer. Iphigénie a supplié son père : elle a dit son amour pour la vie (comme Antigone) ; et soudain elle n'est plus que fierté et résolution :

> « Écoute, ma mère, ce qui m'est apparu à la réflexion. Ma mort est résolue. Mais cette mort même, je veux la tourner à ma gloire en rejetant toute bassesse. Considère ici avec moi, ma mère, combien j'ai raison. Sur moi, en ce moment, cette immense Grèce a tout entière les yeux fixés et c'est de moi que dépendent le départ de la flotte et la ruine des Phrygiens [...]. C'est pour l'ensemble de la Grèce que tu m'as enfantée, non pour toi seule. Quoi ! des soldats par milliers se couvrent de leurs boucliers, par milliers empoignent les rames : pour leur patrie outragée ils n'hésitent pas à affronter l'ennemi et à mourir pour la Grèce. Et ma vie, ma seule vie, fera obstacle à tout ? » (*Iphigénie à Aulis,* 1374-1390).

Le texte est beaucoup plus long que ce qui est cité ici. Il multiplie les arguments et est animé d'une ferveur panhellénique qui représente, sans doute, une grande nouveauté politique et devait à ce titre rester célèbre dans l'Antiquité[19]. De toute façon, l'innovation d'Euripide et l'emphase avec laquelle elle est orchestrée suscitent là des thèmes vivants et renouvellent du tout au tout le sens du mythe, qui est comme créé à nouveau. Sans la donnée nouvelle, le mythe illustrait, chez Eschyle, la marche de la justice divine : avec elle, chez Euripide, il illustre le ressort propre de l'individu, quand l'usure de la vie ne l'a point corrompu. Il s'agit dans les deux cas de l'homme ; mais, dans le premier, c'est l'homme aux prises avec les dieux ; dans le second, c'est l'homme seul, pris dans un remous de passions collectives. Tout cela, par une innovation dans le mythe.

Or Euripide en introduit d'autres ; et le revirement d'Iphigénie n'est pas le seul thème qu'il ait ici inventé. Tout le début de la pièce est fait des querelles et des hésitations qui entourent la décision d'Agamemnon. L'oracle exige le sacrifice, l'armée aussi. Agamemnon accepte, et se reprend. Quand Ménélas veut l'obliger à immoler sa fille, il ne veut pas ; quand, en revanche, il semble être trop tard et qu'Agamemnon pleure, Ménélas, cette fois, lui dit de renoncer, mais lui-même juge qu'il ne peut renoncer. Ce long débat à surprises n'avait évidemment aucune place dans le mythe. Mais il permet de mesurer le sens du drame. D'abord, il illustre par toutes ses faces, et contradictoirement, le débat qui oppose, en Agamemnon, le père et le roi. Ensuite il illustre, avec éclat, les servitudes de l'ambition et du pouvoir. Les accusations de Ménélas envers son frère sont là-dessus sans équivoque :

> « Tu le sais, lorsque tu aspirais à commander les Danaens contre Ilion, sans le souhaiter en apparence, mais le désirant au-dedans de toi, comme tu étais humble devant tous ! Tu serrais les mains à la ronde, ta porte était ouverte à tout venant parmi tes compatriotes, tu adressais la parole à tous, l'un après l'autre, qu'ils en aient envie ou non. Par tes manières, tu cherchais à acheter du public cette distinction. Et puis, en possession du pouvoir, tu changes de façons... » (*Ibid.*, 337-343).

Le lecteur le moins prévenu remarque : « Voici une image qui n'a rien de mycénien ni d'homérique ; nous sommes en plein ve siècle athénien, quand les citoyens, si fiers de leur démocratie, commencent à en comprendre aussi les défauts. » Les savants attachés à chercher les traces de l'actualité dans le texte se demandent : « Et si c'était Alcibiade... ? » Mais on est obligé aussi de penser : « Et si c'était en France, ou ailleurs, aux dernières élections, ou bien aux prochaines ?... »[20].

Et l'analyse se poursuit à travers toute la pièce. Car, élu par les suffrages de l'armée (autre invention d'Euripide, évidemment !), Agamemnon la craint. Il en a peur. Il lui obéit. Tout le monde le lui reproche. Mais que peut-il faire ? Le destin, qui, chez Eschyle, émanait de la justice divine, a pris la forme d'un peuple exigeant et cruel, auquel l'homme politique n'ose plus se dérober. Il faut une jeune fille comme Iphigénie pour faire bon marché de sa vie : les Ulysse, les Agamemnon, les Ménélas, vivent dans la servitude qui est liée au pouvoir.

Agamemnon était, dans la tradition, un roi souvent incertain : en en faisant un homme politique pris au piège des passions publiques, et en illustrant ce trait par quelques détails de son invention, Euripide, de nouveau, fait d'une histoire étrangement archaïque un schéma universel pour une analyse de l'homme. Et, comme il appartient au ve siècle athénien, il s'agit, une fois de plus, de l'homme en tant que lié aux problèmes que pose la politique.

Ce qui a survécu, ce qui a ému des générations de lecteurs ou de spectateurs, ce qui a inspiré, dans tous les pays, des tragédies, des opéras ou bien des films, c'est cela : non pas « les mythes grecs », ou « la mythologie », mais les mythes qu'ont choisis, épurés et transformés les auteurs du ve siècle. Ce langage, ils l'ont créé par mille interventions, délibérées ou inconscientes. Et c'est là une des plus belles illustrations de cette aspiration à l'universel, dont les chapitres précédents avaient fourni des preuves assez différentes.

On a rencontré plus haut une citation de Marguerite Yourcenar, énonçant l'idée en termes abstraits : on peut, au terme de cette étude, en offrir une autre, qui a l'avantage d'être concrète, et de renvoyer, directement cette fois, à la tragédie, en montrant que son langage est resté l'expression privilégiée de beaucoup de grandes situations humaines : « Une génération assiste au sac de Rome, une autre au siège de Paris ou à celui de Stalingrad, une autre au pillage du palais d'Été : la prise de Troie unifie en une seule image cette série d'instantanés tragiques, foyer central d'un incendie qui fait rage sur l'histoire, et la lamentation de toutes les vieilles mères que la chronique n'a pas eu le temps d'écouter crier trouve une voix dans la bouche édentée d'Hécube[21]. »

*

L'usage du mythe dans la tragédie confirme donc de façon saisissante les idées qu'avait imposées la considération des œuvres de prose et de raisonnement.

Cet accord n'est pas indifférent. Il l'est d'autant moins qu'il permet d'éviter un malentendu grave relatif à cette culture d'Athènes.

Parce qu'elle représente un effort de lucidité, d'analyse, de mise en forme rationnelle, parce que cet effort a été soutenu et facilité par l'enseignement positiviste des sophistes, parce qu'il a produit des traités et des débats, des plaidoyers et des contre-plaidoyers, on a parfois tendance à voir l'ensemble du ve siècle athénien (et même l'ensemble de la culture grecque) comme un monde rationaliste, au sens moderne du terme, et presque trop intellectuel. Même ce goût de l'intemporel, tel qu'il a été décrit ici, peut suggérer une propension excessive à la réflexion théorique.

Or l'usage que la tragédie fait du mythe vient corriger cette impression.

Tout d'abord — et la dernière citation de Marguerite Yourcenar le rappelle — ce langage du mythe est un langage concret. Les idées commandent le choix des épisodes et les réactions des personnages ; mais ces épisodes sont des actions et ces personnages des êtres que l'on voit vivre : la théorie se traduit en images de vie.

D'autre part, si la réflexion — même celle des tragiques — se veut avant tout lucide et aspire à comprendre l'homme, le langage des mythes sait faire la part à l'irrationnel. C'est sur lui que se penchent les auteurs. C'est avec lui que les personnages sont aux prises. Les tragiques ont évidemment élagué dans le fonds déroutant des récits légendaires, mais ils ont gardé ces soudains retournements des bonheurs humains, ils ont gardé les passions et les violences, l'homme secoué en tout sens, perdu, voué à l'erreur. Leur lucidité n'a donc jamais la froideur du penseur qui croit tout savoir. Et, par eux, la lumière de la raison prend d'autant plus de prix qu'elle éclaire des creux et des abîmes, dont elle cerne l'existence sans jamais les méconnaître.

Enfin, il a été rappelé [22] que le mythe plaçait l'homme à chaque instant au contact des dieux et dans une perspective qui, sans cesse, tournait l'attention vers eux. Cet aspect est passé sous des formes différentes dans l'œuvre des trois tragiques. Sans doute la foi n'est plus la même à la fin du siècle. Mais une des dernières pièces d'Euripide se trouve justement être *Les Bacchantes;* et le héros en est Dionysos, qui régnait sur le théâtre. Ceci nous rappelle que l'intérêt passionné pour l'homme n'excluait pas de le connaître aussi dans son rapport avec les dieux et le sacré : l'humanisme athénien tire de cette alliance — que nous révèlent le théâtre et ses mythes — une force et une plénitude uniques.

NOTES DU CHAPITRE VI

1. La *Prise de Milet* de Phrynichos, en 493, était déjà consacrée à la lutte entre Grecs et barbares ; *Les Phéniciennes* du même Phrynichos portaient sur la guerre médique, comme *Les Perses* d'Eschyle. On dirait qu'une soudaine prise de conscience élargit alors la portée des représentations antérieures.

2. Voir la note précédente.

3. *Poétique*, 9, 1451 b 21. Aristote ajoute : « Cependant elle n'en plaît pas moins. » Le goût a changé, et l'âge de la tragédie est clos.

4. Sur le boiteux, voir J.-P. Vernant, dans *Mythe et Tragédie*, II, p. 45-77.

5. Voir par exemple *Ajax*, 644 ; *Hécube*, 658-660 ; 721 ; *Hippolyte*, 1014.

6. Ainsi *Sept*, 110-180 ; *Suppliantes*, 524-599 ; 1019-1055. Mais voir aussi, par exemple, *Œdipe Roi*, 158-215.

7. Ainsi *Ajax*, 172-185.

8. *Anthropologie structurale*, p. 277 (commenté par Detienne, *L'Invention de la mythologie*, p. 210).

9. *Hellenism in late Antiquity*, Ann Arbor, 1989, p. 20.

10. *Mythe et Tragédie*, II, p. 89 (« ils » reprend : les « objets d'une compréhension » que sont devenues les souffrances). Là où nous parlons de caractère universel ou intemporel le titre de l'article cité ici parle de « transhistoricité ».

11. P. Vidal-Naquet, *Mythe et Tragédie*, II, p. 235.

12. C'est ainsi que l'on a pu parler du « mythe introuvable » (M. Detienne, au dernier chapitre de son livre intitulé *L'Invention de la mythologie*).

13. Nous reprenons ici et dans la suite de ce chapitre certains éléments empruntés à notre conférence de l'Académie de Bordeaux (mai 1991), qui doit paraître dans les Annales de cette Académie.

14. Le Père Lagrange disait naguère que la tragédie commençait lorsque le mythe prenait un sens moral : la seule rectification que

j'aimerais apporter serait de parler de problèmes moraux plutôt que de sens moral. L'Athènes du Ve siècle bouillonne de curiosités, de débats, de recherches. Elle ne prêche pas : elle s'ouvre et découvre.

15. *Théogonie*, 535 et suiv.

16. On trouvera des exemples plus détaillés dans la conférence citée à la note 13.

17. 431-435 : on retrouve ici, plus serrés encore qu'avant, les mots répétés — *hupostenazei, stenei, stenousin ;* le dernier mot est *oiktron*, qui signifie à la fois lamentable et digne de pitié.

18. Sur ce thème, voir B. Snell, *Aischylos und das Handeln im Drama*, Philologus Suppl. XX, I, Leipzig, 1928.

19. Certains ont supposé une ironie cachée de la part du poète ; une seule chose est sûre, c'est que la doctrine est pensée et analysée avec plus de fermeté que dans aucun autre texte.

20. On peut relever au passage qu'Euripide lui-même dégage la portée universelle de son analyse. Ainsi, dans la seule tirade de Ménélas, dont on a cité un extrait : « L'homme de bien ne doit pas. . » (346-348) ; « Ce qui t'arrive, mille autres l'ont déjà éprouvé ; pour arriver aux affaires, on ne plaint pas sa peine, mais ensuite... » (366-369).

21. *En pelerin et en étranger*, p. 29.

22. Cf. ci-dessus, p. 196.

VII

LA TRAGÉDIE GRECQUE, UN GENRE A PART

Le mythe, même revu et repensé, n'est pas le tout de la tragédie grecque, loin de là. Il représente seulement, dans le théâtre d'alors, ce qui devait le mieux survivre et se perpétuer en d'autres littératures. Au contraire, la forme même de la tragédie n'a pas survécu.

On a écrit encore, dans d'autres pays, des « tragédies » ; on leur a gardé le nom grec ; on a aussi gardé assez largement l'esprit du théâtre ancien, dans la mesure où il s'agissait toujours de grands malheurs frappant des êtres d'exception, et figurant cet aspect de la condition humaine que l'on a continué d'appeler le « tragique ». Mais jamais ces œuvres n'ont repris les moyens d'expression de la tragédie grecque, et en particulier son étrange structure, où se combinaient en un tout deux éléments hétérogènes : le chœur et les personnages.

Après tout, faut-il s'en étonner ? De Thucydide aussi on a gardé l'ambition d'une histoire politique, qui soit tout ensemble objective et profonde ; mais on a abandonné à jamais la forme d'histoire qu'il avait fondée, et où se combinaient en un tout ces deux éléments si différents que sont le récit et les discours. Pourtant, l'association savante qui les rapproche livre le plus précieux de l'analyse de l'historien ; et elle permet, grâce à la généralité des débats menés dans les discours, de donner à l'ensemble de l'exposé une portée plus universelle. Cette combinaison était l'essentiel ; mais on assiste aussitôt à l'abandon définitif du procédé. Or, pour la tragédie, de même, la combinaison qui rapproche le chœur et les personnages contribue largement à dégager le sens de l'œuvre et à lui donner valeur universelle. Mais cela n'a pas empêché l'abandon définitif de cette structure.

Elle paraît pourtant constituer la marque propre du genre, même si l'importance relative des deux éléments a évolué au cours du Vᵉ siècle.

Au début, le chœur prédominait. Pour dire que l'on voulait être représenté, on disait que l'on « demandait un chœur ». Chez Eschyle, les parties chantées[1] sont encore le principal ; et le chœur reste étroitement associé à l'action ; puis l'importance des parties chantées diminue ; à la fin du siècle, elles sont de moins en moins liées à l'action ; au IVᵉ siècle, elles sont devenues des intermèdes, plus ou moins interchangeables.

Cependant, nul n'aurait eu l'idée d'une tragédie sans chœur. La tragédie naît lorsque des personnages sont joints au chœur : elle meurt lorsque ce dernier s'éteint.

Or, *a priori,* il semblerait y avoir là deux éléments disparates et mal conciliables. A lire les poètes, et à les lire en traduction, on risque de ne pas mesurer l'écart qui existait. Mais il faut se rappeler que le chœur et les personnages se situaient dans des domaines complètement distincts.

Ils n'évoluaient pas dans le même lieu. Les personnages agissaient sur la scène, le chœur occupait une sorte d'esplanade circulaire, avec un autel de Dionysos en son centre, appelée l'*orchestra.* Quelques marches menaient de l'un à l'autre ; et il pouvait y avoir un contact ; mais aucun des deux groupes n'allait jamais dans l'espace de l'autre.

Ils ne parlaient même pas tout à fait la même langue. Le chœur pouvait sans doute, par la voix du coryphée, s'exprimer en vers iambiques et dialoguer de cette manière avec les personnages. Mais son rôle propre et sa fonction principale étaient le chant. Et, là, il s'exprimait dans la langue lyrique, avec de nombreuses formes doriennes, impossibles dans le dialogue. Ils n'employaient d'ailleurs même pas le même vers : les personnages dialoguaient en trimètres iambiques, alors que les chœurs chantaient en vers lyriques. De plus, leurs chants étaient strophiques, formés d'ensembles se répondant parfois de façon ample et subtile ; certains de ces ensembles lyriques pouvaient être étendus et complexes. Le plus bel exemple dans les tragédies conservées est constitué par la *parodos*, ou chant d'entrée du chœur, dans l'*Agamemnon* d'Eschyle : il comporte d'abord une soixantaine de vers anapestiques (le rythme de la marche), puis une triade (strophe, antistrophe, épode), et ensuite cinq groupes strophiques formés chaque fois d'une strophe et d'une antistrophe. Certes, c'est là un cas limite ; mais il permet de mesurer à quel point ces chants du chœur pouvaient différer de ce que nous attendons aujourd'hui du théâtre.

De plus ces chœurs, par définition, ne pouvaient être mêlés à l'action : le choix de ceux qui les composaient se portait donc normalement sur des personnes qui, en effet, n'avaient pas à s'en mêler : vieillards désormais incapables d'effort militaire (comme dans *Les Perses* ou dans *Agamemnon*), servantes, esclaves étrangères, mères éplorées, femmes terrifiées, captives... C'est ce qui explique le nombre des titres de tragédies au féminin pluriel : *Les Suppliantes, Les Trachniennes, Les Troyennes, Les Phéniciennes*...

Or, même après que le chœur eut perdu de son importance, l'alternance entre ces deux éléments, *a priori* si disparates, a toujours réglé la structure de la tragédie. L'action s'est divisée non pas en actes, coupés par des pauses, mais en épisodes, coupés par des chants du chœur... De surcroît rien ne se passe jamais sur la scène sans que le chœur, ou le coryphée en son nom, n'intervienne pour donner, fût-ce brièvement, son avis sur la situation et ses derniers développements. Cela est si vrai que, lorsque la tragédie adopta les débats rhétoriques en forme, mis à la mode par les sophistes, elle se donna pour règle de prêter au coryphée deux vers d'appréciation à la suite de chaque tirade.

Le résultat est une sorte de contrepoint perpétuel entre l'action menée sur la scène, qui opposait entre eux des individus, et les réactions collectives de personnes qui ne pouvaient y participer. Dans le principe même d'une telle structure, une distance est donc prise par rapport à l'action, au sens strict du terme ; et un élargissement est apporté à tout ce qu'elle représente ou suggère. L'action des uns est vue par les yeux de témoins extérieurs. Le regard s'étend. Le sens s'enrichit.

Du moins est-ce ainsi, en fait, que les tragiques grecs ont employé cette alternance, et utilisé chacun des deux éléments dont ils disposaient — ou chacune de ces deux voix : dans les deux cas, ils ont saisi ce moyen de mieux dégager un sens de grande portée ; et ils ont été dans cette voie aussi loin que l'on pouvait aller.

I. *Le chœur et le sens de la tragédie*

Quand le spectateur suit l'action, occupé des destins particuliers qui lui sont proposés sur la scène, les chants du chœur, à chaque fois, l'invitent à regarder plus haut et plus loin.

D'abord, tout simplement, ils élargissent la portée du drame à deux ou trois personnages qui se déroule dans les épisodes. On passe de un à plusieurs ; et c'est comme si chaque geste d'un personnage projetait une ombre immense, comme si chaque son de sa voix était repris par une vaste masse orchestrale. Du point de vue du pathétique, le gain est considérable, car ces chœurs, formés de gens qui ne peuvent agir, sont, de par leur impuissance même, jetés dans une angoisse sans issue. Les exemples les plus célèbres en sont les chœurs de femmes dans *Les Sept contre Thèbes* ou *Les Suppliantes* d'Eschyle, si bouleversées qu'elles ne peuvent que clamer leur peur et se faire rappeler à plus de réserve par un père ou un roi. La crainte d'être emmenées comme captives, et de se voir saisies par leurs ravisseurs, les jette dans des cris ou des prières passionnées — ce qui rehausse évidemment l'enjeu même de l'action. Même des hommes, en pleine guerre, peuvent être pris du même sentiment de dépendance inquiète — comme les marins d'Ajax, dans l'*Ajax* de Sophocle, dont le chant d'entrée dit combien leur sort est lié au sien.

Grâce à cette amplification, l'action se fait plus pathétique. Mais de tels chants désignent aussi de plus graves responsabilités pour les protagonistes, en rappelant que ces rois de la légende engageaient le sort de peuples et de cités. Ils mettent en relief le prix de leurs hauts faits et le poids de leurs fautes.

Et surtout, dès qu'ils ne cédaient pas à l'angoisse du moment, ces chœurs pouvaient offrir, tout autour du thème évoqué sur la scène, des prolongements lui donnant son vrai sens.

Ce sont d'abord, tout simplement, des prolongements dans le temps. La tragédie d'*Agamemnon* commence au moment où le roi revient de la guerre de Troie et va, le jour même de son retour, se faire assassiner par Égisthe et Clytemnestre. Or le premier chant du chœur remonte au souvenir du départ de l'expédition, dix ans plus tôt. Ce sont ses premiers mots : « Voici dix ans déjà... » (40) ; et il évoque bientôt le sacrifice d'Iphigénie, qui permit ce départ. Le second chant, lui, remonte plus haut encore, jusqu'à l'enlèvement d'Hélène par Pâris (400 et suiv.) ; et il soude cet événement à tous les maux qui ont suivi. Le troisième chant revient encore à Hélène (681-781). Le quatrième est un chant de prémonition et d'angoisse. Et il appartient à un des personnages, Cassandre, de remonter plus haut encore, dans des exclamations entrecoupées auxquelles se mêlent le coryphée puis le chœur : elle remonte au festin de Thyeste, premier crime pesant sur la famille des Atrides. Toute la légende vient donc, de proche en proche, peser sur ce retour d'Agamemnon : ses propres fautes et celles de ses ancêtres, mais aussi celles d'Hélène et de Pâris, le tout formant une longue chaîne de crimes et d'actes coupables. Même si le chœur n'en tirait ni avertissement ni leçon, cette plongée dans le passé produirait, à elle seule, un effet d'élargissement remarquable ; elle amplifierait, à elle seule, l'action menée sur la scène et inviterait à réfléchir sur son sens.

C'est ce qui arrive d'ailleurs à l'autre extrémité de l'histoire de la tragédie. Les chœurs d'*Iphigénie à Aulis*, eux aussi, évoquent des légendes liées à la guerre de Troie ; mais ce n'est pas, cette fois, ou pas directement[2], pour chercher une philosophie quelle qu'elle soit. Le chœur est d'ailleurs ici formé d'étrangères, venues à Aulis voir le départ de la flotte. Et l'on dirait que leurs chants se plaisent à faire défiler les images les plus brillantes du mythe. Leur chant d'entrée est une liste resplendissante de tous les héros prêts à partir contre Troie. Le premier *stasimon* remonte, comme dans *Agamemnon*, au jugement de Pâris et à l'enlèvement d'Hélène[3]. Plus tard, quand Achille jouera un rôle dans l'action, le chœur remontera aux noces de Thétis et de Pélée, et à la naissance d'Achille. Même le futur s'en mêle, puisqu'un des chants est consacré à la ruine future de Troie[4], et que le chant relatif à Achille s'achève sur le sacrifice imminent d'Iphigénie. Sans qu'il y ait, comme dans *Agamemnon*, une analyse suivie et une recherche anxieuse des causes, on retrouve ainsi le même élargissement dans le temps. En un sens, il a pour effet de replacer l'héroïsme d'Iphigénie dans une série éclatante et, sans doute, de rehausser l'importance de cette expédition dont sa vie est le prix. Mais, en même temps, à travers le patriotisme enthousiaste de ces femmes, on entrevoit les maux de la guerre à venir, les souffrances troyennes, la mort d'une jeune fille... La leçon morale et métaphysique peut s'être effacée : le principe des ombres et des lumières venues de plus loin est demeuré. Et ce principe donne, ici encore, une portée accrue à l'action en cours.

Enfin il était possible à ces chœurs d'offrir encore un autre élargissement à cette action. Par eux-mêmes, ils pouvaient apporter une expérience de plus ; au malheur d'une captive princière répondaient les malheurs ou les craintes de tout un groupe d'autres captives. De plus, celles-ci pouvaient, à l'occasion, évoquer d'autres maux, qui généralisaient mieux encore ceux des personnages. On en a un bel exemple dans l'*Hécube* d'Euripide. L'action combine deux des malheurs qui frappent la vieille reine de Troie, devenue esclave : le sacrifice d'une fille et l'assassinat d'un fils. Mais — premier dépassement — le chœur se trouve formé d'autres femmes asservies, comme Hécube, et leurs douleurs ou leurs appréhensions personnelles font écho aux malheurs de leur reine, orientant par là l'attention, de façon plus générale, sur les malheurs de la guerre en tant que telle. En parlant d'elles-mêmes et pour elles-mêmes, ces femmes anonymes disent donc, de manière indirecte, une peine qui vaut pour toutes et toujours. C'est le cas, par exemple, dans le chant qui commence au vers 444 :

« Brise, brise marine qui, à travers le large, conduis les prompts esquifs sur la houle des mers, où transporteras-tu ma misère ? De quel maître achetée comme une esclave atteindrai-je la maison ? » [Le chœur énumère alors, en vingt-sept vers, les villes possibles, les maîtres éventuels, et conclut :] « Las sur mes enfants ! Las sur mes pères et mon pays ! Il s'écroule dans les fumées de l'incendie, conquis par la lance argienne ! Et moi, sur un sol étranger, voici que je porte le nom d'esclave ; j'ai quitté l'Asie, je l'ai échangée pour le séjour de l'Europe, pour la demeure d'Hadès ! »

Toutes les femmes de Troie parlent par la bouche du chœur. Mais, de plus, celles-ci rappellent même les victimes de l'autre camp, toutes les femmes en deuil, en Grèce aussi bien qu'à Troie. Ce thème surgit dans le chant suivant, où, après avoir évoqué les lourdes conséquences de la guerre qui sortit du jugement de Pâris, le chœur ajoute :

« Elle gémit aussi sur les bords de l'Eurotas au beau cours, la fille de Laconie, baignée de larmes, dans sa maison ; et sur sa tête chenue la mère, pleurant ses enfants morts, abat sa main : elle déchire sa joue, qu'elle lacère d'un ongle sanglant » (650-656).

On est passé d'Hécube aux femmes de Troie, puis à toutes les femmes atteintes par la guerre. Peu à peu, comme des rides concentriques sur une eau que l'on a troublée, un sens humain plus large s'inscrit et s'impose, bien lisible, autour du drame des personnages.

Ces derniers traits supposent déjà, de la part du chœur, un début de méditation. Et, en fait, tel est sans doute le rôle principal que joue le chœur dans cette poursuite d'un sens aussi large que possible. A chaque moment de l'action, son commentaire intervient et marque le problème qui à ses yeux se débat devant lui. Pour chacun des trois tragiques, il le fait de façon différente ; mais il le fait toujours.

L'*Agamemnon* d'Eschyle offre l'exemple le plus parfait d'une telle méditation. Et déjà ce qui vient d'être dit sur le rappel du passé le suggère. Car pourquoi revenir ainsi sur ce passé, sinon pour poser indéfiniment cette question par laquelle le malheur cherche à prendre un sens : « Pourquoi ? » Mais il vaut la peine d'observer combien cette méditation est systématique et comment un contrepoint s'établit ainsi dans la pièce ramenant sans cesse le spectateur de l'événement lui-même vers sa signification pour l'homme en général.

Le premier de ces retours en arrière remonte au départ de l'expédition ; mais il ne s'agit nullement d'un récit : tout de suite, c'est vers la volonté divine que s'oriente le chœur. Dès l'introduction du chant, on voit celle-ci à l'œuvre. Tout commence avec une métaphore — celle des chefs qui crient comme des vautours à qui l'on a arraché leurs petits ; puis, par-delà le présage des oiseaux, plus haut encore, apparaissent les dieux et leur justice :

> « Et au-dessus d'eux une divinité — est-ce Apollon, ou Pan, ou Zeus ? — entendant clamée en langue d'oiseau la plainte aiguë de ces hôtes du ciel, tôt ou tard, dépêche aux coupables l'Érinys vengeresse[5] » (55-59).

Puis le chant s'élance. Il offre d'abord une triade relative au présage : le devin l'interprète comme annonçant la victoire, mais une victoire lourde de risques. Aussitôt, le chœur passe du présage à une prière à Zeus — Zeus dont la loi est, pour les mortels, « souffrir pour comprendre ». La victoire, pour le roi, conduira à la souffrance.

On a donc peur pour Agamemnon — non pas parce que l'on sait l'infidélité ou la rancune de Clytemnestre, mais parce que l'on connaît la loi de Zeus et le poids des fautes passées. A cause du chœur, on ne peut plus vivre le retour du roi selon une autre perspective ; et tout se passe comme si un index impérieux désignait les forces à l'œuvre dans le destin des hommes, et tournait dès le début les regards vers le haut, irrésistiblement.

Chaque événement du drame subit la même transposition.

La nouvelle de la prise de Troie introduit un grand chant qui commence par les mots : « Ils peuvent dire que le coup vient de Zeus[6]... » (367). Le chœur cherche quelles sont les fautes que Zeus condamne ; il décrit l'égarement de l'erreur, et applique sa pensée d'abord à la faute de Pâris, puis à la monstruosité de la guerre :

> « Le renom est lourd que vous fait le courroux de tout un pays ; il faut qu'il paye sa dette à la malédiction du peuple. Mon angoisse pressent quelque coup ténébreux : qui a versé des flots de sang retient le regard des dieux. »

Étrange façon de saluer une victoire ! Mais superbe façon de diriger l'attention sur les grandes lois des destinées humaines !...

Et cela continue. Dans le chant suivant, le chœur revient aux maux causés par Hélène, cette « Érinys dotée de pleurs » et cherche passionnément à comprendre la justice divine : s'attaque-t-elle à une prospérité qui l'offense, ou bien plutôt à l'impiété ? La règle qu'il cherche ainsi à tâtons est une règle universelle, où sont pris, côte à côte, les « toits enfumés » et les « palais semés d'or ». Et c'est sur cette mention de la Justice redoutable que paraît enfin le roi.

Le roi est accueilli dans le palais. Il entre avec confiance. Comment le chœur partagerait-il cette confiance ? Comment espérer ? Il ne le peut : « Mais le sang noir d'un être humain une fois répandu à terre, nul enchanteur ne le rappellerait dans les veines dont il sortit » (1019). L'angoisse est particulière, attachée à un moment précis et décisif ; mais la pensée qui l'alimente est générale : elle concerne l'humanité. Et c'est là le dernier grand chant prêté au chœur : celui-ci ne se fera plus entendre que dans un grand dialogue avec Clytemnestre, où il chante tandis qu'elle parle[7].

Tous ces chants sont grandioses ; et l'on aimerait les citer tous ; mais surtout on le devrait, car chaque strophe et chaque vers confirmerait la démonstration : sans cesse, le chœur désigne Zeus ; sans cesse, il s'interroge sur la Justice ; sans cesse, il nous oblige à suivre, à travers les étapes d'un meurtre très précis et exceptionnel, la recherche d'une doctrine qui puisse donner un sens aux malheurs humains.

On ne rencontre guère d'exemple où cet usage du chœur soit pratiqué avec tant d'évidence ; mais, sous des formes moins directes et moins explicites, le même emploi se retrouve chez les trois tragiques, et dans presque toutes les pièces.

L'exemple d'*Antigone*, pour Sophocle, est d'autant plus intéressant que le chœur ne semble pas toujours saisir, ni traduire, le vrai sens de la tragédie. Après l'acte d'Antigone, ensevelissant son frère, il chante les erreurs de l'homme, comme si cet acte en était une ; et ce n'est que peu à peu que l'erreur véritable — celle de Créon — arrive à se faire jour. Mais il n'empêche que, chaque fois, le chant oriente l'attention vers le plus général, et le plus largement humain, de l'épisode que l'on vient d'entendre.

Après l'épisode où l'on apprend ce qu'a fait Antigone, bravant le décret de Créon, le chœur chante l'audace — non pas de celui ou de celle qui a enseveli Polynice, mais... de l'homme ! Il commence par le génie de l'homme ; et le sujet de tout le chant, le « il » dont il est question, reste d'un bout à l'autre l'homme :

« Il est bien des merveilles en ce monde, il n'en est pas de plus grande que l'homme.

« Il est l'être qui sait traverser la mer grise à l'heure où soufflent le vent du sud et ses orages, et qui va son chemin au milieu des abîmes que lui ouvrent les flots soulevés. Il est l'être qui tourmente la déesse auguste entre toutes, la Terre, la Terre éternelle et infatigable, avec ses charrues qui vont chaque année la sillonnant sans répit, celui qui [...].

« Mais, ainsi maître d'un savoir dont les ingénieuses ressources dépassent toute espérance, il peut prendre ensuite la route du mal tout comme du bien. Qu'il fasse donc dans ce savoir une place aux lois de la ville... » (333 et suiv. ; 364 et suiv.).

La méditation peut être à double application par rapport au drame ; en elle-même, en tout cas, elle est d'une généralité inégalable, et tourne les esprits vers une réflexion sur le bien et le mal.

L'épisode suivant est consacré à l'affrontement entre Antigone, qui vient d'être prise sur le fait, et Créon, qui la condamne : le chœur chante alors — non pas les malheurs d'Antigone, mais la longue série des malheurs de sa race. Toute la première strophe évoque même les maux des hommes en général, lorsqu'un dieu les frappe ; puis, après une antistrophe consacrée à la race d'Œdipe, c'est à nouveau l'homme : « Mais quel orgueil humain pourrait donc réduire ton pouvoir, ô Zeus... ? » L'ensevelissement de Polynice et la mort prochaine d'Antigone se projettent en une réalité plus large : les malheurs d'une race, les malheurs des hommes.

L'épisode suivant introduit le plaidoyer d'Hémon, qui voudrait faire entendre raison à son père et obtenir de lui la vie de celle qu'il devait épouser. Serait-il mû par l'amour ? Le chœur, aussitôt, entame un chant sur l'amour — non pas l'amour d'Hémon, mais l'amour qui mène les hommes et tous les êtres vivants, l'amour comme divinité invincible et irrésistible :

« Amour, invincible amour, tu es tout ensemble celui qui s'abat sur nos bêtes et celui qui veille, toujours à l'affût, sur le visage de nos jeunes filles. Tu vagues au-dessus des flots, aussi bien que par les campagnes où gîtent les bêtes sauvages. Et parmi les dieux eux-mêmes ou les hommes éphémères, pas un être ne se montre capable de t'échapper... » (781 et suiv.).

Le chant est bref ; l'application est, ici aussi, ambiguë (Hémon n'est pas guidé seulement par l'amour et moins encore par un amour aveugle) ; mais le soudain élan vers la généralité est, une fois de plus, évident.

Enfin, au moment où Antigone est menée à la mort et où elle dit adieu à la vie, le chœur se met à chanter — non pas sur elle ni sur sa mort, mais sur d'autres morts comparables. La première strophe commence par les mots : « Danaé aussi a subi telle épreuve... » ; l'antistrophe commence par : « Il a dû aussi plier sous le joug, le fils de Dryas » ; puis viennent deux autres victimes. Mais il n'y a, dans le chant, pas un mot de généralité. Simplement, les strophes entourent la mort d'Antigone d'une série de morts également cruelles et pitoyables ; ainsi, l'urgence du drame individuel s'estompe dans une pitié plus large ; et la généralité est suggérée par la simple juxtaposition.

Le dernier chant, lui, n'est plus de méditation. Il se situe à la péripétie, quand Créon est revenu, peut-être trop tard, sur sa décision ; et l'on a une prière fébrile à Dionysos ; celle-ci oriente l'esprit, en ce moment décisif, vers les dieux de qui tout dépend. L'effet est donc comparable.

On le voit : dans *Antigone*, la généralisation qu'offre le chœur est moins affirmative que chez Eschyle, sans être moins nette. Et, par deux fois, elle est obtenue de façon indirecte : le procédé sera fréquent chez Euripide.

Il y a de tout, chez Euripide. Il lui arrive de se contenter d'un élargissement par la sympathie et la dépendance [8]. Il y a aussi quelques chants de méditation, portant sur l'homme en général, ou bien sur tel sentiment dont l'action représentée devient ainsi l'illustration [9]. Mais le procédé le plus personnel est sa façon de suggérer la généralité à l'aide de cas individuels bien concrets : le chœur offre, comme en une série de miroirs, des images multiples de la situation qui est celle des personnages. Chaque membre du chœur, dans ce cas, dit « je », et évoque un sort bien individuel ; mais ces sorts sont, en fait, communs. Entre autres, dans les diverses pièces relatives à la guerre de Troie, un chœur composé de captives et où chacune ne parle en apparence que d'elle-même, dénonce par ce biais un malheur collectif. Que ce soit dans *Andromaque*, dans *Hécube*, dans *Les Troyennes*, le procédé est exactement le même. Il est subtil et efficace.

On a cité plus haut [10] le chant du chœur où les captives se demandent chacune de qui elle sera l'esclave : ces singuliers additionnés suggèrent le collectif. On pourrait multiplier les exemples du procédé. Dans *Hécube*, il en est un exemple net, puisque c'est un récit, et un récit intimiste : il commence dans le secret des chambres et vaut pour une ville entière, ou pour toutes les villes en guerre :

« C'est au milieu de la nuit qu'eut lieu ma perte, lorsqu'au sortir du repas un doux sommeil se répand sur les paupières ; après les chants, faisant trêve aux danses de la fête, mon époux reposait dans la chambre conjugale, sa javeline accrochée au clou, ne voyant plus la troupe marine poser le pied dans Troie, dans la cité d'Ilion.

« Et moi, les relevant en bandelettes, j'arrangeais les boucles de ma chevelure, les yeux sur la clarté circulaire d'un miroir d'or, avant de me laisser choir sur les couvertures de mon lit. Or voici qu'une clameur monta par la ville, et cet ordre s'élevait à travers Troie : " Fils des Grecs, quand donc, quand prendrez-vous la citadelle d'Ilion pour revenir à vos foyers ? " Quittant ma couche aimée, en simple tunique comme une fille dorienne, j'implorai l'auguste Artémis — vainement, malheureuse ! Je fus entraînée, après avoir vu mort mon époux, vers l'étendue des flots... »

Ce récit individuel, chanté à l'unisson, devient, en fait, un témoignage sur la guerre en général, aussi net et plus émouvant que les grandes tirades prononcées, sur ce thème, par les personnages [11].

Il en va de même, exactement, de l'évocation mythologique. Tous ces chants qui remontent au jugement de Pâris sur l'Ida, même s'ils se plaisent aux détails, sont toujours une façon de ramener la source de tous les maux à la guerre, née de ce fatal jugement. Le thème peut ne pas exprimer directement l'horreur de la guerre, mais il le fait parfois [12] ; et, en tout cas, il rappelle avec force au spectateur ce qui fut la cause de tout. Cette cause de tout, pour Eschyle, était la justice de Zeus : pour Euripide, c'est l'enchaînement malheureux des folies qui mènent aux guerres. Discrètement, subrepticement, la réflexion pénètre ces chants, sans en avoir l'air, et s'impose aux spectateurs, sans qu'ils s'en rendent compte.

Il ne faudrait pas forcer les choses : il est certain que le chœur, chez Euripide, tend à se dissocier de l'action, et que, peu après lui, il s'en dissociera en effet ; mais il ne faut pas non plus méconnaître la subtilité des liens qui se tissent, chez lui, entre le chant et l'action : la méditation devient suggestion, mais elle ne disparaît pas pour autant : l'art de suggérer est un art moderne.

La subtilité grecque tisse d'ailleurs bien d'autres liens entre le dialogue et le chant, laissant par là pressentir un sens à l'action, même sans le dégager en clair.

J'en ai cité ailleurs un cas, qui semble étrangement frappant. Il figure dans l'*Agamemnon* et repose sur l'écho qui s'établit entre deux emplois d'un mot rare — en fait, un mot qui ne se rencontre en grec que dans ces deux emplois-là. C'est le mot *ptoliporthès,* ravageur de villes. Quand le chœur s'inquiète, dans le vague, avant l'arrivée du héros revenant de Troie, il tremble à la pensée des risques attachés au succès et dit : « Je veux que mon bonheur n'excite pas l'envie : puissé-je n'être ni destructeur de villes ni esclave soumis aux caprices d'autrui. » Or, lorsque Agamemnon arrive à son tour, ce même chœur le salue avec un respect fervent en disant : « Ah ! roi, fils d'Atrée, destructeur de ville à Troie [13]... » Il n'entend, par ces mots, ni le blâmer ni lui annoncer un avenir fâcheux ; mais ce titre, à lui seul, faisant écho à l'emploi antérieur, rappelle la menace qui pèse et donne son sens à l'action (« Qui a versé des flots de sang retient le regard des dieux... »).

Sans aller jusqu'à des chocs de mots aussi alarmants, il n'est pas rare que le chœur fasse ressortir le sens par ses erreurs mêmes — en croyant que tout s'arrange au moment où tout s'effondre, en affirmant qu'Œdipe est sûrement le fils d'un dieu, au moment où l'on va apprendre qu'il est le fils de celui qu'il a tué. Les erreurs du chœur dénoncent indirectement la fragilité humaine, même quand lui-même, pour une fois, cesse justement d'y croire.

Et puis une place doit être faite au style même de ces chants du chœur. Car ce style est lyrique, poétique, imagé. Et souvent il permet de dégager un sens en employant des métaphores qui lui donnent une réalité presque hallucinante. La volonté de Zeus, la vengeance, la justice, ou même le crime, ne sont point — chez Eschyle en particulier — des notions froides et abstraites, mais des êtres vivants qui, soudain, dans le chant, acquièrent autant de présence que les personnages eux-mêmes. Le sens, alors, prend vie.

Ainsi, chez Eschyle, le crime se voit, se touche, dégage une odeur ; et il reste. « Le sang noir d'un être humain une fois répandu à terre, nul enchanteur ne le rappellerait dans les veines dont il sortit » ; « Mais que les gouttes en soient une fois bues par la terre nourricière, et le sang vengeur se fige : il ne s'écoulera plus » ; « Pour purifier l'homme aux mains sanglantes, tous les fleuves ensemble, confondant leurs routes, tenteraient en vain de laver sa souillure ». Dès lors, « la démesure ancienne, chez les méchants, fait naître une démesure neuve, tôt ou tard, quand est venu le jour marqué pour une naissance nouvelle, et, avec elle, une divinité indomptable, invincible, impie, Atè, cruelle aux maisons, qui a tous les traits de sa mère ». Et voici que paraît l'Érinys, vivante elle aussi ; les chœurs annoncent « les noires Érinyes » ou « l'Érinys dotée de pleurs » — ces divinités qui, dans *Les Euménides*, deviendront assez réelles pour former à leur tour le chœur monstrueux qui poursuit Oreste. Ce qui est vrai du crime et du châtiment l'est aussi de la malédiction et des oracles : tout vit. « Elle a été au but sans défaillance, la parole que portait le vœu d'un père [...]. Les oracles ne s'émoussent pas »[14]. Sous cette forme, l'idée d'une justice en marche n'est plus une réflexion d'intellectuel ou de moraliste, mais une certitude palpable et redoutable, à laquelle le chœur donne réalité.

De même Eschyle ne fera pas dire à son chœur que la guerre est cruelle et meurtrière : l'image surgira, concrète et brutale :

> « Arès, changeur de mort, dans la mêlée guerrière a dressé ses balances, et d'Ilion, il renvoie aux parents, au sortir de la flamme, une poussière lourde de pleurs cruels — en guise d'hommes de la cendre, que dans des vases il entasse aisément » (*Agamemnon*, 439-444).

Cette transposition visionnaire rend le sens profond de l'événement plus présent que l'événement même.

Il faut l'avouer : elle appartient surtout à Eschyle. Mais il en passe quelque chose chez les deux autres. Le chœur d'Eschyle chantait : « Elle est venue, la Justice » : celui de Sophocle chante : « Elle va venir, celle qui s'annonce par cette prophétie — la Justice », ou bien encore : « Elle sera bientôt ici, partout présente et partout agissante, l'Érinys aux pieds d'airain, qui se cache pour dresser ses cruelles embuscades. » Ne lui fait-il pas dire aussi : « Elle vient de luire, éclatante, la Parole jaillie du Parnasse neigeux », ou bien évoquer les oracles sortis du centre de la terre, qui « sont toujours là, volant autour de lui »[15] ? Et Euripide, de son côté, ne montre-t-il pas ses bacchantes appelant farouchement les « alertes chiennes de la rage », et priant pour que la justice éclate : « Qu'elle vienne armée du glaive et frappe à la gorge, d'un coup mortel, cet impie, ce criminel fils d'Échion, que la terre a vomi »[16] ?

Chez tous, la leçon la plus haute s'incarne en des présences tangibles. Le chœur donne au sens abstrait de la tragédie une forme aussi concrète et aussi émouvante que le drame proprement dit, dont il opère la constante transposition en drame de la condition humaine[17].

II. *Les personnages et la réflexion sur l'homme*

Ce serait là, déjà, un signe presque stupéfiant de cette tendance à l'universel qui est la marque de la Grèce. Et ce signe serait suffisant pour faire du genre tragique, tel qu'elle l'a fondé et pratiqué, une preuve, à cet égard, décisive.

Mais il y a beaucoup plus ; et la tendance se traduit encore autrement. Les auteurs, en effet, n'ont nullement rejeté sur le chœur seul la fonction généralisatrice : celle-ci apparaît aussi dans l'action elle-même, sous une forme différente, mais non moins étonnante.

La généralisation offerte par les chœurs relevait de la vieille sagesse, de la morale, de la religion : celle qu'offrent les personnages relève directement de ce goût du débat qui semble être la caractéristique de l'Athènes du ve siècle et de sa démocratie.

Car ils ne vivent pas seulement, ces personnages : ils

discutent ! En longues tirades, en brefs échanges, en *agônes* organisés avec tout l'art de la sophistique, ils retournent en tous sens idées et situations.

Parfois, il s'agit de plaidoyers, où un personnage menacé proteste, supplie et plaide sa cause. Et souvent deux d'entre eux s'affrontent devant un troisième, de qui dépend la décision : on reconnaît là le modèle du tribunal et des plaidoyers contradictoires, qui ont servi d'exemple à tous [18]... D'autres fois, ce sont des débats d'idées, dans lesquels des thèses politiques, morales, ou philosophiques, s'opposent l'une à l'autre — comme elles pouvaient le faire à l'Assemblée. Dans les deux cas, l'influence des sophistes joua évidemment un grand rôle.

Les auteurs tragiques, cependant, ne les avaient pas attendus. Eschyle a déjà des plaidoyers et des débats, avant qu'aucun sophiste ait enseigné à Athènes. Il est même le seul à avoir introduit dans une tragédie une vraie scène de procès, à la fin des *Euménides*... Mais justement le cas est révélateur, car l'argumentation y est encore gauche et bizarre. Depuis des siècles, les érudits offrent des explications de ces bizarreries : pourquoi le débat roule-t-il sur le rôle respectif, dans la naissance, du père et de la mère (en l'occurrence, Agamemnon et Clytemnestre), au lieu de discuter sur ce qui est visiblement le sujet de la trilogie, à savoir le rapport existant entre justice et vengeance, ou bien entre la justice des clans et celle de la cité ? La réponse est qu'Eschyle n'avait pas encore appris l'art de plaider et d'analyser, qu'enseignèrent un peu plus tard les sophistes. Au reste il n'a nulle part pratiqué le débat à forme fixe, avec ses deux tirades sensiblement égales, suivies chacune d'un bref commentaire du chœur, puis d'un échange vers à vers. Il vit sous la démocratie athénienne ; il aime comprendre et faire comprendre, ou persuader ; mais il est antérieur aux sophistes.

Au contraire, ses successeurs, et surtout Euripide, ont

bénéficié de leurs leçons. Et ce dernier les applique avec tant d'ardeur que la vraisemblance théâtrale n'a plus qu'à s'en arranger tant bien que mal. Il pratique même les adresses rhétoriques qui ont valu au nom de « sophisme » la valeur péjorative qui subsiste dans nos langues modernes. On a cité déjà des exemples de ces habiletés à la mode [19].

Qui plus est, ce goût des discussions vient parfois rompre les scènes les plus pathétiques, avec une brusquerie qui nous déroute. Cela arrive même hors des débats proprement dits : Hécube, apprenant la mort de sa fille Polyxène, prononce d'abord quelques plaintes, puis, presque aussitôt, commence à se demander si ce qui compte, pour la qualité d'un être, est la nature ou l'éducation — un beau sujet de débat, qui passionnait le ve siècle athénien ! Il faut donc qu'elle se reprenne : « Mais ce sont là des traits où mon esprit s'égare » (*Hécube*, 603). Ou bien, dans la même pièce, elle se venge de façon atroce de celui qui a tué son fils : ses compagnes tuent les enfants du traître et lui crèvent les yeux. Il sort, hurlant de douleur ; prononçant des plaintes pathétiques (« Où aller, où m'arrêter, où aborder ? ») ; mais, Agamemnon survenant à point pour juger les événements, un débat en forme intervient ; et voici que cette victime hagarde présente un plaidoyer comportant cinquante vers d'affilée, dans lequel il expose clairement son affaire ! Hécube lui répondra en un plaidoyer juste égal. On est passé, sans transition, du mélodrame exacerbé au débat rhétorique correctement mené.

Ces quelques indications sembleraient nous écarter de notre propos, et révéler un travers dû à la mode plutôt qu'un quelconque désir d'universalité. Du moins de tels passages prouvent-ils bien, à travers ces excès occasionnels, toute la passion qui se marque dans ce théâtre pour les débats d'idées, les plaidoyers et les analyses. Cette passion va parfois jusqu'à l'abus, à nos yeux du moins.

Mais il ne faut pas s'arrêter à ces abus, qui ne sont qu'exceptionnels. Les débats, le plus souvent, ouvrent sur des réflexions qui, elles aussi, concernent l'homme. Le dialogue tend alors, comme les chants du chœur, et de façon tout aussi originale, à élargir et approfondir le drame représenté, et à en montrer le sens dans les problèmes humains en général.

Cette fonction est sensible même dans les simples plaidoyers d'accusation ou de défense. Car, de même que Gorgias faisait l'éloge d'Hélène en passant par toutes sortes d'idées générales — éloge de la beauté, ou de la parole —, de même les plaidoyers des personnages d'Euripide cherchent des thèmes généraux pouvant servir leur but ; et, par là, ils rapprochent le cas du plaideur de situations humaines qui nous touchent plus directement.

Un des débats les plus artificiels est sans doute celui au cours duquel, dans *Les Troyennes*, Hécube fait le procès d'Hélène, laquelle se défend en attaquant son accusatrice : on l'a cité plus haut pour les habiletés rhétoriques qu'il contient[20]. Eh bien ! même là, on rencontre des thèmes généraux sérieux, et capables d'aider à mieux comprendre l'homme. Par exemple quand Hélène établit qu'elle a agi par force, elle se réfère à une découverte du droit, qui distinguait depuis peu entre les fautes volontaires et involontaires ; la distinction était légitime et solide. Puis, quand Hécube lui répond en attaquant la fable du jugement de Pâris, et quand elle se plaint que les mortels rejettent trop facilement la responsabilité de leurs actes sur une prétendue action des dieux, elle ouvre une perspective nouvelle et audacieuse, qui conduit à accroître la part de l'homme et le rôle de ses passions. Ou bien Hélène a obéi à des dieux tout-puissants, et elle peut légitimement plaider l'innocence ; ou bien tout est venu d'elle-même, de son désir d'amour et de son goût du luxe. Et voilà que ces deux plaidoyers en apparence si artificiels posent une vraie question, qui vaut pour l'homme en général et pour nos actes à chacun. D'ailleurs Hécube dit bien qu'elle vise les mortels en général : « Mon fils était d'une rare beauté et c'est ton propre esprit qui, à sa vue, est devenu Cypris : les folies impudiques sont toujours Aphrodite aux yeux des humains[21] » (987-989).

Le rapport de ces réflexions avec le sens général de la pièce n'est pas direct. Pourtant il existe : ce sont les folies humaines, aussi, qui causent les guerres et leurs souffrances. Et, si ces arguments jetés au passage ne désignent pas une leçon d'ensemble, ils en éclairent d'un bref coup de lumière une des multiples facettes.

C'est souvent sous cette forme, par fragments, que surgissent ces analyses, qui jettent un jour soudain sur un aspect de l'homme, avec lequel l'action de la pièce est alors mise en rapport. L'actualité peut les inspirer : tout à coup ils se détachent à la fois du temps mythique où se situent les personnages et du temps de l'auteur.

Dans *Andromaque,* par exemple, Euripide nous offre un affrontement violent entre Andromaque, alors captive, et Ménélas. Mais, en même temps qu'elle accuse Ménélas en tant qu'individu et pour des raisons bien précises, elle évoque en fait le cas général du chef qui n'est qu'un pleutre ; et ses premiers mots disent, ici encore, qu'il s'agit d'un cas largement répandu :

« Opinion, opinion, à des milliers de mortels sans valeur,
tes prestiges ont attribué la grandeur... » (319-320).

La tirade continue sur ce ton, sans illusion. Et ce n'est pas affaire d'humeur ou boutade en passant ; car, plus loin, Pélée reprend le même thème en l'amplifiant avec éloquence :

« Hélas ! Quelles erreurs ont donc cours par la Grèce !
Quand des trophées ennemis sont dressés par une armée,

> ce n'est pas à ceux qui peinent qu'on attribue l'ouvrage : le général en remporte la gloire. Il est une unité parmi dix mille autres à brandir la lance, et, sans rien faire de plus qu'un seul, il acquiert plus grand renom. Majestueusement installés dans leur charge, les chefs se croient dans la cité supérieurs au peuple, quand ils ne sont rien [...]. C'est ainsi que vous siégez, ton frère et toi, enflés du nom de Troie et du commandement exercé là-bas ; d'autres ont souffert et peiné ; vous en tirez gloire » (693-705).

Tout le développement est général. La pensée y est, pour l'époque, audacieuse ; on dirait aujourd'hui « hardiment contestataire ». Et elle se situe sur un plan tel qu'elle sonne, aujourd'hui encore, tout aussi actuelle. Elle n'est pas non plus sans lien avec le drame, puisque Andromaque souffre des suites de la guerre et des passions qu'entraînent ces suites : au passage, l'analyse donne soudain à ses maux, ou plutôt à leurs causes, une portée intemporelle.

On peut en dire autant de l'étrange débat qui surgit tout au début des *Suppliantes* du même Euripide. Le vieil Adraste demande le secours d'Athènes et de Thésée pour obtenir le droit d'ensevelir ses morts. Quand il a exposé son cas, Thésée lui répond par une tirade de soixante-sept vers, d'où émergent deux grands thèmes généraux. Le premier est relatif au progrès que les dieux ont accordé à l'humanité et qui devrait leur valoir de sa part respect et reconnaissance (or, Adraste est allé à l'encontre de certaines règles religieuses) ; le second est relatif au rôle des jeunes, toujours épris de guerre (or, Adraste a cédé aux instances de Polynice, qui voulait récupérer sa place à Thèbes). Les deux fois, le rapport avec Adraste est plutôt lâche. Mais, les deux fois, le discours met son cas en rapport avec un thème très général qui, alors, passionnait les esprits. La question des inventions et du progrès a été évoquée ou discutée par Eschyle et par Sophocle, par divers philosophes et par Platon. Et voici qu'Euripide l'introduit ici, éclairant d'une lumière très moderne la vieille notion d'impiété. Quant à l'allusion aux jeunes, elle semble inspirée par l'actualité du moment ; mais elle rejoint, dans sa formulation très générale, le point de vue des spectateurs d'autres pays et d'autres époques :

« Des jeunes gens t'entraînaient : ce sont eux qui, dans leur soif d'honneurs, vont au mépris du droit multipliant les guerres, fléau des citoyens. L'un vise à commander ; l'autre veut le pouvoir afin d'y satisfaire ses passions ; un autre y poursuit la richesse. Ils n'examinent pas si le peuple en pâtit » (232-237).

A chaque fois, une idée jaillit — une idée sur l'homme, la guerre, la politique. Et, en même temps, dans cette pièce qui est à nouveau consacrée à des deuils nés de la guerre, chaque coup de lumière fait percevoir une des causes de ces guerres, ou plutôt de toutes les guerres.

On a cité ici deux exemples. Mais Euripide touche à tous les problèmes, à toutes les idées. L'action met-elle en scène une femme — fût-elle aussi exceptionnelle que Médée ou bien Phèdre —, c'est l'occasion pour notre poète de tirades modernes et passionnées pour ou contre les femmes [22]. La question des femmes était alors fort discutée : s'en étonnera-t-on aujourd'hui ? Du coup, l'on a des analyses vivantes et claires sur les fautes féminines ou sur l'injuste condition féminine : brusquement, ces analyses rapprochent les héroïnes fabuleuses empruntées au mythe des débats quotidiens du temps, et de tous les temps.

Ces ponts jetés entre le drame dans ce qu'il a de particulier et les diverses significations qu'il peut prendre pour des publics d'autres lieux et d'autres époques ont été jetés délibérément : les idées ont été cernées et formulées, dans leur généralité, même s'il fallait pour cela prendre des libertés avec les vraisemblances de détail, ou avec le mouvement dramatique : la tragédie grecque, quand il s'agit de dégager des vérités humaines, ne regarde pas à ce qu'il en coûte : elle le fait, hardiment !

Mais ce désir ne se marque pas seulement en ces thèmes latéraux et adventices, qui n'ont avec le drame que des liens indirects. Souvent, le débat s'installe au cœur même de l'action ; et l'effort d'analyse se confond dès lors avec l'invention même du drame. On en a de très beaux exemples dans le théâtre de Sophocle.

Dans *Antigone*, deux débats ressortent avec un relief puissant : Créon contre Antigone, et Créon contre Hémon. Or tous deux cernent de près, mais sous leur forme éternelle, les questions qui commandent tout le sens de la tragédie.

Le débat Créon-Antigone porte sur l'opposition entre la règle officielle et le devoir moral ou religieux. Il se résume dans les vers célèbres que prononce Antigone, et dont personne ne saurait nier ni la hauteur ni l'élan vers l'intemporel. Il serait presque inutile de les citer, tant ils chantent dans les mémoires. Mais, si l'on souhaite comprendre comment le texte projette les esprits du cas particulier vers une signification générale, on ne peut guère ne pas les rappeler. Créon demande à la jeune fille : « Ainsi tu as osé passer outre à ma loi ? » ; et soudain le champ de vision se transporte ailleurs, très haut :

> « Oui, car ce n'est pas Zeus qui l'avait proclamée ! Ce n'est pas la Justice, assise aux côtés des dieux infernaux : non, ce ne sont pas là les lois qu'ils ont jamais fixées aux hommes, et je ne pensais pas que tes défenses à toi fussent assez puissantes pour permettre à un mortel[23] de passer outre à d'autres lois, aux lois non écrites, inébranlables des dieux ! Elles ne datent, celles-là, ni d'aujourd'hui ni d'hier,

elles sont éternelles, et nul ne sait le jour où elles ont paru. Ces lois-là, pouvais-je donc, par crainte de quelque homme, m'exposer à leur vengeance chez les dieux ? » (450-460.)

L'opposition entre lois humaines et lois divines est le sujet même d'*Antigone* : il est ici explicité, formulé, défini, *sub specie aeternitatis*.

Si l'on regarde après cela le débat qui oppose Créon à Hémon, on constate qu'il traite, lui, de l'opposition entre l'autorité souveraine d'un seul et la consultation : c'est là l'autre face du même conflit, sa face humaine et politique. La sévérité de Créon repose en effet sur sa trop grande confiance en lui comme souverain. Sans elle, il eût compris ; il eût écouté Antigone, Hémon, la ville, avant qu'il fût trop tard. Entre les deux débats, l'action se définit donc, d'abord dans sa portée théorique, puis dans sa signification politique. L'action aurait suffi à en donner une idée incertaine et floue : Sophocle en a dégagé le sens, en termes à jamais accessibles à tous.

L'originalité de cette tendance, si éminemment grecque et athénienne, apparaît dès que l'on a recours à la comparaison. Car Sophocle a fait vivre Antigone jusqu'à nos jours ; mais les reprises et les imitations écartent volontiers ses hautes déclarations, les remplaçant par l'expression de tendances affectives, ou d'une haine instinctive pour le compromis, et mettent plus en cause un tempérament qu'une morale lucide : l'*Antigone* d'Anouilh, qui est écrite pour notre temps, montre assez que l'ambition du ve siècle athénien n'est plus, en cela, la nôtre.

On ne citera ici que cet exemple : cela ne veut pas dire que l'on ne trouverait pas l'équivalent chez Euripide : le débat des *Phéniciennes*, qui a été cité plus haut[24], traite avec la même solennité et la même puissance d'analyse l'opposition entre l'ambition personnelle et la justice, ou le bien commun : c'était bien là le sens qu'avait voulu inscrire Euripide dans le drame traditionnel des fils d'Œdipe. Il avait déjà pour cela retouché la légende : il avait fait pénétrer Polynice dans la ville, précisément pour permettre ce débat ; et il avait introduit le personnage de Ménécée, se sacrifiant pour le bien commun et s'expliquant lui-même sur ce sacrifice, précisément pour que le contraste avec les fils d'Œdipe fît ressortir l'idée majeure. Enfin, il avait choisi un chœur de femmes barbares terrifiées par la guerre civile et clamant son horreur. Tous les moyens propres à la tragédie grecque avaient donc été mis en œuvre pour dégager un sens : le débat est comme un couronnement, qui reprend, sous forme théorique, tous les indices qui menaient vers ce sens, et lui confère une valeur universelle.

*

Cette convergence de tous les moyens vers un même but permet de mesurer l'originalité de la tragédie grecque et son insistance à servir ce but : le besoin de donner à l'action un sens relatif à l'homme et de faire contribuer aussi bien le chœur que les personnages à l'expression de ce sens ne se retrouvera plus jamais dans l'histoire du théâtre.

Le résultat se traduit de diverses manières.

D'abord, tout humblement, il se traduit par une densité, à nos yeux déroutante, des réflexions générales formulées dans la tragédie. Certaines sont des maximes de sagesse plus ou moins traditionnelles, brandies par les chœurs ou bien servant ici ou là dans les discours. D'autres sont des analyses poussées et personnelles, étayées d'arguments et servant à l'analyse. On a, si l'on veut, l'abstrait de l'énoncé *a priori* et, d'autre part, l'abstrait des recherches sur l'homme. Le fait que ces deux séries de formules se rencontrent côte à côte prouve assez que la tendance était grecque, et qu'elle s'est précisée et modifiée dans l'Athènes du ve siècle, lorsque les anciennes sentences ont été rejointes par les réflexions neuves.

D'autre part, ces réflexions neuves, et ce désir de traiter tous les problèmes, même les plus larges, qui concernent l'action humaine, ont fait que la tragédie, surtout à la fin du siècle, semble entretenir un rapport étroit avec les autres genres, et en particulier avec celui dont il n'a pas encore été question ici — la philosophie.

Le dernier exemple cité était celui des *Phéniciennes* et l'on sait que ce débat entre la justice et l'ambition a son parallèle exact dans le *Gorgias* de Platon[25]. Platon a forgé le personnage d'un ambitieux, nommé Calliclès ; et il lui a fait défendre, en termes plus philosophiques et approfondis que l'Étéocle d'Euripide, la thèse de l'ambition et des idées qu'elle suppose sur le droit du plus fort. De l'Alcibiade de Thucydide à l'Étéocle d'Euripide, puis au Calliclès de Platon, à l'intérieur d'un cadre unique, la progression de l'analyse est continue. Et cette continuité n'eût pas été possible sans ce désir de tous d'analyser toujours plus loin.

Le cas n'est pas isolé. Et, puisque l'on a, en dernier lieu, montré l'apport des débats tragiques dans cette analyse, comment ne pas rappeler que le même Calliclès, dans le *Gorgias*, cite deux vers de l'*Antiope* d'Euripide et y fait de nombreux emprunts ? L'*Antiope* est perdue[26] ; mais le débat en était célèbre : les deux fils d'Antiope y défendaient, l'un, la vie de l'homme d'action, l'autre celle du poète et de l'artiste. Le choix du meilleur genre de vie était un problème qu'aimaient à traiter les philosophes ; Euripide lui a donné forme sur la scène ; et Platon, qui pourtant se défiait tant des poètes, a repris ici le poète tragique.

L'étude d'Euripide débouche sur la philosophie et nous impose ainsi l'ordre qui sera celui de ce livre.

Enfin, le dernier résultat de tout cet effort que les

tragiques ont poursuivi par des moyens divers a été que justement les sujets de leurs tragédies se sont à ce point chargés de sens et de force, qu'ils continuent leur carrière vingt-cinq siècles après, non seulement en Europe, mais aussi bien au Japon qu'aux États-Unis. On a renoncé aux moyens ; on les a oubliés ; mais ces moyens avaient porté leurs fruits avant de disparaître. Le ve siècle athénien a gagné son pari.

Appendice : la comédie

L'on n'a ici rien dit de la comédie ; et bien que cette étude ne prétende nullement à l'exhaustivité, une telle lacune (et un tel déséquilibre avec la tragédie) a de quoi surprendre. N'y a-t-il pas là une omission singulière, et, en somme, inquiétante ?

A vrai dire, la comédie se met à part elle-même, lorsqu'il s'agit d'un thème comme celui dont traite ce livre. La comédie est concrète. Elle vise l'actualité et, semble-t-il, l'actualité seule : elle cite des noms, des péchés mignons de personnages aujourd'hui oubliés, dont des notes nous disent, sans plus, qu'il s'agissait d'un glouton ou d'un débauché. Comme intemporel, on fait mieux ! De plus la comédie n'apprécie pas les intellectuels, confond Socrate avec les sophistes, ne comprend rien à Périclès (ou fait mine de ne rien comprendre), et regrette le bon vieux temps... L'essor de découverte semble donc la laisser sceptique !

Et pourtant !...

Sans entrer dans une démonstration qui, pour être probante, devrait être longue, on peut proposer au moins trois remarques.

Aristophane critique les excès — ceux de la démocratie (avec les démagogues incultes et la passion des procès), ceux des sophistes, ceux des bellicistes... — mais n'est-ce pas justement le propre de l'esprit démocratique que de pouvoir critiquer, se moquer, protester ? Qu'il parle de Socrate, qu'il cite Prodicos ou Protagoras, qu'il ne cesse de parodier les innovations d'Euripide, suggère assez qu'il participait à ce milieu intellectuel d'alors ; et ses critiques sont, à cet égard, d'une ingéniosité révélatrice. Mais, en tout cas, il discute, il prend position, à lui seul, contre les autres, il ouvre à son tour un débat. L'Athènes d'alors n'eût pas été complète sans ce contrepoint ; et la rhétorique n'eût pas tenu la même place si elle n'avait servi, parfois, à se contester elle-même.

D'autre part, le goût des allusions et le goût du concret n'empêchent en rien Aristophane et la comédie ancienne d'avoir choisi pour thèmes les problèmes humains et sociaux les plus larges. Les folies de la guerre, les beautés de la paix, la place des femmes, l'union de la Grèce, la répartition de la richesse... quelle forme de comédie au monde s'est jamais taillé de tels sujets ? Et c'est sans doute pourquoi, malgré les allusions qui ne veulent plus rien dire, malgré les grossièretés qui surprennent, malgré toutes les connivences d'une actualité depuis longtemps périmée et d'une imagination verbale intraduisible, les comédies d'Aristophane ou leurs adaptations, avec leur forme littéraire impossible à faire revivre, revivent ; elles sont encore jouées et touchent encore. *La Paix, Les Guêpes, Les Oiseaux, L'Assemblée des femmes* sont dans ce cas Les problèmes qui y sont traités étaient souvent ceux dont on discutait à Athènes. Et, en leur donnant une forme figurée, extrême, irréelle, en les habillant d'un vêtement qui équivaut à la création mythique, Aristophane les a, en fait, arrachés à leur temps pour les livrer à l'intemporel. Un homme qui s'envole sur un escarbot pour s'en aller acheter la paix chez les dieux est une fantaisie un peu folle ; mais, du coup, il ne s'agit plus de telle paix, en telle année : il s'agit de la paix, pour n'importe qui, toujours.

Cette invention concrète dissimule ce que la visée a de largement humain ; ou plutôt elle permet de l'exprimer, en élaguant tout le reste — comme lorsque Pindare exprimait l'idée par un simple geste.

Encore ne faut-il pas oublier qu'une comédie ancienne, vers le milieu, pose bas ses masques et que le chœur s'en vient faire, directement, ouvertement, la leçon au public. On appelle cette partie de la comédie la parabase. Même en pleine fantaisie, les Athéniens aiment s'expliquer ! Et puis, avant la parabase, vient l'*agôn* — un peu une bataille, beaucoup un débat, des arguments, encore !...

La comédie ancienne ne sera pas étudiée ici, car elle se veut elle-même à part ; mais elle confirme, jusque dans ses refus, la force de l'élan qui emportait alors la cité.

Elle est un peu moins passée dans les littératures modernes : c'est parce que, plus que les autres genres, elle se voulut toujours de son temps.

NOTES DU CHAPITRE VII

1. L'expression « parties chantées » est impropre. Quand le chœur joua un moins grand rôle, les solos des acteurs et les duos lyriques se multiplièrent. On a ici employé l'expression de façon sommaire pour désigner les chants traditionnels du chœur : *parodos*, ou chant d'entrée, *stasima*, ou chants suivant chacun des épisodes, et *exodos*, ou chant de sortie.

2. Voir ci-dessous, p. 238.

3. Chez un poète soucieux du sens de la justice, l'image de Pâris est sinistre : « C'est ainsi que Pâris, entré sous le toit des Atrides, souilla la table de son hôte par un rapt adultère », dit le chœur d'*Agamemnon* (400-401) ; et celui d'*Iphigénie à Aulis*, plein de ferveur pour tous ces héros, évoque le berger Pâris modulant sur son pipeau des airs barbares ; et il dit : « Debout devant le palais d'Hélène incrusté d'ivoire, les yeux rivés aux siens, tu lui versas l'amour... » (583-585). Voir cependant les remarques faites aux notes 4 et 5.

4. Il comporte aussi une allusion de quelques vers à la naissance mythique d'Hélène.

5. Il s'agit d'après le contexte immédiat de la vengeance divine contre Pâris ; mais les formules menaçantes et ambigues vaudront ensuite contre Agamemnon et les siens. Le présage qui leur sera envoyé sera constitué par deux aigles en train de dévorer une hase pleine : voir la suite de l'analyse.

6. Le nom même de Zeus est, en grec, le premier mot jeté en tête de la première strophe.

7. On peut imaginer que le chœur se trouve dans l'impossibilité de commenter la justice divine une fois qu'il est en présence de l'épouse criminelle : la volonté de Zeus n'ôte rien à la faute humaine. Le chœur le dit d'ailleurs, associant les deux fautes d'Hélène et de Clytemnestre : « Génie qui t'abats sur la maison des deux petits-fils de Tantale, tu te sers de femmes aux âmes pareilles pour triompher en déchirant nos cœurs » (1468-1470).

8. De même que les marins d'Ajax, chez Sophocle, dépendent en tout de lui, de même le chœur d'*Héraclès furieux* ne fait qu'opposer son impuissante vieillesse à la gloire du héros, et soupirer après son retour ou son salut.

9. Comme exemple du premier cas, on peut citer *Hippolyte*, 1102 et suiv., avec la question de l'épode : « Pourquoi ? » ; comme exemple du second cas, on peut citer *Andromaque*, 465 et suiv. : « Jamais je n'approuverai doubles amours pour les mortels... »

10. Cf. ci-dessus, p. 231-232.

11. Le procédé s'annonçait dans *Les Sept contre Thèbes* d'Eschyle, où la frayeur des femmes était une façon de dire les horreurs de la guerre ; et elles aussi disaient parfois « je » ; mais les sentiments et les circonstances n'avaient pas ce caractère individualisé et presque égocentrique, qui rend plus subtile la généralisation.

12. Ainsi dans le chœur d'*Andromaque*, 274 et suiv. : « Oui, de grandes douleurs il donna le signal, quand il vint au val de l'Ida... », puis : « Que n'avait-elle, par-dessus sa tête, rejeté ce Pâris de malheur, celle qui le mit au monde !... »

13. *Agamemnon*, 472 et 783. Les deux traductions sont très légèrement modifiées, pour rendre l'écho plus net, mais l'application plus discrète. L'exemple a été cité dans la revue *Corps Écrit* (n° 10, p. 163).

14. Les citations correspondent à *Agamemnon*, 1019 ; *Choéphores*, 66-67, 72 ; *Agamemnon*, 764-767, 463 ; 749 ; *Sept*, 840 et suiv.

15. Voir *Choéphores*, 935 ; *Électre*, 476-477, 488-491 ; *Œdipe Roi*, 474, 481.

16. *Bacchantes*, 977 et 991-996.

17. On conçoit donc combien sont choquantes les représentations modernes de tragédies grecques, dans lesquelles le chœur est supprimé, ou gravement amputé.

18. Cf. ci-dessus, p. 133-135. Sur cette importance du modèle judiciaire, voir notre article publié en 1991 dans les *Annales* de l'Académie de Turin, 125, 2, 31-40.

19. Voir ci-dessus, p. 141.

20. Ci-dessus, p. 141.

21. A cela s'ajoute que tout bon plaideur, alors, réclame un exemple pour tous : le châtiment d'Hélène sera un exemple pour toutes les femmes (1031). Toujours, dans Thucydide aussi, la conclusion considère l'acte sous sa forme de règle humaine posée pour l'avenir.

22. Voir *Médée*, 230-231 ; *Hippolyte*, 616-650.

23. On peut relever, comme dans toutes les autres citations, la présence constante des mots : « les hommes », « un mortel », « quelque homme ».

24. Ci-dessus, p. 141-144.

25. Ci-dessus, p. 143, à compléter par notre étude parue dans les *Mélanges Galiano* (*Apophoreta Philologica*, 1984, p. 259-265).

26. On peut se reporter à l'édition commentée des fragments par Jean Kambitsis, Athènes, 1972.

VIII

LA PHILOSOPHIE

La tragédie conduit tout droit à la philosophie. Mais, au premier abord, celle-ci semble s'accorder assez mal avec l'analyse développée ici. Les apparences, en effet, sont inquiétantes.

On a parlé d'abord d'esprit démocratique. Or Socrate se vantait de ne point participer à la politique ; la démocratie le mit à mort ; et Platon lui fait dire, dans l'*Apologie*, qu'il n'aurait pas pu exercer sa mission s'il s'était mêlé à la vie politique : « Il n'est aucun homme qui puisse éviter de périr, pour peu qu'il s'oppose généreusement, soit à vous, soit à toute autre assemblée populaire, et qu'il s'attache à empêcher dans sa cité les injustices et les illégalités » (31 e).

Quant à Platon, il a critiqué et rejeté non seulement la démocratie, mais l'esprit démocratique, qui met tout sur le même plan, ne connaît plus le bon ordre, et ne repose en rien sur une compétence, qui devrait être longuement acquise. Nulle satire de l'égalité démocratique, ou de la licence et du désordre qui l'accompagnent, ne vaudra jamais le mordant de son analyse, au livre VIII de *La République.* Il réclame, au contraire, une société très hiérarchisée, et le gouvernement des philosophes. Jugeant des différents types de sociétés et d'individus du point de vue de la vertu et du bonheur (qui à ses yeux coïncident), il ne connaît que la tyrannie et l'homme tyrannique qui lui paraissent pires que la démocratie et l'homme démocratique. On a donc le sentiment de se trouver à l'opposé de l'enthousiasme créatif, lié aux découvertes du milieu du Ve siècle : la réaction est là. Le couperet tombe, et ne pardonne pas.

D'autre part, on a parlé de la rhétorique, de l'enseignement des sophistes et du goût des débats dont ils avaient lancé l'art et la mode. Or, là aussi, la philosophie résiste.

Socrate détestait les grands débats où l'habileté trompe son monde. Platon fait dire à Socrate, gentiment, qu'il ne peut se prêter à cet usage, où les sophistes brillent si bien : « Protagoras, j'ai peu de mémoire, et, quand on me tient un long discours, j'oublie de quoi on me parle. Si j'étais dur d'oreille, tu croirais de ton devoir, en causant avec moi, d'élever un peu plus la voix qu'avec les autres : de même maintenant, puisque tu as affaire à un homme oublieux, veuille resserrer tes réponses et les faire aussi courtes que possible, afin que je puisse te suivre » (*Protagoras,* 334 c-d). Ailleurs Platon le fait se moquer, avec une admiration ironique, de l'effet des grands discours, qui vous plongent dans un monde idéal et mensonger (*Ménéxène,* 235 b-c). Même les témoignages que l'on invoque à l'appui d'une thèse sont des procédés de rhétorique trompeurs ; car ces témoignages peuvent tous être erronés. Seul compte l'examen point par point ; et seul compte l'accord des deux interlocuteurs : « Si je n'obtiens pas ton propre témoignage, et lui seul, en faveur de mon affirmation, j'estime n'avoir rien fait pour avancer la discussion[1]. » Le grand débat suivi est donc rejeté.

Platon, là aussi, transforme cette résistance en système. Il ne cesse d'opposer Socrate aux sophistes ; et il consacre son dialogue intitulé *Gorgias* à montrer que la rhétorique est une fausse science, liée à une mauvaise morale. Il oppose à l'art des sophistes la vérité et le bien, à leur hâte les longs détours, à leur fierté de tout savoir la dignité de reconnaître son ignorance. Contre le « sophiste » qui détient la sagesse, il pose le « philosophe », qui simplement la cherche. Autrement dit, là aussi, la condamnation explicite suit le refus ; l'art du débat n'est que mensonge.

Enfin on a parlé ici de la place donnée à l'homme dans la poésie grecque, qu'il s'agisse d'Homère ou bien des tragiques. Or Platon condamne les poètes et condamne les tragiques, précisément pour l'image qu'ils donnent du monde, avec ces dieux si proches de l'homme, mêlés à sa vie, et partageant allégrement ses passions ou ses petitesses, ou avec ces héros si humains qu'ils gémissent ou rient, s'injurient et montrent mille imperfections.

Tout ce qui nous a paru lié à la qualité proprement humaine de la culture grecque et de l'esprit athénien est donc, avec Platon, condamné et récusé.

Ce pourrait être le fait du passage du temps, ce pourrait être la réaction à une expérience politique opposée, et le retour du balancier. Sans doute une telle hypothèse est-elle en partie vraie. Pourtant, si Platon est un auteur du IVe siècle, dont la jeunesse a coïncidé avec la défaite au-dehors et les crises du régime au-dedans, il reste que Socrate est né dix ans après Euripide et dix ans avant Thucydide ; il reste qu'il est mort la première année du IVe siècle. Il est un homme du Ve siècle. Or Platon, sur ces divers points, ne fait que prendre la suite de Socrate. C'est donc bien la philosophie, en tant que telle, qui se met en marge et poursuit ses buts propres.

L'exposé risque, par conséquent, de venir buter sur une exception de taille.

Pourtant, si l'on regarde les choses d'un peu plus près, on s'aperçoit bien vite que Socrate et Platon, par-delà ces divergences, illustrent à leur façon exactement la même tendance et qu'ils ont joué pour notre culture exactement le même rôle.

I. *Socrate*

Pour s'en rendre compte, un petit retour en arrière sur la philosophie grecque est nécessaire. Il y a, en effet, une coupure nette entre Socrate et ce qui précéda : au reste, on groupe en général tous les philosophes antérieurs sous le nom de « présocratiques ».

Les philosophes présocratiques ont fondé la philosophie occidentale — encore une fois, hors d'Athènes. Mais celle-ci, qui s'est développée en Asie Mineure puis en Sicile, avait pour signe distinctif de s'attaquer d'emblée à l'univers : Thalès, Anaximandre, Anaximène — tous de Milet — puis Héraclite d'Éphèse, Parménide d'Élée, Empédocle d'Agrigente ont écrit au VIe siècle ou au début du Ve. Ils ont traité de l'être, et du *logos*. Ils ont mis en cause le feu et la nuit, la terre et l'eau, l'amitié et la querelle. Ils ont traité de ces questions sur le mode de la révélation, s'adressant à un cercle réduit et écrivant, pour des initiés, des écrits souvent assez ésotériques[2].

Puis la science se précise, la médecine s'en mêle, le rationalisme intervient. C'est l'époque où Anaxagore montre que des explications physiques doivent désormais remplacer la croyance aux miracles et aux prophéties[3], et, s'il cherche encore à expliquer l'univers, c'est sur le modèle de l'action humaine, en admettant que « l'esprit » dirige tout. D'ailleurs Anaxagore vient d'Asie Mineure vivre à Athènes ; et il compte parmi ses élèves Périclès : on se rapproche de l'humanisme rationnel en vogue à Athènes.

Mais entre Anaxagore et Socrate se place le glissement décisif : Platon le fait décrire par Socrate dans le *Phédon* (97 c-99 a). C'est le récit d'une découverte suivie d'une déception. La découverte est celle du rôle de l'Esprit, qui offre un sens à tout, la déception celle de voir que cet Esprit n'est pas une finalité relevant des idées :

> « Or voici qu'un jour j'entendis faire une lecture dans un livre qui était, disait-on, d'Anaxagore et où il était tenu ce langage : " C'est en définitive l'Esprit qui a tout mis en ordre, c'est lui qui est cause de toutes choses. " Une telle cause fit ma joie. [... Socrate, alors, lit le livre, plein d'une espérance bientôt anéantie :] Eh bien ! adieu la merveilleuse espérance ! Je m'en éloignais éperdument. Avançant en effet dans ma lecture, je vois un homme qui ne fait rien de l'Esprit, qui ne lui impute non plus aucun rôle dans les causes particulières de l'ordre des choses, qui, par contre, allègue à ce propos des actions de l'air, de l'eau, et quantité d'autres explications déconcertantes. [... Pourquoi Socrate est-il assis dans sa prison à parler avec ses disciples ?] A ce propos, on alléguerait l'action des sons vocaux, de l'air, de l'audition, mille choses encore en ce genre ; et l'on n'aurait cure de nommer les causes qui le sont véritablement. Or les voici : puisque les Athéniens ont jugé meilleur de me condamner, pour cette raison même, moi, à mon tour, j'ai jugé meilleur d'être assis en ce lieu, c'est-à-dire plus juste de subir, en restant, telle peine qu'ils m'infligent. »

Les causes physiques et extérieures à l'homme ont été d'un coup remplacées par des causes morales et par des choix humains.

C'est bien pour cela que, dans tous les dialogues, on verra Socrate arrêter l'un ou l'autre et l'interroger, sur la piété, ou le courage, ou la justice, et sur ce qui vaut le mieux pour l'homme. La nature des problèmes posés est devenue autre.

Bien entendu, cela ne veut nullement dire que Socrate, comme Protagoras, centre tout sur l'homme pour en tirer une pensée agnostique. Le croire serait commettre la même erreur grossière que ceux qui le condamnèrent. Socrate se réfère aux dieux, chez Xénophon comme chez Platon. Il parle de la mort comme d'une libération et place volontiers le bonheur dans l'au-delà. Mais ces deux orientations philosophiques différentes — la sienne et celle des sophistes — ont cependant en commun un même intérêt pour l'action humaine, pour les vertus, et les conduites humaines. Les sophistes se proposent d'améliorer la vie dans la pratique de façon immédiate, Socrate de définir à loisir le but même de cette vie. Mais un même choix fondamental, que l'on pourrait appeler le choix de l'homme, préside à ces deux attitudes divergentes.

A partir de ce choix, tout s'éclaire. La méthode de Socrate rejoint soudain, même par ses traits extérieurs, l'élan de l'hellénisme. Car la façon dont Socrate développe cette philosophie nouvelle n'est pas moins remarquable. Alors que tous les philosophes antérieurs avaient procédé par affirmations ou révélations, alors qu'ils avaient enseigné à des disciples spécialisés et s'étaient exprimés dans des écrits difficiles, que fait Socrate ? Il s'adresse à n'importe qui. Il dit (dans Platon) avoir interrogé des hommes politiques, des poètes, des artisans ; et nous le voyons (toujours dans Platon, mais aussi dans Xénophon) arrêter au passage tel jeune homme qu'il rencontre à la palestre, par exemple, ou bien sur le chemin du tribunal, pour lui poser soudain des questions déroutantes. C'est que sa méthode est nouvelle. Elle part du jugement de chacun à propos de notions que tous croient connaître. Et à partir de ces réponses, qu'il examine et qu'il critique, il suscite la réflexion.

Les questions semblent toutes simples : « Qu'est-ce que la piété ? ou bien le courage ? Où les apprend-on ? Qu'en attend-on ? » Socrate lui-même, à l'encontre des maîtres anciens, déclare ne pas le savoir. Il est dans l'embarras ; il y plonge les autres. Mais il sait pourtant leur montrer ce qui ne va pas dans leurs réponses ; il sait les faire passer d'une certitude vaine à l'inquiétude ; et il sait aussi les conduire, peu à peu, à la découverte de quelques principes auxquels ils n'avaient pas songé.

Autrement dit c'est d'eux-mêmes, de ces auditeurs de passage, jeunes et souvent imprudents, qu'il attend un acquiescement, puis un progrès : il pratique, comme il dit, la maïeutique, c'est-à-dire qu'il aide ceux à qui il parle à accoucher de pensées meilleures.

Cela ne peut se faire qu'avec beaucoup de patience, et beaucoup de soin, à coup d'objections, de répétitions, de retours en arrière. L'enseignement de Socrate est une méthode pour apprendre à penser. Après les maîtres qui révélaient la vérité à des disciples bien triés, il est le maître qui aide chacun à la chercher, obstinément.

De plus, le ton de son enseignement, ou plutôt de ses entretiens, déroute par la simplicité même des exemples auxquels il renvoie sans cesse. Lui qui propose à la vie humaine l'idéal du bien absolu, il poursuit chaque définition en se rapportant au modèle de métiers aux fins bien définies ; il rappelle l'exemple du pilote, du tisserand, du cordonnier. Si on lui parle « d'avoir plus », il demande si l'on veut dire plus de vivres ou de boissons, plus de manteaux, plus de chaussures. Si bien que l'arrogant Calliclès proteste : « Par tous les dieux, ce ne sont vraiment que cordonniers, foulons, cuisiniers et médecins qui remplissent tes discours, comme si c'était de ces gens-là que nous parlions[4] ! »

Langage déroutant, rude, en apparence terre à terre ! Cette note tout extérieure frappait les Athéniens d'alors. Et Alcibiade, dans *Le Banquet* de Platon, a superbement marqué le contraste entre ces départs si familiers et le but auquel ils menaient ; il compare en effet Socrate aux petites statues de silènes, creuses, où étaient rangés des objets précieux :

> « Ses discours sont on ne peut plus semblables aux silènes qui s'entrouvrent. Qu'on veuille bien, en effet, écouter les discours de Socrate : à la première impression, on ne manquera pas sans doute de les trouver absolument

ridicules. Tels sont les mots, les phrases qui en sont l'enveloppe extérieure, qu'en vérité on dirait la peau d'un insolent satyre ! Car il vous y parle d'ânes bâtés, de forgerons, de cordonniers, de corroyeurs ; il a toujours l'air de se répéter, dans ses expressions comme dans ses pensées ; si bien qu'il n'y a pas au monde d'ignorant ou d'imbécile qui ne fasse de ses discours un objet de dérision. Mais arrive-t-il qu'on les voie s'entrouvrir et qu'on en arrive à l'intérieur, alors on commencera à les trouver, dans le fond, pleins d'intelligence, et les seuls qui soient tels ; puis divins au possible, pleins en eux-mêmes du plus grand nombre possible d'images d'excellence, et tendant le plus haut possible[5]... »

Dans le principe de ces interrogations, dans le choix des interlocuteurs, dans le choix des exemples, Socrate a, si l'on peut dire, ouvert la philosophie à tous et lui a donné un ton nouveau par lequel elle s'adresse à eux, de façon urgente et directe, pour les mener au bien.

Mais si le ton, les interlocuteurs, et l'appel au jugement de chacun ressemblent d'une certaine manière à l'ouverture qui, en politique, donna naissance à la démocratie, il existe une différence majeure dans l'orientation : la démocratie s'en remet au jugement de chacun, la philosophie le dirige, le met en face de ses erreurs, et, peu à peu, l'oriente vers la recherche d'une pensée vraie.

Or la pensée vers laquelle Socrate oriente ceux qui l'entourent pose en quelque sorte les bases de la future philosophie occidentale par son exigence et son universalité. Ce sont là deux tendances que l'on a rencontrées, présentes, à des degrés divers, dans tous les écrits où se traduit la pensée grecque ; avec la philosophie, elles se déploient jusqu'à l'extrême : la philosophie devient alors comme le couronnement de l'hellénisme.

Socrate cite des exemples tirés des métiers, des cas simples ; mais c'est toujours pour faire découvrir une idée ou une définition qui s'applique à l'ensemble des cas. C'est toujours pour monter vers l'abstrait. Le procédé apparaît merveilleusement bien dans les débuts du *Ménon*, lorsqu'il a demandé à Ménon (qui était l'élève du sophiste Gorgias) une définition de la vertu, et que celui-ci a répondu par des distinctions et des juxtapositions de vertus, différentes selon le sexe, l'âge ou le métier. Gentiment, Socrate le reprend :

> « J'ai vraiment beaucoup de chance, Ménon : je cherchais une vertu unique, et je trouve chez toi tout un essaim de vertus. Mais, pour continuer cette image, supposons qu'on te demande ce qu'est essentiellement une abeille et que tu répondes qu'il en est de toutes sortes... [Bien à loisir, il fait découvrir à Ménon qu'il existe une définition des traits communs à toutes les abeilles, et il revient à la vertu :] Eh bien, la question est la même à propos des vertus : quelque nombreuses et diverses qu'elles soient, elles ont en commun un certain caractère général qu'il faut avoir en vue pour que la réponse soit correcte et fasse saisir en quoi consiste la vertu... » (72 a-d).

En fait, dans des textes comme celui-ci, lents et patients, le mouvement que Socrate fait opérer à l'esprit de son interlocuteur est toujours une conversion de la diversité du concret vers l'universalité du concept et de l'abstraction. C'est le mouvement même qui anime l'hellénisme. Il est ici mué en méthode et décrit comme tel.

Il en va de même pour les conclusions auxquelles arrive Socrate.

Se plaçant d'emblée à la limite, il a voulu faire de ces idées dégagées en toute rigueur la règle même de la vie, sans regarder aux conséquences. Ce n'est pas ici le lieu de suivre cette pensée mais il suffit d'en rappeler certaines formules célèbres, paradoxales, impératives, pour s'étonner de leur caractère extrême. Être convaincu que l'homme a une âme et qu'il convient d'en prendre soin est une chose : c'en est une bien différente que d'aller jusqu'au bout d'une telle idée et de prendre le contre-pied de l'opinion commune, en soutenant les grands principes socratiques ! Ceux-ci peuvent se grouper autour de trois affirmations célèbres : être meilleur, c'est aussi être plus heureux ; nul n'est méchant volontairement (car on ne peut reconnaître le bien sans vouloir s'y appliquer) ; et, par voie de conséquence, il vaut mieux subir l'injustice que la commettre. Le fait que Socrate soit effectivement mort pour ses idées, alors qu'il aurait pu éviter de mourir, et qu'il soit mort avec le sourire du sage (qui, en effet, subit l'injustice et ne la commet pas) donne à ses assertions un relief saisissant. Non seulement Socrate oblige chacun à monter de la diversité concrète à la définition générale, il réclame en plus que l'idée soit vécue jusqu'au bout, et commande la vie et la mort. Lui qui vivait en ce ve siècle, si curieux de savoir les lois qui président à l'action des hommes, il a suivi un mouvement inverse en définissant comment il fallait agir : dans les deux cas, l'accord se fait entre la pensée et l'action ; si bien que, là aussi, une des tendances profondes de l'hellénisme trouve, sur un ton nouveau et à une échelle nouvelle, son accomplissement extrême.

A la différence d'Euripide, qui connaissait si bien les tendances et les passions, Socrate peut être appelé un intellectualiste. Mais l'intellectualisme était bien dans l'esprit de ce siècle épris de raison. Et il n'a pas empêché Socrate de prolonger cette rigueur par une sorte de ferveur intérieure, à laquelle sa mort a donné la grandeur tragique.

Cette rigueur et cette ferveur ne gardent guère de disciples. Et peut-être n'ont-elles pas survécu, même chez les disciples. Pourtant le nom de Socrate conserve un rayonnement sans pareil. Là aussi, il faut se demander pourquoi. Une mort sereine n'y suffit pas : qui sait, aujourd'hui, qui était Théramène, condamné injustement et mort dans la sérénité, quelques années seulement avant Socrate? Qui sait, aujourd'hui, qui était Palamède, l'ancêtre et le symbole des condamnés qui ne méritent pas de l'être? Pourtant Eschyle, Sophocle et Euripide lui avaient tous trois consacré des tragédies. Le cas de Socrate est à part. Et il illustre notre propos d'une façon indirecte. En effet, grâce à Platon, Socrate est devenu un symbole et presque un mythe : il a acquis le même genre de présence intemporelle qu'Antigone ou qu'Achille. Il est devenu indépendamment de ses idées propres, qui étaient extrêmes et paradoxales, indépendamment de sa méthode, qui était originale et souvent agaçante, une sorte de modèle pour toujours — modèle du courage devant la mort et modèle du maître qui ne cesse d'éveiller les esprits au bien. A toutes les époques, dans tous les pays, on le cite pour l'un ou l'autre de ces traits. Il garde même une sorte de rayonnement attirant et stimulant, qui constitue à lui seul une sorte d'exhortation. Il est évoqué pour faire croire en la vie future, pour condamner le pédantisme, pour développer la tendresse qui est au fond de tout enseignement ; il est évoqué pour son ironie, pour son courage, pour le triomphe de l'âme sur le corps, pour les droits de la laideur et le culte de la beauté — bref, il vit encore.

On peut s'en étonner. Que la qualité morale du personnage et sa mort tragique y aient été pour quelque chose, cela est sûr. Mais Platon y a été pour plus encore : aucun des grands maîtres de l'Inde, aucun des saints du Moyen Age ne s'est à ce point imposé et répandu. Et, de même que ce livre demande « Pourquoi la Grèce ? », force est bien de se demander : « Pourquoi Socrate ? »

Après tout, Platon n'entendait pas présenter un type, mais un homme, et un homme différent de tous les autres. Ses disciples, dans Platon, insistent sur son caractère unique et déroutant. Alcibiade, dans *Le Banquet*, parle même à deux reprises de son *atopia*

(215 a, 221 d)[6], et il précise : « Impossible de rien trouver qui en approche ; on peut chercher, et parmi les gens d'aujourd'hui et parmi ceux du passé ! » Chacun, du reste, se risque à des comparaisons, plutôt inattendues : les statuettes de silènes, ou bien le flûtiste Marsyas, ou bien la torpille de mer — comparaison d'autant plus surprenante que la torpille « engourdit » celui qu'elle touche. Tout cela n'évoque en rien un type, mais un des individus les plus singuliers qui aient jamais existé.

Dira-t-on, alors, que Platon a donné à Socrate cette valeur de symbole universel, en simplifiant les lignes et en forçant les traits ? Aucunement ! Car peu de peintures, dans la littérature grecque, sont aussi nuancées et subtiles que celle qu'il offre de Socrate. Il mentionne souvent les traits de son visage, ses habitudes diverses — comme sa façon d'aller pieds nus, ou le goût de la ville, par exemple, ou encore les haltes qu'il fait, restant planté là où il se trouve et méditant, quitte à arriver toujours en retard[7]. Même dans le dialogue, Platon prend plaisir à marquer les nuances et les sous-entendus de chaque remarque, à rendre l'ironie qu'implique la politesse emphatique de Socrate envers l'arrogance des jeunes, ses feintes humilités et ses soudaines envolées. Le portrait qu'il donne de Socrate est tout sauf simple. Et ceci est, en soi, révélateur. De même que les Grecs cherchent à peindre la condition ou la nature de l'homme en considérant des cas exceptionnels plus que des cas moyens, de même ils nous enseignent que les grands types humains et les symboles de portée universelle ne se construisent pas en élaborant une image-robot convenant vaguement à tous les cas, mais une image en haut relief qui donne toutes les nuances, mais fait, dans chacune, percevoir l'essentiel.

Platon ne cherche pas l'anecdote : il ne parle de Xanthippe qu'une seule fois : parce qu'elle ne domine pas son chagrin, Socrate la fait raccompagner chez elle dès début du *Phédon ;* il n'y a rien sur son mauvais caractère ! Notre curiosité potinière devra aller, pour se satisfaire, regarder ailleurs, chez Diogène Laërce ou chez Xénophon — de même qu'elle va demander à Plutarque les détails de la vie de Périclès qu'omet délibérément Thucydide.

En revanche, quel art, pour mettre en relief ce qui compte !

Cela est déjà vrai de la mort de Socrate. On sait combien elle a bouleversé Platon et modifié sa vie. Il n'en a pourtant parlé que dans un seul dialogue : la façon dont il l'a fait est à peine imaginable en une époque qui prône, soit les éclats médiatiques, soit le « cri » dont se réclament si obstinément les romanciers. Il n'a pas commenté les raisons du procès et de la condamnation de Socrate : le dialogue qui relate les derniers moments de celui qui lui était si cher est un long entretien sur l'immortalité de l'âme — rien d'autre. Et la sérénité de Socrate, se détachant sur un fond de confiance et de foi, prend ainsi une dimension accrue ; la longueur même des démonstrations joue son rôle aussi : elle donne un sentiment de loisir et de calme qui, à lui seul, nie l'angoisse de la mort.

Platon n'a pas non plus insisté sur l'horreur de cette mort, dans sa réalité concrète ; les détails sont là, très simples, acceptés, et comme éclairés du dedans par la douceur consentante de Socrate. Une sourdine est même mise au chagrin des assistants : vers la fin, quand éclatent quelques plaintes, Socrate les leur reproche. Et alors, dit le narrateur : « En entendant ce langage, nous fûmes saisis de honte, et nous nous retînmes de pleurer »... La conclusion de l'entretien se fait dans le mystère de l'apaisement, comme une cantate à très peu de voix, et aux harmonies tout intérieures.

C'est ainsi, sans doute, par ce lien tout simple entre la mort et la sérénité, que l'effet durable a été atteint : dans les temps de crise, un homme qui doit mourir trouve, vingt-cinq siècles après, sa paix dans la lecture du *Phédon*. C'est du moins l'histoire que racontait, lors de la dernière guerre, l'écrivain américain John Steinbeck, à propos d'un personnage qu'il plaçait en Norvège[8].

L'enseignement de Socrate, au contraire, est évoqué dans tous les dialogues de la jeunesse et de la maturité. Or, en dehors des démonstrations elles-mêmes qui se font à travers ces entretiens, il se ramène toujours aux deux mêmes traits, qui en fixent l'orientation profonde.

A voir les réactions de ceux qui entourent Socrate, quand ils parlent de lui, on comprend qu'ils sont déroutés, ne savent pas bien ce qui leur arrive, mais sont émus, changés ; et, s'ils ne suivent pas dans leur vie la voie montrée par Socrate, ils s'avouent honteux de ne pas le faire. Alcibiade, à la fin du *Banquet*, se fait leur porte-parole. Ils apprennent donc à mieux penser, à mieux agir.

Et comment Socrate obtient-il ce résultat ? Oh ! très simplement. Nous sommes avant l'invention de la moderne « didactique ». Et tout ce que retient Platon est le mouvement intérieur. Tout ce que fait Socrate, partout, avec tout le monde, c'est interroger, puis critiquer, de façon à obliger l'autre à réfléchir lui-même. Il le fait patiemment, avec de longs détours, car autrement rien ne peut jamais être conquis et gardé. Il le fait avec tendresse, parce que l'on aime voir un esprit encore naïf se tourner vers le vrai, vers le bien. Il le fait avec une exquise politesse, mais sans jamais laisser passer une seule erreur, un seul faux pas...

Peut-être suis-je en train de décrire ce qui fut toujours à mes yeux la beauté de l'enseignement. Est-ce ma faute ? C'est celle de Platon ! Il a si bien reproduit, dans chaque dialogue, cette démarche fondatrice, qu'il nous en reste une image toujours vivante. Quelqu'un qui pose une question et feint d'ignorer la réponse, c'est pour nous Socrate. Quelqu'un qui relève avec étonnement une contradiction, c'est encore Socrate. Quelqu'un qui préfère l'âme au corps, c'est Socrate. Quelqu'un qui meurt injustement aussi.

Son cas illustre donc les idées soutenues dans ce livre de deux façons à la fois. Si, par son enseignement, il nous a paru incarner ce besoin d'universalité qui caractérise l'intellectualisme grec, son image, telle que l'a peinte Platon, constitue un nouveau signe de ce goût pour les symboles, qui est si caractéristique de la Grèce. Le Socrate de Platon devient un modèle qui se place comme hors de l'histoire. Les philosophes qui suivirent, tout au long de l'Antiquité, se reportèrent à lui un peu comme ils faisaient quand, par exemple, ils discutaient de morale en se reportant à la vie d'Héraclès[9].

Et, pour finir, nous avons là comme un juste retour des choses. La pensée grecque avait dit l'abstrait en empruntant le langage des mythes ; quand cette pensée a parachevé son effort, voici que les héros qu'elle touche deviennent à leur tour des signes et des mythes.

Et sans doute est-ce là un trait qu'il est remarquable de voir apparaître dans la philosophie, mais qui constitue une des continuités de la pensée grecque. Dès le début, le caractère à la fois vivant et intemporel des héros d'Homère nous avait paru être la marque de son génie propre, et distinguer ses poèmes des autres épopées. Or ces mêmes caractères apparaissaient, dans un raccourci triomphant, chez Pindare. Ils revivaient dans les créations des tragiques, inventeurs de mythes et dispensateurs de grandes figures humaines destinées à franchir les barrières du temps. Et, en somme, en va-t-il autrement de certains personnages de l'histoire — par exemple de ce Solon, si souvent cité, déformé, embelli, qu'ont évoqué tant d'auteurs ? En va-t-il autrement du Périclès de Thucydide, qui, altier et lucide, se dresse dans son histoire, comme une figure symbolique, sans que rien soit dit de sa vie, de ses batailles, de ses amours ou de ses secrètes ambitions ? Car il y a des figures de ce genre ailleurs que dans la poésie. L'histoire et la politique ont eu aussi leurs symboles, quand les Grecs se sont mis à en parler. Socrate clôt la liste avec éclat — du moins pour ce siècle. De Thésée à Périclès, de Nestor à Socrate, on ne sait plus où finit l'individu, où commence le type.

Ce don de donner à des portraits une portée universelle est un don grec. Et il se trouve ainsi que la même tendance à l'universel qui, au travers de ce livre, se marque tantôt par l'évocation symbolique et tantôt par l'analyse abstraite, mais le plus souvent par les deux, se retrouve à propos de Socrate, tel que Platon nous l'a fait connaître : son enseignement obligeait à découvrir l'analyse abstraite, son portrait est devenu, dans les dialogues, une évocation symbolique, qui nous aide encore à vivre.

II. *Platon*

Pourtant Socrate, lui, n'avait rien écrit. Le fondateur de la philosophie nouvelle est donc, en vérité, Platon, animé et éveillé par Socrate.

Pourra-t-on, avec lui, avec sa colère contre Athènes et contre les fiertés dont le ve siècle athénien s'était réclamé, retrouver la poussée de ce courant qui s'est si bien ouvert la voie jusqu'alors ? On le devrait sans doute, puisqu'il était, après tout, grec avant d'être athénien. Et il est même possible que ce courant ressorte dans son œuvre avec une force renouvelée.

Point n'est besoin d'entrer dans les détails de cette œuvre pour constater que tel est bien le cas.

Et d'abord, puisque l'évocation de Socrate nous a conduits déjà à l'art de Platon, considéré comme écrivain, on peut s'arrêter à la forme même que Platon a donnée à l'expression de sa philosophie — à savoir le dialogue philosophique.

En un sens, cette forme était le prolongement du type d'enseignement que pratiquait Socrate. D'ailleurs, avec moins de vie et de talent, les *Mémorables* de Xénophon présentent aussi l'enseignement de Socrate sous forme de dialogues ; et parmi ceux que l'on a appelés les « petits socratiques », Eschine de Sphettos avait également écrit des dialogues [10].

Ceux de Platon, pourtant, instituent résolument un genre littéraire nouveau ; et ceci mérite bien quelque attention. C'est encore un genre qui naît dans le grand élan du ve siècle athénien, et qui continue sa carrière de nos jours...

Platon n'a écrit, pratiquement, que des dialogues. Mais ils ne présentent pas tous les mêmes caractères. Après des débuts faits d'œuvres courtes, séduisantes, mais un peu sèches, Platon se laisse aller à des peintures pleines de relief, dans lesquelles il se moque des sophistes et de leurs élèves (comme dans le *Protagoras* et le *Gorgias*), ou bien dans lesquelles la présence de Socrate prend un rayonnement affectif très fort (comme dans *Le Banquet,* le *Phèdre,* le *Phédon*) ; puis cette vie s'efface, ainsi que le personnage même de Socrate [11] ; et l'élément de dialogue se réduit à très peu de chose. On dirait, par conséquent, que l'on passe du dialogue comme témoignage pieux sur un maître dont on voudrait répandre et prolonger la pensée, au dialogue comme simple forme fictive d'exposé intellectuel.

Quoi qu'il en soit, il est clair que cette forme d'exposé correspondait aussi à l'idée même de persuasion intellectuelle et de conversion à obtenir. Elle permettait de commencer au ras des croyances banales et de s'élever plus haut, ou, si l'on préfère, de descendre plus profond. A cet égard, l'exemple du *Gorgias* est tout à fait révélateur ; car trois interlocuteurs se succèdent, dans le débat avec Socrate. Gorgias, le premier, défend la rhétorique, sans oser vraiment dire qu'elle ne se soucie pas de la justice. Puis un disciple intervient et le débat porte dès lors sur la question de savoir si la puissance que procure la rhétorique est un bien, et s'il est pire de commettre l'injustice ou de la subir. Enfin un inconnu insolent et brillant reprend la balle à son tour, pour soutenir que la force définit le vrai droit. De la sorte Socrate peut attaquer non seulement la rhétorique, mais aussi les présupposés moraux et métaphysiques qu'elle recèle, et qui risquent de s'épanouir dans l'esprit de certains jeunes. Toute une philosophie est mise au jour par le mouvement même du dialogue — qui s'achève sur un mythe relatif au sort des âmes après la mort.

De même le *Phèdre* commence par un discours de Lysias sur l'amour, très extérieur et rhétorique. Un premier discours de Socrate offre en contrepartie une analyse plus rigoureuse. Mais ce premier discours, sous le coup d'une inspiration, cède la place à un autre ; dès lors, voilà la vraie nature de l'amour qui apparaît : l'amour comme aspiration au bien ; et ceci implique toute une vision eschatologique révélant le monde des idées et l'évocation des âmes, partagées et divisées, dont la meilleure partie cherche à rejoindre ce monde de lumière. On a donc une ascension dans les trois discours du dialogue, comme dans l'univers. Mais ce n'est pas tout. Car il s'agissait de discours ; et il s'établit un parallélisme entre cette montée initiatique de l'amour et ce que devrait être l'art des discours, à savoir une dialectique, qui commencerait par mener à une forme unique *(idea)*, « grâce à une vision d'ensemble, ce qui est en mille endroits disséminé[12] ». On passe ainsi — nouvelle montée — de ce que pratiquent les orateurs à ce qu'exige la philosophie, et l'évocation de l'amour se complète par un projet épistémologique. Comme dans le *Gorgias*, par conséquent, ce dialogue à surprises procède selon un mouvement d'approfondissement continu : le cheminement vers l'idée, chère aux Grecs en général, s'inscrit dans le mode d'expression choisi autant que dans l'élan intérieur.

Peut-être ce caractère même du dialogue explique-t-il qu'il ne puisse tout dire. Platon lui-même a eu, à cet égard, deux remarques frappantes. La première est justement dans le *Phèdre :* il y a dit que l'écrit comptait peu en comparaison de l'enseignement par la parole, où, « une fois prise en main l'âme qui y est appropriée, on y plante et sème des discours que le savoir accompagne », et qui se développeront, produisant à leur tour d'autres semences pour d'autres discours. Donc les dialogues écrits ne sont pas tout. Et surtout Platon a déclaré dans la Lettre VII qu'il n'avait jamais exprimé par écrit le fond de sa philosophie. Il n'y a pas moyen, dit-il, de mettre de tels sujets en formules, et mal le faire serait trop grave : « Or je ne pense pas que d'argumenter là-dessus, comme on dit, soit un bien, sauf pour une élite à qui il suffit de quelques mots pour découvrir la vérité » (341 d). L'ultime philosophie de Platon se situerait donc par-delà les dialogues.

Cette dernière indication a suscité, surtout au cours des années récentes, toute une école d'interprétation, tendant à préférer cette philosophie non dite à celle des dialogues. Il ne s'agit point ici de discuter ces tendances (qui, au reste, se prêtent peu à la discussion) : ce qui compte est de voir qu'effectivement le dialogue écrit est avant tout orienté vers l'instruction, et presque propédeutique. Il n'épuise pas la philosophie : il mène vers elle et en ouvre l'accès. Ainsi se trouve confirmé ce mouvement intérieur dont il est l'expression manifeste.

Et le fait est que Platon créait par là un genre qui dure encore en notre XXe siècle, mais reste toujours lié à un désir d'enseignement et d'appel à un public étendu. L'espèce de rigueur exigeante qu'y avait mise Platon, et le mouvement intérieur qu'il avait donné au dialogue disparurent avec l'élan intellectuel du temps des découvertes. Mais le dialogue philosophique survécut chez des philosophes soucieux de convaincre ou des écrivains épris de raisonnement juste. On le retrouve chez

Plutarque et chez Lucien, chez Cicéron et dans la diatribe ; il sert de mode d'expression, ici ou là, à Érasme et à Galilée, s'épanouit en Angleterre, avec Thomas More, Hobbes, Berkeley et Hume, en même temps qu'en France avec Fontenelle ; il est plus tard pratiqué par Renan et par Valéry.

Cette liste de noms, bien incomplète, prouve la portée de cette autre création athénienne, et témoigne bien de l'esprit qui l'anime : à l'inverse du secret et du mystère (dont elle réservait la place) et en marge des exposés magistraux (qui allaient lui succéder), elle se tournait vers les autres, pour les rallier, les instruire, et les convaincre — tous.

Ce trait, cependant, demeure de toute évidence fort extérieur, au regard des doctrines mêmes de Platon. Il n'est pas question de les exposer ici ; du moins peut-on relever un ou deux traits, qui font du platonisme la pointe extrême de la tendance décrite au cours de ce livre.

La philosophie de Platon pousse en effet à la limite le mouvement qui avait été celui de Socrate, et qui consistait à passer du concret et de sa diversité à l'idée, conçue dans son universalité.

On a vu ce mouvement, avec l'exemple du *Ménon*, dans lequel les diverses vertus s'effacent devant l'idée de vertu, en soi [13]. On pourrait en citer d'autres exemples, dans les dialogues socratiques. Ainsi, lorsque Euthyphron doit définir la piété, et qu'il commence par se référer à son exemple propre, puis met en cause le plaisir des dieux, Socrate ne cesse de le ramener à une définition plus générale et plus précise, qui cerne l'idée de piété en soi. On voit même s'esquisser le vocabulaire qui sera celui du platonisme. A la page 6 d, Socrate se plaint : « Je ne t'ai pas invité à me faire connaître une ou deux de ces nombreuses choses qui sont pieuses : je t'ai demandé quel est précisément le caractère générique *(eidos)* qui fait que toutes les choses pieuses sont pieuses. Car tu as déclaré, je crois, qu'il existe bien un caractère unique *(idéa)* par lequel toute chose impie est impie et toute chose pieuse est pieuse. » Et plus loin : « Il semble bien que tu ne veuilles pas m'en révéler la vraie nature *(ousia)* et que tu t'en tiennes à un simple accident » (11 a).

Avec Platon, ce mouvement se trouve, désormais, à la source de tout. Non seulement il adopte la même démarche de l'esprit, mais il en fait une métaphysique ; et, non content de subordonner le concret à l'idée, il subordonne l'ensemble du monde physique à celui des idées et, par suite, tous les plaisirs du corps à la contemplation des âmes.

Dans cette transformation, l'idée n'est donc plus un concept, ni une élaboration de l'esprit. Elle « est », au sens plein du terme ; elle permet l'intelligibilité, mais est en même temps divine. On peut dire qu'elle acquiert une existence lumineuse et ineffable : tout ce que nous croyons réel n'en est que la copie brouillée [14].

On constate de la sorte le surgissement d'un seuil dans le mouvement intérieur de la pensée grecque. Jusqu'ici, ce mouvement poussait les esprits, les uns après les autres, à rechercher, chacun dans son domaine, une vérité abstraite et universelle, capable d'éclairer tel ou tel aspect de notre vie humaine : avec Platon, le monde lui-même bascule ; cette vie humaine n'est plus qu'un reflet sans intérêt, elle laisse toute la place à cet abstrait, à cet universel, qui seul est réel et qui seul compte : qu'il devienne un pôle d'attraction effaçant toutes les autres fins est dans la logique de cette pensée. C'est un peu comme si tout à coup, à force de rouler de plus en plus vite en ce sens, il se faisait un décollage — vers un monde délivré de la pesanteur.

Cette démarche propre à Platon apparaît dans toute sa force et dans toute sa nouveauté lorsqu'il évoque l'Idée du Bien ; et les pages qu'il lui a consacrées dans

La République montrent de façon inoubliable la subordination qui s'établit, de proche en proche, entre tout le reste et cette ultime réalité.

Platon en donne d'abord le sentiment par la division et le classement : il imagine de placer sur une ligne les différents objets que nous saisissons par la perception ou par l'esprit, et l'on passe, par une gradation, des choses visibles aux choses invisibles ; puis, à l'intérieur des choses visibles, on passe des reflets ou des ombres à ce dont ils sont l'image ; enfin, à l'intérieur des choses invisibles, on passe des figures et hypothèses, qui relèvent d'une connaissance discursive, au principe de tout qui n'admet plus d'hypothèse, et constitue la forme la plus élevée de l'intelligence[15].

A cette analyse d'ordre intellectuel se joint, au début du livre VII, la fameuse image de la caverne, qui reproduit cette gradation sous une forme symbolique mais en montre en même temps la portée affective, et les implications politiques.

Les hommes, on le sait, sont comparés à des gens qui seraient dans une caverne, au fond d'un long couloir, dans lequel un feu est allumé. Tournés vers le fond, ils ne voient que les ombres du monde extérieur, telles que les projette le feu. Ils ne connaissent pas d'autre réalité.

Mais on imagine une libération :

> « Qu'on détache un de ces prisonniers, qu'on le force à se dresser soudain, à tourner le cou, à marcher, à lever les yeux vers la lumière, tous ces mouvements le feront souffrir, et l'éblouissement l'empêchera de regarder les objets dont il voyait les ombres tout à l'heure. Il se demande ce qu'il pourra répondre, si on lui dit que tout à l'heure il ne voyait que des riens sans consistance, mais que maintenant, plus près de la réalité, et tourné vers des objets plus réels, il voit plus juste » (515 c-d).

Alors on le fait monter, jusqu'à ce qu'il arrive à la lumière, et qu'il en ait les yeux éblouis. Pour s'habituer, il regardera d'abord les reflets et les ombres. Plus tard, il pourra regarder les astres, la nuit. Plus tard enfin le soleil...

Or le soleil est dans le monde visible l'équivalent de l'idée du Bien dans le monde des idées. Et l'éducation doit opérer en nous la même conversion que connaît l'homme de la caverne, et nous habituer, peu à peu, à la lumière. Le philosophe, qui se sera élevé jusqu'au principe suprême, n'aura nulle envie de retourner dans la caverne : il le fera pourtant, par souci de justice, quitte à être ridicule, à passer pour fou, et à risquer la mort.

« Voir clair » avait été l'objectif passionnément visé par les Grecs, et surtout à Athènes. Cela avait été le but de Thucydide. Et cela supposait une certaine distance prise par rapport aux désordres trompeurs du vécu : soudain, ce même objectif est devenu une exigence si absolue qu'elle s'est muée en doctrine métaphysique, et que le réel tout entier est devenu obscur au regard de la vraie clarté. Il est devenu en même temps vain et irréel. La mutation est arrivée à son terme extrême.

Ce grand mouvement de conversion entraîne bien des conséquences. On ne considérera pas ici les problèmes d'ordre philosophique posés par le fait que, dans la pensée de Platon, il existe des idées de tout, même des réalités empiriques, et qu'il devient alors plus difficile encore de préciser la façon dont se fait la participation entre les deux domaines[16] : on se contentera ici de rappeler comment cette pensée se traduit dans le double domaine de la politique et de la morale.

Le premier offre une illustration éclatante de ce passage à la limite qui vient d'être suggéré. Car Platon entend bel et bien partir de l'idée, et modeler le réel sur elle.

Sa démarche est sans hésitation. Il s'efforce de définir *a priori* un modèle idéal ; et les institutions ou la vie politique ne seront bonnes que dans la mesure où elles s'y conformeront. Quand il classe les régimes, il établit un ordre de mérite : ce mérite décroît au fur et à mesure que l'on s'écarte du modèle. Il a bien lui-même, plus tard, offert des succédanés à cet idéal, pour tenter de rejoindre le domaine du possible ; après le modèle idéal de *La République*, on trouve ces assouplissements dans *Le Politique* et dans *Les Lois*. Mais il est clair que la description du modèle idéal reste l'essentiel et commande tout le reste.

Enfin, dans la description des autres régimes, on retrouve un trait qui est bien dans la tradition grecque antérieure : il les décrit, en effet, non pas d'après des institutions précises, mais d'après l'esprit et la hiérarchie des valeurs qu'ils comportent, offrant ainsi des images types simplifiées et ramenées à l'idée fondamentale : ceci explique sans doute que ses descriptions, souvent mordantes, vaillent pour tous les temps. Qui ne cite aujourd'hui encore les déformations de l'esprit démocratique, la perte du respect pour les parents ou pour les professeurs ? Ce trait rejoint une tendance bien connue, mais l'illustre, au passage, avec un éclat rare [17].

Et ce modèle idéal, comment Platon le trace-t-il ? Ici encore la suprématie indiscutée de l'idée s'affirme clairement : il le trace en cherchant au départ à définir la justice. Le modèle politique tout entier est, en effet, destiné à mieux faire voir ce qu'elle serait dans l'âme de l'individu. Morale et politique relèvent rigoureusement du même modèle : la justice, définie comme un équilibre entre des composants, y est la même ; et tout écart peut se décrire en termes semblables pour la cité ou pour l'âme. Ce parallélisme sans faille est une preuve de plus du rôle dirimant joué par le modèle commun.

Pour préserver cette justice ainsi définie, et pour se conformer à ses exigences fondamentales, Platon accepte pour sa cité les conséquences les plus révolutionnaires, sans reculer devant rien : féminisme (pas le nôtre !), communisme (encore moins le nôtre !), gouvernement des philosophes (pas les nôtres, non plus !), surveillance et réglementation : Platon va jusqu'au bout, sans hésiter. L'idée, en effet, doit désormais tout régir ; et l'analyse théorique, qui occupait les réflexions des auteurs du siècle antérieur, commande maintenant, de façon directe, les règles de vie de tous.

Il faudrait, au reste, ajouter que dans le platonisme, ces exigences si impérieuses, qui sacrifient tout à la justice, n'épuisent nullement les fins de la vie morale. Même dans *La République*, on a pu voir quelle ascèse marquait la montée vers la lumière du Bien et quelle joie accompagnait la découverte de son éclat. Or nul n'a mieux exprimé que Platon la merveille de cet effort. Il s'agit pour lui d'alléger l'âme, de la délier. Il le dit avec force dans le *Phédon :*

> « C'est, vois-tu, une chose bien connue des amis du savoir, que leur âme, lorsqu'elle a été prise en main par la philosophie, était complètement enchaînée dans un corps et collée à lui ; qu'il constituait pour elle une sorte de clôture, à travers laquelle force lui était d'envisager la réalité, au lieu de le faire par ses propres moyens et à travers elle-même ; qu'elle était enfin vautrée dans une ignorance abolue. Et le merveilleux de cette clôture, la philosophie s'en est rendu compte, c'est qu'elle est l'œuvre du désir, et que celui qui concourt le plus à charger l'enchaîné de ses chaînes, c'est peut-être lui-même ! Ainsi, dis-je, ce que n'ignorent pas les amis du savoir, c'est que, une fois prises en main les âmes dont telle est la condition, la philosophie leur donne avec douceur ses raisons ; elle entreprend de les délier... » (*Phédon,* 82 d-83 a).

Cette délivrance de l'âme ne se fait pas toujours sans luttes ; l'attelage ailé du *Phèdre,* où un des deux chevaux de l'âme refuse d'écouter la raison, en est un exemple éclatant. Mais l'amour peut y contribuer : toute une aventure intérieure pénètre et anime désormais la vie morale — selon une perspective qui sera celle du christianisme. Platon écrira d'ailleurs, dans le *Théétète* : « Cela montre quel effort s'impose : d'ici-bas vers là-haut, s'évader au plus vite. L'évasion, c'est de s'assimiler à Dieu dans la mesure du possible » (176 b).

Ces textes se confirment tous les uns les autres. Tous, sous des formes diverses, ils illustrent la prééminence absolue des essences éternelles, et universelles. Par là, ils confirment aussi la place de Platon dans l'aventure intellectuelle de la Grèce, telle que j'ai tenté de la décrire ici. Certes, on pouvait bien s'attendre à voir la philosophie marquer le point d'aboutissement de cette profonde aspiration à des modèles abstraits, qui se faisait jour dès Homère : on ne pouvait pas s'attendre à un système aussi exigeant que celui de Platon ; car personne n'a jamais été aussi loin dans cette voie ; il reste, après vingt-cinq siècles, la pointe extrême de l'idéalisme — celui pour qui tout le réel s'efface devant le modèle abstrait ou bien tente, soit de l'atteindre, soit de l'imiter.

*

Une parenthèse est ici nécessaire.

Aristote, en effet, a, de ce point de vue, pris le contre-pied de son maître Platon. Il a, certes, dit ses préférences dans le domaine politique ; mais il les a définies par une confrontation entre les diverses possibilités offertes dans la réalité. Il a même pris soin de composer un recueil des diverses constitutions, dans lequel il notait leurs particularités propres. Et pourtant, cette façon de procéder, si contraire à celle de Platon, reflète, du point de vue de l'hellénisme, exactement la même tendance. Platon et Aristote définissent les deux formes que peut prendre l'aspiration à l'universel.

D'abord, le mouvement intérieur est le même. Aristote collectionne les descriptions de constitutions, mais, à partir de ces exemples concrets, il dégage, dans *La*

Politique, un certain nombre de types de constitutions, qui rejoignent ceux de la tradition. Et, s'il se contente, contrairement à Platon, d'un mélange et d'un mixte, il l'offre cependant, à son tour, comme un modèle à imiter, dressé d'après une réflexion abstraite.

D'autre part, s'il perd cette façon audacieuse d'ancrer toute une pensée dans l'universalité des idées, sa démarche même implique un autre sens de l'universel, qui le pousse à se renseigner sur tous, Grecs et barbares — par conséquent à poser la question du point de vue de tous les hommes et pour eux tous. Dans un cas, l'abstrait est le lieu géométrique, commun à tous ; dans l'autre, la rencontre se fait, au départ, dans des échanges réels, à partir desquels s'élaborent des conclusions abstraites. A l'universel de la géométrie répond l'universel du comparatisme.

Cette même différence se retrouve dans la pensée morale ou métaphysique de ces deux auteurs. Platon se concentre de plus en plus sur l'existence des idées, ou sur l'Ame du Monde ; Aristote ouvre la porte à toutes les connaissances : logique, rhétorique, poétique, histoire naturelle, biologie, physique. De même, si Platon ramène toutes les vertus à l'idée du Bien et à la Justice, Aristote se livre à une réflexion sur les mœurs et classe les vertus diverses, en en introduisant de nouvelles, relatives à la vie en société ; ainsi, à côté de l'amitié, l'amabilité, l'enjouement, la libéralité... Ce qui veut dire aussi qu'à côté des vertus générales, il ouvre la porte aux vertus affectives ; de même, à côté de la justice, il accueille l'équité, de caractère plus personnel et de définition moins stricte.

En tout, Aristote recommande le juste milieu, ce qui suppose l'enquête et la comparaison, mais aussi un certain réalisme. Sa démarche est à l'opposé de celle de Platon — et pourtant c'est à lui, l'ancêtre de tous les classements, que remontent les catégories servant à définir les concepts et que la philosophie scolastique devait appeler les « universaux ».

Cette double orientation, qui se dessine dans l'Athènes du IVe siècle av. J.-C., devait se traduire dans la façon dont ont survécu ces deux philosophies.

Elles n'ont cessé d'exercer une influence dans l'histoire de la pensée ; mais elles l'ont fait à des époques et dans des milieux assez différents.

Aristote a représenté le retour à la culture et à la philosophie dans la seconde partie du Moyen Age. Trait remarquable, et bien caractéristique du thème qui nous occupe ici ; il avait été traduit en latin, en syriaque, en arabe, en hébreu : les éditeurs modernes se servent même encore, pour certains traités, de la traduction arabe pour tenter de remonter au texte original. Ce luxe de traductions illustre le caractère intellectuel, utile pour tous, et adaptable, de sa grande entreprise de mise en ordre du savoir. Les théoriciens chrétiens en fournissent une seconde preuve ; car, lorsqu'il fut redécouvert en Occident, il leur offrit le langage même de leur enseignement. La scolastique est tout entière nourrie d'Aristote. Ses analyses, ses classements, ses démonstrations sont l'autorité constamment invoquée.

Mais Platon a régné avant et après. Il a inspiré Plutarque ; sa pensée se renouvelant du dedans, il a donné naissance au néo-platonisme, qui en poursuivit l'élan initial ; il a inspiré Plotin, Porphyre, Jamblique — des auteurs qui, insensiblement, se rapprochent du christianisme. Et, surtout, il a animé de son souffle toute la Renaissance, à Florence d'abord, puis, d'une façon plus générale, en Europe.

Il faut d'autant plus le signaler que dans notre monde actuel, sa vogue semble ruinée. On lit aujourd'hui plus volontiers les présocratiques que Platon : Nietzsche, en ce domaine, a montré la voie. Et notre époque en général pourrait bien être un terrain défavorable : elle est à la fois trop matérialiste, trop hantée par l'absurde et la relativité, trop ouverte, aussi, à toutes les tolérances, pour se reconnaître en Platon.

Pourtant, alors que la philosophie et les façons de penser les plus répandues se détournent de lui, il reste dans la littérature le modèle même du philosophe. Parce qu'il montre une direction à suivre, et la montre avec ferveur, sa pensée trouve un écho chez des romanciers et des poètes. Certains prennent la suite de l'idéalisme en général. D'autres, sans nécessairement bien le connaître, s'accrochent à une tendance, à une idée, et reconnaissent leur bien dans son œuvre. Pour les uns, ce sera le recours aux mathématiques, pour d'autres la mention ou la description d'expériences psychologiques, voire de l'homosexualité qui fournit le cadre des théories sur l'amour, pour d'autres le secret du non-dit. Et l'on cite, selon les cas, le mythe de la caverne, les luttes de l'âme amoureuse, le gouvernement des philosophes, la critique de la démocratie, et le tyran qui est comme ceux qui ont goûté des entrailles humaines et, dès lors, deviennent loups. Ou bien, tout simplement, on cite la description du philosophe, ridicule dans la vie courante, mais à l'aise dans les méditations dignes d'un homme libre, et peut-être Diotime, l'inspiratrice.

Sans doute la qualité littéraire des écrits de Platon est-elle pour beaucoup dans ces survivances, qui sont, elles aussi, littéraires [18]. Mais il semble également qu'elles correspondent à la façon dont Platon a su, dans toutes ses évocations, aller à l'essentiel. Chacune contient l'esprit profond de sa philosophie. Chacune le rend vivant et accessible pour des lecteurs non spécialisés. Chacune en offre une image limite, qu'aucun idéalisme, et aucun temps, n'a plus fortement donnée.

Par là s'explique que, dans notre monde qui n'est pas, ces temps-ci, platonicien, Platon soit ainsi partout.

Bien plus, les philosophes, même les plus éloignés du platonisme, ont tendance à s'en prendre à lui, comme s'il incarnait ce sens du monde, auquel ils ne croient plus. De Nietzsche à Heidegger, et à bien d'autres, il leur faut, à tous, parler de lui, écrire sur lui. D'autres s'en prennent à ses idées politiques, les critiquent, les nient, les interprètent en tous sens : notre monde moderne, même quand il refuse le platonisme, ne cesse de s'y référer, avec une sorte de passion jalouse.

Cela se comprend s'il est vrai que Platon, tout en rompant avec la belle confiance du ve siècle, qui voulait tout comprendre tout de suite, a bel et bien projeté le même élan dans un cadre nouveau, qui est celui de la pensée pure, et si ce grand effort pour atteindre à l'universel s'est finalement tourné résolument vers le modèle exigeant d'un monde où ne comptent que les Idées.

Platon marque ainsi, tout ensemble, une rupture et une continuation, voire un aboutissement.

NOTES DU CHAPITRE VIII

1. *Gorgias,* 472 b (traduction légèrement modifiée).
2. Voir d'ailleurs H. Thesleff dans les Mélanges C. Fabricius; *Studia Graeca et Latina Gothoburgensia,* 54, 1990, p. 110-112.
3. Cette évolution bien connue a été esquissée dans notre livre sur *Les Grands Sophistes dans l'Athènes de Périclès,* aux pages 32-35 (là sont nommés, malgré la brièveté du résumé, Diogène d'Apollonie et Démocrite).
4. *Gorgias,* 491 a.
5. *Banquet,* 221 d-222 a.
6. Voir aussi, dans le *Gorgias,* 494 d, Calliclès lui disant : « Comme tu es *atopos,* Socrate ».
7. *Banquet,* 175 b. L'autre trait apparaît dans le début du *Phèdre,* 230 d.
8. Le livre s'appelle en français *Nuits sans lune.*
9. Il m'est arrivé involontairement, quand je montrais la valeur formatrice des textes grecs pour les jeunes, de citer côte à côte, comme entités comparables, Antigone et Socrate !...
10. Pour d'autres cela est possible, mais non assuré (Diogène Laerce, II, 64).
11. On peut rappeler que, dans *Les Lois,* Socrate n'intervient pas, et que dans *Le Politique* il est doublé par un « Socrate le Jeune » dont l'existence implique un mélange remarquable de fidélité et de distance prise par rapport au maître.
12. 265 d, à rapprocher de 249 b. L'ancien article de Bourguet sur la composition du *Phèdre* (*Rev. de métaph. et de morale,* 1919, p. 335-351) reste, après trois quarts de siècle, extraordinairement révélateur.
13. Cf. ci-dessus, p. 269.
14. Ainsi s'est établi l'usage d'écrire, à propos du platonisme, le mot « idée » avec une majuscule.
15. En même temps, les opérations de l'esprit sont l'objet d'une

gradation qui fait passer de l'opinion *(doxa)* à la connaissance *(dianoia)* puis à l'intelligence *(noèsis)*.

16. Ces problèmes sont traités dans la dernière partie de la vie de Platon ; le texte le plus directement à considérer est ici le *Parménide*.

17. Ce schématisme était l'habitude, dans la discussion des constitutions ; mais il apparaît d'autant mieux ici que les descriptions sont plus étoffées et, en apparence, plus concrètes (toujours le détail qui symbolise l'essentiel !).

18. Il y a même eu, très récemment, quelques tentatives pour représenter des dialogues de Platon au théâtre.

CONCLUSION

L'OUVERTURE AUX AUTRES

L'évocation de la pensée platonicienne, en nous faisant basculer vers la pensée pure, met peut-être en lumière deux des faiblesses de l'exposé offert ici.

Tout d'abord, elle suggère une fin et offre une occasion de s'arrêter ; pourtant, si le trait qui a été cerné dans cette série de chapitres est bien grec, avant d'être athénien, il doit se retrouver, de toute évidence, dans tous les écrits grecs, même après la retombée d'Athènes. Reconnaissons-le : il serait facile, et tentant, d'en poursuivre la trace à travers Ménandre (avec son sens de l'humain), à travers la pensée stoïcienne (et son sens de l'universel), à travers Plutarque (si épris de culture et de tolérance)... J'y ai renoncé, pour ne retenir que le moment le plus révélateur : il contient en germe les autres.

Il est plus grave de constater que le chemin si bien jalonné qui mène à Platon entraîne un choix involontaire : l'exposé a cerné le secret d'orientations qui étaient non seulement littéraires, mais intellectuelles, et qui se traduisaient dans des choix presque philosophiques. Or il est parfaitement vrai que ces orientations et ces choix révèlent avec éclat ce qui fit la merveille de la Grèce. Toutefois, en se concentrant sur ce secret, on risque d'oublier bien des choses.

On risque d'oublier d'abord que l'homme exalté par

les Grecs était un homme complet. Il aimait la vie et les fêtes, les banquets, l'amour, la gloire [1]. Certains auteurs l'ont dit plus que d'autres : ainsi Hésiode, les lyriques, Aristophane ; mais, d'Homère aux chœurs des tragédies, cet aspect n'est jamais absent. Il faut le rappeler avec force — d'abord parce que c'est là une des séductions les plus étonnantes de la littérature grecque, ensuite parce qu'un tel amour de la vie rehausse encore le prix de cet acharnement à la comprendre, à la dominer, et à s'élever de ces grâces concrètes vers une pensée cohérente. C'est le mélange des deux qui rend la Grèce inimitable.

De plus, même en restituant cette dimension — délibérément laissée à l'écart dans un exposé consacré à un seul thème —, on risque encore d'oublier que l'analyse livrée dans les textes ne représente qu'un aspect de la culture et de la civilisation grecques.

Certes, c'est l'aspect le plus original. Car nulle autre civilisation ne s'est à ce point passionnée pour l'art de dire, de témoigner et d'analyser ; et cela demeure sans doute le fait le plus marquant de l'hellénisme. Cependant l'aspiration à l'universel dont témoignent les textes devrait, si elle est à ce point caractéristique, se retrouver, aussi, dans l'art, dans la religion, dans la vie et dans les mœurs.

Il faudrait plusieurs autres livres pour démontrer qu'il en est ainsi, cela à travers des analyses plus incertaines que celles qu'offrent les textes : ceux-ci seuls disent ce qu'ils ont à dire, sans ambiguïté. Néanmoins on peut rappeler, à propos de l'art ou de la religion, que de brèves indications se trouvent avoir été données, quand l'exposé semblait l'exiger. Et elles confirment bien le résultat de l'enquête menée ici.

L'art grec est d'abord éminemment humain. Il suffit de penser à l'Égypte ou à l'Inde pour mesurer la différence. Même quand il représente des géants et des monstres, il se rapproche toujours le plus possible de la forme humaine. Dans les combats des dieux et des géants, on distingue à peine les uns des autres : tous semblent des hommes (ainsi sur la frise du trésor de Siphnos, à Delphes). Et, si un dieu et un homme se trouvent face à face, c'est à peine si le dieu est plus grand que l'homme : ainsi sur la frise du trésor des Athéniens, toujours à Delphes. On pense aux rapports du héros et du dieu dans Homère...

D'autre part, la représentation des figures humaines, à l'époque archaïque surtout, s'enveloppe — on l'a vu[2] — d'une sorte de généralisation et de retenue, qui exclut les notations trop personnelles et les sentiments trop marqués ; que ce soit par manque d'expérience ou par désir conscient, peu importe : les statues qui nous accueillent dans les musées ont la réserve altière de l'irréel, et nous touchent d'autant plus sûrement.

Enfin, le temple grec est lui-même un monument aux lignes sobres, dans lequel la sculpture n'occupe que des emplacements bien délimités. Il est à la mesure de l'homme. Il n'a ni l'ambition des pyramides ni la profusion du temple d'Angkor. C'est peut-être l'idée, à première vue déroutante, qu'exprime le Périclès de Thucydide, quand il déclare : « Nous cultivons le beau dans la simplicité[3]. »

Par là, la même aspiration au général, à l'humain et à l'universel se traduit donc dans l'art comme dans la littérature.

Quant à la religion, on peut difficilement en imaginer une qui soit plus proche de l'homme. L'anthropomorphisme y est de règle. Et si, à l'origine, des animaux ont pu être identifiés aux dieux, ils sont, dès l'épopée d'Homère, devenus simples favoris de ces dieux. De plus, ces dieux sont multiples, ce qui, les querelles entre eux aidant, permet toujours à l'homme de compter sur l'un à défaut de l'autre. Certes, les dieux peuvent frapper, et surtout Zeus, leur souverain. Mais, tout en le sachant, les hommes ne vivent ni dans le tremblement ni dans la soumission. Des poètes se moquent des dieux, à l'occasion : ils ne sont pas pour autant engloutis sous les désastres. On a d'autant moins peur des dieux que l'on est en rapport avec eux librement, puisqu'il n'y a ni dogme ni clergé. Et, de plus, il existe des intermédiaires et des possibilités de communication — par les héros, qui sont comme des demi-dieux, et les oracles, grâce auxquels on peut demander conseil. Si l'on ajoute à cela que les dieux sont les ancêtres de nombreuses familles, et les protecteurs de telle ou telle ville, on mesure combien la distance est réduite entre le divin et l'humain[4]. On l'a vu à propos d'Homère[5] ; mais le principe permettait, plus tard, des rapports de plus en plus personnels avec la divinité. Cela resta vrai jusqu'à la fin de l'hellénisme, et facilita parfois des transitions avec le christianisme.

Qui plus est, ces dieux multiples, aux attributions assez souples, se sont vite confondus en Grèce avec les activités qui leur étaient chères. Ils sont devenus, eux aussi, des sortes de symboles, à valeur universelle. Pour un Grec de l'époque classique, Aphrodite est l'image de l'amour, Artémis celle de la pureté, Arès celle de la guerre[6]. Aussi retrouve-t-on là, comme ailleurs, ce langage des signes, selon lequel chaque être appartenant au mythe revêt une signification générale pour l'homme.

Sans doute est-ce une des raisons qui ont rendu si aisés les échanges et les assimilations avec les autres religions. De toute façon, la religion grecque n'était pas nationale. Des dieux pouvaient avoir des liens privilégiés avec une ville (comme Athéna avec Athènes) : cela ne les empêchait pas d'être reconnus et honorés ailleurs — même, éventuellement, chez des barbares. Quand ils portaient d'autres noms, on jugeait que c'était là une nuance ; on en a rencontré la preuve avec Hérodote[7]. C'était, au total, une religion à la fois accueillante et facile à accueillir. On sait comment saint Paul s'appuya à Athènes sur l'existence d'un culte « Au Dieu Inconnu ». Mais, sans aller jusqu'au christianisme, Glen Bowersock a récemment insisté sur le rôle que la religion grecque avait eu dans l'unification du paganisme tardif. Cette culture, écrit-il, « offrait, dans le langage, le mythe et l'image, le moyen d'exprimer les traditions locales de façon plus explicite et plus universellement compréhensible[8] ». Comme toujours, en effet, la montée vers l'universel, dans l'ordre intellectuel, facilite l'ouverture à l'universel dans l'ordre des relations humaines.

Mais ces mots mêmes attirent l'attention sur une troisième lacune, plus grave, de l'exposé présenté dans ce livre. On était pourtant bien parti des relations humaines ! Dès les premières pages, avec Homère, on avait constaté une étonnante disposition à accueillir les autres — une absence d'ethnocentrisme, une compréhension, une courtoisie tout à fait exceptionnelles, non seulement en un temps d'archaïsme mais en tout temps. On avait ensuite vu poindre avec Hérodote une tolérance rare. Dans les deux cas, il en avait été question parce que les auteurs en parlaient, et même avec insistance. Mais, dans l'ensemble, l'ampleur de l'effort intellectuel accompli en un siècle a plus ou moins oblitéré pour nous les valeurs humaines. Et comment parler d'une culture sans dire ce qu'en ce domaine elle a eu à offrir ?

Chacun sait que la Grèce a offert au monde l'expression parfaite et comme idéale de la justice et de la liberté. Ce n'est déjà pas mal ! Et ces deux grandes idées en ont entraîné d'autres dans leur sillage. Elles ont entraîné, bien entendu, le respect des lois (que l'on a rencontré à propos de la démocratie), ainsi que le civisme et le sens du courage. Mais elles ont entraîné aussi le désir de soutenir les opprimés, de libérer les victimes, de s'exposer pour leur défense : c'est là un des titres de gloire auxquels Athènes ne cesse de prétendre. Ces deux idées, combinées ensemble, se sont donc révélées toniques et ouvertes. Elles étaient déjà ouverture aux autres.

Mais ce point de départ éclatant ne doit pas faire oublier tout ce qui, par-delà la loi et ses règles, allait dans le même sens, plus discrètement.

Déjà la loi, pourquoi ? On l'a rencontrée ici dans le contexte politique de la démocratie : il est temps de remonter un peu plus haut ; avec les Grecs, c'est le mouvement à effectuer, toujours ! On mesure alors qu'elle constituait pour eux, avant tout, le contraire de la violence[9].

Les Grecs n'ont cessé de s'élever contre la violence. Ils ont détesté la guerre, l'arbitraire, le désordre.

Pour la guerre, cela est connu. Déjà chez Homère, la guerre est le lieu de l'héroïsme, mais aussi celui de la souffrance et de la mort[10]. Arès, le dieu de la guerre, est en horreur même à Zeus : « Tu m'es le plus odieux de tous les Immortels qui habitent l'Olympe. Ton plaisir, toujours, c'est la querelle, la guerre et les combats » (*Il.*, V, 890-891).

La condamnation de la guerre traversera, en fait, tous les textes grecs. Elle est dans Hérodote, à qui elle inspire entre autres une formule célèbre : « Personne n'est assez fou pour préférer la guerre à la paix : dans la paix, les fils ensevelissent leurs pères, dans la guerre, les pères ensevelissent leurs fils » (I, 87). Elle est dans Eschyle, avec ses grands chœurs de douleur et l'image qui dit, à propos de la guerre de Troie : « Arès, changeur de mort, dans la mêlée guerrière a dressé ses balances et, d'Ilion, il renvoie aux parents, au sortir de la flamme, une poussière lourde de pleurs cruels — en guise d'hommes de la cendre, que dans des vases il entasse aisément !... (*Agamemnon*, 439-444). Elle est surtout dans Euripide, avec ces terribles tirades des

Suppliantes disant que les hommes, dans leur folie, préfèrent « la guerre et l'asservissement du faible par le fort, de l'État par l'État, et de l'homme par l'homme[11] ». Elle est aussi chez Aristophane. Elle est partout.

D'autre part, le texte d'Euripide cité en dernier montre bien que, derrière cette condamnation de la guerre pour les maux qu'elle cause, les Grecs discernaient bien que le principe même en était inadmissible : il supposait que l'on s'en remît à la force seule. Or ce scandale du règne de la force avait été perçu dès l'origine. Déjà Hésiode l'illustrait dans le merveilleux apologue de l'épervier et du rossignol, qui a été cité plus haut, dans le chapitre relatif à Pindare[12].

La même protestation anime le *Prométhée* d'Eschyle, où l'arbitraire de Zeus a pour ministres Pouvoir et Force, ou, selon une traduction plus exacte, Force et Violence (au sens où l'on dit faire violence à quelqu'un). Elle se retrouve dans toutes les analyses relatives à la tyrannie et surtout à cette tyrannie entre États qu'est l'impérialisme : régner *bia*(*i*), c'est régner par la contrainte, contre le gré des gens. Elle se retrouve dans les analyses abstraites et impitoyables de Thucydide (dans le dialogue de Mélos, au livre V) ou de Platon (avec le Calliclès du *Gorgias*).

La Grèce a été comme mobilisée contre la violence. C'est cela qui a inspiré son respect passionné de la loi. Mais ce sentiment s'est traduit également sous des formes plus larges, car à la violence s'oppose aussi la persuasion.

Dans les évocations groupées en ce chapitre de conclusion, on peut s'étonner de voir l'exposé changer de ton, se remplir soudain, lorsque l'on attendrait des idées générales et des résumés, de citations et de références : il est presque impossible de faire autrement. Si l'on veut suggérer, même très vite, en courant, l'importance de ces valeurs définies par la Grèce et léguées par elle au monde occidental, il faut bien offrir au lecteur comme un bouquet de ces textes qui ont nourri ce monde pendant des siècles. Elles prouvent que la démonstration pourrait se faire et que les affirmations ne sont pas gratuites ; surtout, par leur nombre, elles suggèrent bien qu'il s'agit de valeurs qui étaient alors chères à tous les hommes de cette époque indépendamment des distinctions d'opinion ou de genre littéraire. Peut-être aussi laisseront-elles au passage — qui sait ? — l'éblouissement que procure un enthousiasme lucide et toujours plus ou moins contagieux. Et puis, un bouquet : qu'offrir de mieux pour prendre congé ?

Cette parenthèse refermée, il faut se hâter de joindre à la loi la persuasion : elle intervient partout où la loi ne commande pas. Elle préside aux accords. Elle ne se lasse pas de faire pièce à la violence. Comment ne pas rappeler que tous les meurtres et toutes les vengeances dont est faite l'*Orestie* d'Eschyle viennent se briser contre la juste souveraineté d'un tribunal, et qu'Athéna, alors, entreprend de persuader les Érinyes plutôt que de les contraindre. On dirait la profession de foi de l'hellénisme en son heure de couronnement, quand elle évoque « la Persuasion sainte » qui donne à sa parole « sa magique douceur » (*Euménides,* 885-886). Et pour répondre en langage humain aux propos de la déesse, on pourrait citer le jeune Néoptolème de Sophocle, aspirant à convaincre Philoctète plutôt que de le tromper et de profiter de son avantage. Persuader : tel est bien le ressort de cette démocratie dont les Athéniens étaient si fiers, laissant la contrainte aux tyrans.

On dira que ce langage s'accorde mal avec l'impérialisme, qui était une tyrannie. Mais qui nous l'a dit, sinon les Athéniens, conscients de cette situation, et capables d'en dresser le constat avec une âpre lucidité. Que le tyran et l'État-tyran soient voués au désastre a été dit par Thucydide, et Isocrate a renchéri. A eux deux ils ont dégagé le schéma de cette « maladie », la décrivant sous une forme générale, applicable en tout temps.

Mais il faut dire encore que, sous le coup de cette expérience et de cette claire perception du mal, les Grecs ont aussi lancé l'idée de tous les accords possibles entre États. De même qu'Athènes a su passer l'éponge après la guerre civile et trouver pour la réconciliation entre citoyens un modèle jamais dépassé, de même les Grecs ont inventé le principe des accords, des arbitrages, des traités, des ligues, des fédérations et des confédérations. Ils n'ont pas réussi à s'unir, mais ils ont posé les principes, montré ce qu'il fallait éviter, et quelles étaient les conditions à observer [13]. Là aussi, nous vivons de leur héritage et de ce qu'il a produit.

Tout ceci, cependant, reste de l'ordre des règlements et du droit. Les Grecs n'allaient-ils pas au-delà ? N'avaient-ils rien qui les poussât vers les autres, vers ceux à qui ne les liait aucun pacte et aucune obligation écrite ? Athènes parlait de tolérance dans les rapports privés [14] ; mais n'y avait-il rien qui dépassât ce cadre ?

Là est la merveille : car ce peuple qui s'enchantait de l'écriture et des bases sûres qu'elle offrait à tous a cependant inventé l'idée de lois non écrites pour tout ce qui se situait par-delà le domaine des lois. Ces lois non écrites sont bien connues par l'éloge qu'en a fait Sophocle, dans *Antigone* et dans *Œdipe Roi.* Elles imposent, par exemple, le respect des suppliants et des hérauts, l'ensevelissement des morts, l'aide aux opprimés. Mais l'important est qu'elles sont, contrairement aux lois écrites, universelles. On les appelait parfois « lois communes des Grecs » ; mais d'autres textes insistent sur l'idée qu'elles sont valables pour tous. On lit à leur sujet dans Xénophon qu'elles sont « en usage de façon semblable dans tout pays » ou bien, dans Isocrate, que « l'ensemble des hommes n'a cessé de les pratiquer[15] ». Et Aristote précise qu'elles « semblent être reconnues par le consentement universel[16] ».

Cette invention grecque se veut universelle : et elle ouvre de meilleurs rapports avec les hommes en général. C'est le moment où le même Aristote fait une place à l'équité, disposition intérieure assez souple, à côté de la justice, et où se répandent un peu partout les idées de douceur, de compréhension et d'indulgence[17].

L'ouverture aux autres, qui commençait par la lutte contre la violence, se complète ici pour dépasser tout ensemble et le cadre de la cité, ou bien même de la Grèce, et la rigueur des exigences fondamentales.

La Grèce d'alors n'a rien inventé d'aussi direct et affectif que l'amour chrétien englobant toutes les créatures au nom du message du Christ ; mais son aspiration à l'universel lui a fait trouver dans la commune qualité d'hommes la source d'une communication fraternelle ; ayant conscience d'être homme, en effet, on se « met à la place » des autres hommes. Et, de même que l'universalité des idées chez Platon se fait pôle d'attraction et objet de joie ou de désir, de même l'universalité des situations humaines, à laquelle renvoie toujours la pensée grecque, devient source de sympathie et de tolérance à l'égard des autres hommes.

Cela est sensible dès le ve siècle. Et l'on est ému de voir, dans l'*Ajax* de Sophocle, Ulysse se refuser à rire de son ennemi, précisément parce qu'il y a conscience de partager sa condition. Il le dit à Athéna, sans emphase, mais avec conviction :

> « Le malheureux a beau être mon ennemi, j'ai pitié de lui quand je le vois ainsi plier sous un désastre. Et, en fait, c'est à moi plus qu'à lui que je pense. Je vois bien que nous ne sommes, nous tous qui vivons ici, rien de plus que des fantômes ou que des ombres légères[18]. »

Un peu plus tard Ménandre devait renchérir et c'est à lui qu'il faut rapporter la belle phrase de Térence : « Je suis homme et rien de ce qui est humain ne m'est étranger [19]. »

Cette référence à une commune condition humaine n'était-elle pas déjà latente dans la façon dont Homère parlait toujours des « mortels » ?

En tout cas, elle a donné lieu, à l'âge classique, à l'apparition d'un nouveau nom pour une nouvelle vertu. La *philanthrôpia,* qui ne s'était pas encore spécialisée pour devenir notre « philanthropie » moderne, était l'amour des hommes. On pourrait dire « l'humanité ».

On en arrive en effet à une valeur tout autre de ce terme. Car il en a plusieurs, qui toutes ont leur point de départ en Grèce. Le mot « humanité » désigne évidemment la condition humaine, celle que les auteurs ont tous cherché à définir, dans l'épopée, dans la tragédie, dans l'histoire. D'autre part, parce que cette condition est commune à tous, le mot devient un collectif, qui désigne la totalité des hommes partageant cette condition [20]. Enfin, parce que le sens de cette communauté éveille la solidarité, le mot devient synonyme de bonté pour les hommes. « Faire preuve d'humanité », c'est se rappeler cette solidarité et la mettre en pratique. Le mot est latin. mais la notion vient tout droit de Grèce.

On aimerait se dire que ces valeurs, transmises par les textes anciens, ne sont pas absentes du nom que portaient naguère les études classiques, lorsqu'on les appelait « les humanités » [21].

*

Ces valeurs dont on vient de cueillir rapidement les fleurs plus ou moins ouvertes sont devenues les nôtres.

Est-ce à dire que les Grecs les pratiquaient plus que

d'autres peuples ? Certainement pas ! Ils violaient les lois écrites et les lois non écrites, à l'occasion, comme tout le monde. Ils avaient des esclaves, soumis par la force. Athènes eut un empire-tyrannie. Même la démocratie tourna parfois — Aristote le dit — à la tyrannie populaire. L'intolérance multiplia dans la cité les procès d'impiété. On mit à mort Socrate. Et il y eut des périodes d'opposition ethnique ou de guerres civiles — comme chez nous. Mais les Grecs avaient du moins su dire ce qui aurait dû être, et définir des valeurs, et quelquefois mourir pour elles.

De même, il n'est nullement certain qu'ils aient été les seuls à le faire. Les valeurs décrites ici ont sans nul doute existé ailleurs. Peut-être le saura-t-on un jour... et peut-être non. Car, là encore, ils ont eu ce mérite unique — et qui illustre à merveille l'idée maîtresse de ce livre — de formuler ces diverses valeurs, de les définir, de dégager, à partir des vagues aspirations ou traditions auxquelles en demeuraient les autres, une image claire, rayonnante, universelle, qui par là, vivant dans des textes, pouvait se communiquer aux autres, ou bien se renforcer en eux, quand elles étaient seulement confuses et latentes. Sans doute beaucoup de peuples auraient admis qu'une sœur se doit d'ensevelir son frère ; mais ces peuples n'ont pas écrit *Antigone.* Or les sentiments se développent au contact des mots et des exemples, comme une plante qui reçoit la lumière du soleil.

Et le résultat est que ces mots et ces exemples ont grandi et proliféré chez tous les peuples qui furent en contact, direct ou indirect, avec la Grèce antique. Malgré les mesures d'exclusion des dernières décennies, l'influence continue : on peut ne pas en reconnaître l'origine, mais on ne peut l'empêcher d'être et d'avoir contribué à nous faire ce que nous sommes.

Il est même étonnant de constater, en notre temps de refus des études grecques, que cette influence se manifeste sous deux formes bien différentes, et de portée bien inégale. La première est visible et, en apparence au moins, très extérieure. Elle se traduit par des modes, par le recours à des noms propres et de vagues allusions mythologiques. Le fil d'Ariane ou le complexe d'Œdipe sont des souvenirs grecs ; les Jeux olympiques et le marathon des coureurs, de même. L'Europe, que nous forgeons à vive allure, porte un nom grec, et se réclame volontiers d'une héroïne enlevée par Zeus, qui n'est peut-être même pas la bonne. Tous les spectateurs de la télévision ont l'habitude d'entendre des formules comme : « Ariane 5 va atteindre Hermès. » Et les plus ignares des jeunes intellectuels parlent de l'*erôs*, plus volontiers que de l'amour.

Cette mode m'amuse. Elle ne repose sur aucune connaissance sérieuse, mais elle comporte néanmoins des implications révélatrices. Elle suppose dans certains cas le fait que les mots grecs gardent leur force et leur clarté : l'*erôs* n'est ni la *philia* ni l'*agapè* : l'*erôs* est donc effectivement plus clair que l'amour. Plus souvent, ces emplois supposent le rayonnement des symboles, même détournés de leur sens ou coupés de leur origine : le complexe d'Œdipe et le marathon ne survivraient pas si des générations nombreuses n'avaient entendu parler de ces images limites du crime ou de l'exploit. Et enfin l'on constatera que ces emplois sont liés au développement de la vie internationale : les symboles grecs sont à tous et à personne ; et, comme en bien d'autres domaines, la Grèce antique fournit là un langage, dont je dirai encore une fois qu'il est universel.

Mais, si ces survivances m'amusent — petits icebergs flottant à la dérive sans que personne sache plus pourquoi ils sont là —, il existe une autre survivance, bien plus profonde et méconnue de presque tous. Qu'on le veuille ou non, elle est faite d'idées qui vivent en nous à notre insu — comme notre cœur ou notre sang — et qui, à travers divers intermédiaires, viennent de la

Grèce antique. En effet, l'héritage grec, fondé sur l'aspiration à l'universel, est devenu l'esprit même de notre civilisation occidentale. La condamnation de la violence, la tolérance, le respect de la justice, le goût de la liberté, sont un peu les slogans de tous ceux qui se réclament de la démocratie. Et derrière les slogans se cachent des forces vivantes, auxquelles, de nos jours, il est devenu dangereux de résister[22]. Inversement, dans le temps où se crée l'Europe, il peut n'être pas indifférent de reconnaître cette dette, que l'on a trop tendance à oublier.

Lorsque l'on voit des dissidents tchèques invoquer contre la tyrannie les leçons de Thucydide, il y a sans doute là un raccourci ; et la plupart d'entre eux, certainement, ignorent Thucydide. Mais leur attitude est cependant tout à fait conforme à la leçon de la Grèce ; et elle ne se comprendrait peut-être pas sans l'impulsion première donnée en Grèce il y a vingt-cinq siècles.

Encore ne parle-t-on ici que de politique. Mais la sensibilité, dans nos divers pays, et les habitudes de pensée, et l'effort vers la clarté, la science, la philosophie — cet effort qui n'a presque jamais cessé depuis lors — renvoient de même aux premières audaces de la Grèce en ces divers domaines.

Même si l'on arrive aujourd'hui à couper le contact avec ce moment privilégié de l'histoire de l'humanité, on ne détruira pas cette longue maturation, au cours de laquelle elle a porté ses fruits — en nous.

Une telle coupure serait cependant absurde, coupable, et dangereuse. En tentant de répondre à la question « Pourquoi la Grèce ? », on répond toujours un peu à la question plus habituelle et plus terre à terre, qui demande : « Pourquoi le grec ? »

Et après tout, là aussi, les Athéniens d'alors avaient bien eu conscience de ce qu'ils faisaient et du rôle qu'ils méritaient de jouer. Thucydide fait dire à Périclès qu'Athènes est pour la Grèce une « vivante leçon », une « éducation », une *paideusis*. Elle l'a été pour les Grecs et les Grecs pour nous tous : qu'elle en ait eu si fort le pressentiment me rassure et m'émerveille.

NOTES DE LA CONCLUSION

1. On risque d'oublier aussi que cette civilisation d'avant le puritanisme était parfaitement dépourvue de complexes : les peintures de vases offrent la même indécence joyeuse qu'Aristophane. Et il est plaisant de le rappeler au sortir d'une analyse sur le platonisme.

2. Voir chapitre II, p. 82-83.

3. II, 40, 1 ; pourtant le texte semble viser le genre de vie, au sens large du terme.

4. Même les rites sont des fêtes pour les hommes ; et ils partagent avec les dieux (selon des règles bien fixées, évidemment) les offrandes du sacrifice.

5. Cf. en particulier p. 44-45.

6. Ce système d'équivalences est parfois parvenu jusqu'à nous à travers le latin. On dit encore « sacrifier à Vénus » comme on dit « rendre hommage aux Muses ».

7. Cf. ci-dessus, III, p. 119. L'assimilation, on le sait, se fit aussi, et encore plus aisément, avec la religion romaine.

8. *Hellenism in late Antiquity*, p. 9 ; les mots sont : « *A more articulate and a more universally comprehensible expression* ».

9. Voir d'ailleurs *Médée*, 537-538 : Jason dit à Médée ce que lui a apporté le fait de venir en Grèce : « Tu as appris la justice, et tu sais vivre selon la loi, non au gré de la force. »

10. Cf. ci-dessus, p. 34-35. On peut citer aussi, dans la description du bouclier, la cité en guerre, où règnent « Lutte et Tumulte et la déesse exécrable qui préside au trépas sanglant » (XVIII, 535).

11. 480-493. Pour ces derniers mots, l'ordre est inverse dans le texte grec. Voir aussi plus loin 939 et 954. Certaines pièces sont entièrement inspirées par cette condamnation de la guerre, ainsi *Andromaque*, *Hécube*, *Les Troyennes*, et même *Hélène*.

12. Ci-dessus, p. 88.

13. Voir le chapitre VI de notre livre intitulé *La Grèce antique à la découverte de la liberté*, avec les ouvrages qui y sont cités.

14. Cf. ci-dessus, p. 122-123.

15. Xénophon, *Mémorables*, IV, 4, 19 ; Isocrate, *Panathénaique*, 169 ; dans ces deux textes, l'universalité des lois non écrites est liée à leur origine divine : on ne peut imaginer de convention passée entre tous les hommes.

16. Aristote, *Rhétorique*, I, 1368 b : le terme est *para pasin*, chez tous.

17. Sur Aristote, voir ci-dessus, p. 287-288. Sur le progrès de ces idées, voir J. de Romilly, *La Douceur dans la pensée grecque*, 1979, 346 p.

18. 121-126. Le mot « ici » est ajouté sans raison : il s'agit bien de tous les vivants.

19. *Héautontimoroumenos*, I, 25. Voir d'ailleurs l'épisode d'Hérodote cité ci-dessus p. 161-162.

20. On conteste parfois aux Grecs le sens de l'humanité, pour la raison qu'ils ne connaissaient qu'une petite partie de la terre et pensaient avant tout aux Grecs ; mais l'abstrait suppose un champ d'application qui peut s'étendre à l'infini. Les Grecs quand ils disaient « les mortels » ou « les vivants » n'admettaient pas *a priori* de limite.

21. Voir sur ce point J. de Romilly, « L'humanité d'Homère et les humanités », *Bull. Ass. G. Budé*, 1987, 150-164. Le mot, en fait, se rattache à l'idée de la pleine réalisation de l'homme — idée qui apparaît déjà chez Ménandre.

22. Voir René-Jean Dupuy, dans *L'Humanité dans l'imaginaire des nations*, montrant, p. 126, que la référence idéologique est devenue un handicap pour l'U.R.S.S. « Sauf en Chine, les droits de l'homme sont devenus la résonance du monde » (or on voit le lien avec l'élan grec). Le même ouvrage précise, p. 180-181, que « la pensée occidentale » est « la seule qui refuse l'ethnocentrisme, la seule qui ne soit pas conçue à partir d'une réduction à soi, la seule qui prétende intégrer la diversité des hommes » (or on s'est efforcé ici de montrer que tel était, pour l'essentiel, le message grec).

Index des textes cités ou mentionnés

Alors que le livre s'adresse à un large public, l'Index que l'on trouvera ici est destiné à rendre service aux hellénistes qui voudraient l'utiliser pour le commentaire des œuvres. Aussi les références y sont-elles souvent plus précises que celles qui sont données dans le texte lui-même.

Les chiffres en italique renvoient aux textes grecs, les autres aux pages du présent ouvrage. Certaines références peuvent englober diverses citations de détail se succédant au cours d'une même analyse [1]. Celles qui sont en gras renvoient aux textes dont une partie au moins est citée de façon détaillée, et détachée de l'exposé proprement dit.

1. On rappelle ici, à propos des citations, que, sauf indication particulière, elles sont empruntées à la Collection des Universités de France (publiée sous le patronage de l'Association G. Budé). Pour les mots calqués sur le grec, dont la graphie n'est pas fixe, on a gardé l'orthographe de la traduction utilisée.

Table

Achevé d'imprimer en Espagne par
CPI Blackprint Iberica SL – 08740 Sant Andreu de la Barca
en octobre 2022
Dépôt légal 1re publication : juin 1994
Édition 15 – octobre 2022
LIBRAIRIE GÉNÉRALE FRANÇAISE
21, rue du Montparnasse – 75298 Paris Cedex 06

31/3549/8